NARRATIVA

740

Kerry Fisher

L'ALTRA MOGLIE

Romanzo

TRADUZIONE DI
FRANCESCA SASSI

Titolo originale
The Silent Wife

ISBN 978-88-429-3060-0

In copertina: foto © Ildiko Neer / Trevillion Images
Art director: Giacomo Callo
Graphic designer: Marina Pezzotta

L'ALTRA MOGLIE

Alla mia famiglia

1

MAGGIE

Municipio di Brighton,
15 gennaio 2016

Alla frase di rito: « Tutti in piedi, arriva la sposa », ebbi l'istinto di guardarmi intorno, in cerca della donna in abito bianco.

Il mio matrimonio fu celebrato in un anonimo pomeriggio di metà gennaio, ben lontano da qualsiasi occasione speciale, come Natale o San Valentino. Avevo trentacinque anni e non avevo mai vissuto con un uomo in vita mia. Non perché fossi l'ultima suora del convento (troppo tardi per una simile impresa, dato che mi portavo appresso un figlio di dieci anni: Sam), ma perché finivo sempre per impelagarmi con gli uomini sbagliati. Di quelli che, una volta padri, rinchiudevano le figlie nello scantinato e versavano olio bollente dalla finestra dell'ultimo piano.

Io non avevo mai avuto un padre, solo una madre, che vedeva il lato buono in tutti quanti: disperati, sognatori, svalvolati... La mamma permetteva a qualsiasi incapace di parcheggiare il culo sul divano, mentre lei si limitava a preparare toast al formaggio. Invece di cacciarli di casa il più in fretta possibile, sorrideva e diceva: « Ha un gran cuore, tesoro mio, è solo un po' sgangherato. Si sistemerà ».

Ma non succedeva mai. E poi avevo conosciuto Nico, che non aveva nessun bisogno di essere sistemato. Dopo tanti anni a pescare dal cesto delle occasioni gli uomini più assurdi, ne avevo trovato uno cui non servivano ritocchi. Uno in grado di alzarsi la mattina, di tenersi un lavoro, di affrontare delusioni e frustrazioni senza lasciarsi dietro una sfilza di lattine di birra, debiti e confusione. Un tipo puntuale, che non puzzava mai d'alcol o truffa, che non chiamava mio figlio Sam « il moccioso ». Uno che oltretutto (e quello era un gran valore aggiunto) mi considerava fantastica o *incredibile,** come diceva talvolta, facendo appello alle sue origini italiane.

Uno che, col passare del tempo, invece di trovarmi sempre meno *incredibile*, mi aveva persino chiesto di sposarlo. Il che per una donna della famiglia Parker era un fatto insolito quanto conoscere l'identità del proprio padre.

Così, mentre facevo il mio ingresso sottobraccio a Sam, pronta come non mai a pronunciare le promesse matrimoniali, mi sarei dovuta sentire come uno scalatore che finalmente raggiunge una vetta rocciosa dopo anni vissuti ai suoi piedi a chiedersi: « Come cavolo faccio ad arrivare lassù? » Invece mi sentivo più simile a un allenatore di calcio fallito, costretto a portare sulle spalle il peso della delusione dei tifosi.

Percorrendo il corridoio centrale, cercai di catturare lo sguardo di Francesca. Volevo dimostrarle che capivo, che non sarebbe stato brutto come temeva, che potevamo farcela. Ma lei rifiutava di alzare gli occhi, col viso rivolto a terra e col corpo ancora adolescente serrato in una debole battaglia tra rabbia e angoscia.

Avrei voluto fermarmi, chiedere al gruppetto di ospiti di uscire un minuto per consentirmi di abbracciare quella ragazzina diffidente e distrutta; di dirle che stavo dalla sua parte. Mi domandai per l'ennesima volta se la strategia di Nico di risposarsi, costringendo così sua figlia ad accettarmi come una presenza fissa, fosse quella giusta.

Troppo tardi, ormai.

Strinsi il braccio di Sam, tentando di fargli capire che avevo preso quella decisione non solo per me, ma anche per lui. Mia madre, Beryl, lo adorava, ma per avere successo nella vita gli serviva qualcosa di più dei suoi insegnamenti su come nascondersi dal padrone di casa passato a riscuotere l'affitto.

Nelle ultime, gioiose battute di *Chapel of Love*, cercai di concentrarmi solo su Nico. Volevo assaporare il momento in cui quell'uomo, che non solo mi arricchiva, ma mi completava,

* In italiano nel testo. (*N.d.T.*)

si apprestava a compiere un atto di fede, *sposandomi.* Per la prima volta in tre generazioni di Parker.

Gli guardai la nuca, i capelli scuri e ricci ancora scompigliati nonostante i tentativi di domarli, e mi sentii pervadere da un'ondata di felicità. Per un pericolosissimo istante, considerai l'ipotesi di percorrere gli ultimi metri che mi separavano dall'ufficiale di stato civile facendo la ruota. Poi decisi che, nel mio primo giorno da Farinelli, era meglio non strafare. A giudicare dalla maggior parte delle facce, gli altri membri della famiglia dovevano aver fatto sì e no un timido saltello in tutta la loro spolveratissima vita.

Mi aggrappai alla speranza che, con un pizzico di fortuna e di pazienza, alla fine ci saremmo amalgamati, noi due e la nostra prole, dando vita a qualcosa di simile a una famiglia *normale.* Ma ciò che per qualcuno è normale per un altro può essere folle.

Sarebbe bastato un «normale per noi».

Con la fine della canzone svanì anche il desiderio di ballare e schioccare le dita ed ebbe inizio quell'affare da veri adulti altrimenti detto matrimonio. L'ufficiale di stato civile prese a biascicare la sua parte fino a chiedere ai presenti se qualcuno fosse a conoscenza di un valido motivo per cui non ci saremmo dovuti sposare. Trattenni il fiato per un secondo, preparandomi a sentir risuonare nella sala una vocina acuta d'adolescente, abbastanza alta da raggiungere il bar dell'hotel e spingere tutti quanti a mollare sul tavolo la birra e fiondarsi a vedere cosa stesse succedendo. Cercai d'ignorare il fermento dietro di me. Non volevo immaginare l'espressione dei suoi familiari: lo sdegno di Anna, la madre; o il ghigno di Massimo, il fratello maggiore, pronto a sottolineare l'ennesima sciocchezza di Nico. Avevo sperato che ufficializzare il nostro amore li avrebbe ammorbiditi, che sarebbero stati felici di vedere che Nico aveva trovato un po' di pace e di gioia dopo quello che aveva passato. Invece niente. A giudicare dal loro entusiasmo, sembrava fossimo lì riuniti per una colonscopia collettiva.

Lanciai un'occhiata alle mie spalle in cerca di sostegno morale. Le amiche del mio vecchio quartiere mostrarono il pollice in su. Distolsi subito lo sguardo nel caso gli saltasse in mente di gridare, come per un successo inaspettato del cavallo su cui avevano puntato. Avevo già visto la mia quasi suocera squadrare scollature e paillettes con aria di disapprovazione. Dio solo sa cosa pensava Anna del cappello della mia migliore amica, una sorta di enorme soufflé piumato. Guardai la mamma, ansiosa di ricevere incoraggiamento. E lei, festoso rododendro in mezzo a una massa di sobri allium, non mi deluse, dispensando larghi sorrisi. Ripensai alle parole che mi aveva detto poco prima: « Testa alta, tesoro. Sei la cosa migliore che possa capitare a quella famiglia. Darai a sua figlia un po' di amore e stabilità ».

Per una volta nella vita, volevo cedere al romanticismo, credere che l'amore fosse un'emozione speciale e scintillante e non una sciocchezza tale da farti sentire stupida.

Mentre recitavo le promesse, mantenni gli occhi su quelli di Nico, lasciandomi avvolgere dal loro calore e dalla loro bontà e isolandomi dal resto della stanza. Eppure continuavo a sentire lo sguardo di Francesca che mi trapanava la schiena, al punto che incespicai sul secondo nome di Nico, Lorenzo. Immaginai l'intera famiglia alzare gli occhi al cielo. Nico mi strinse la mano, ricordandomi di quando avevamo discusso di quanto fosse difficile da pronunciare. E che eravamo « sulla stessa barca ». Ma continuavo a sentire le opinioni di Francesca infilarsi tra noi come spine acuminate, in cerca di una crepa o di una fessura in cui depositare la sua protesta, la furia covata per il fatto che, due anni dopo la morte di sua madre, il padre avesse deciso di risposarsi.

Nonostante tutti i miei sforzi per conoscerla meglio, lei oscillava tra l'ostruzionismo e l'aperta maleducazione. Talvolta, quando proponevo di andare al cinema o di cenare fuori, s'illuminava per un attimo per poi tornare subito ostile, come se dimostrare entusiasmo per le mie idee fosse sleale nei confronti della madre. Partecipare al nostro matrimonio poteva sembrarle un vero e proprio tradimento, ecco perché avevo suggerito a Nico di lasciare a lei la scelta se venire oppure no. Ma lui era stato irremovibile: « Vogliamo essere una famiglia, non una specie di club in cui puoi decidere a quali attività partecipare. Dobbiamo essere uniti. Alla fine la farà sentire al sicuro ».

Ma in che modo vedere il proprio padre risposarsi poteva essere motivo di festeggiamento? Agli occhi di una tredicenne doveva apparire come un chiaro messaggio che il ricordo della madre si stava affievolendo. Che suo padre, l'unica persona ad aver sofferto con lei, aveva imparato a vivere senza la moglie e che lei era destinata a continuare a portare il lutto da sola.

Quando sentii strillare, mi balzò il cuore in petto al pensiero che Francesca avesse finito per perdere il controllo. Persino l'ufficiale di stato civile si zittì. Passi leggeri che potevano appartenere solo a Sandro, il nipotino di Nico, rimbombarono sul pavimento di marmo, seguiti da un tacchettio veloce e dal rumore secco di un portone sbattuto.

Resistetti all'impulso di voltarmi e mi sforzai di riportare l'attenzione sulla celebrante che stava per arrivare al passaggio che tanto temevo, quello che recitava « nella salute e nella malattia ». Non riuscivo a concentrarmi sulla promessa che ci stavamo scambiando, ma solo sul fatto che era la seconda volta che Nico ripeteva quelle parole. Aveva mai immaginato, anche solo per un secondo, il peso di quella promessa, la realtà che si sarebbe trovato ad affrontare? Si era mai aspettato che Caitlin, con quei suoi capelli lucenti e i bicipiti tonici, avrebbe riscosso la parte « nella malattia » e che lui avrebbe dovuto guardarla spegnersi lentamente, settimana dopo settimana? Quando aveva deciso di avere un bambino, aveva mai immaginato che un giorno si sarebbe seduto a un tavolo apparecchiato per due, a chiacchierare allegramente con una figlia adolescente, cercando d'ignorare lo sconvolgente, sfacciato posto vuoto lasciato da Caitlin?

In quel punto la voce di Nico s'incagliò. Gli misi una mano sul braccio per rassicurarlo sulla mia intenzione di seppellirli tutti. Dal modo in cui mi strinse mi resi conto che il suo primo matrimonio avrebbe inciso profondamente sul secondo.

Grazie al cielo avevo vissuto abbastanza da non aspettarmi una favola.

2

LARA

Un lieve fremito di disapprovazione pervase la famiglia Farinelli nel vedere Maggie fare il suo ingresso in sala, a piedi nudi e con un girasole tra le mani. Non che ballasse nel vero senso della parola, ma percorreva il corridoio centrale quasi come se stesse saltellando, come se il ritmo di *Chapel of Love* si fosse impossessato delle sue gambe, riempiendole le membra di gioia.

Quando Sam, in frac e cilindro taglia bambino, abbozzò qualche passo di shimmy, mi augurai che nessun altro avesse sentito mio marito dire: « È arrivato il circo ». Non potei fare a meno di lanciare un'occhiata a mia suocera, Anna, dritta come un fuso, col cappellino a tamburello appollaiato come un'aquila rapace sulla testa. La sua faccia era il ritratto perfetto dello sdegno, come se dovesse concentrarsi a fondo per non urlare: « Qualcuno può mettere fine a questo baccano? »

Anna si chinò in avanti, con la veletta di tulle tremolante, e colse il mio sguardo. Era troppo raffinata per concedersi una smorfia intercettabile da altri, ma sapevo che era già ai blocchi di partenza, pronta a fare paragoni. Stavolta potevo persino avere qualche possibilità di vittoria, dopo tanti anni di: « Caitlin è tornata in perfetta forma dopo la nascita di Francesca. Ma tu hai fatto un cesareo, immagino che questo non aiuti ». Il tutto seguito da una serie di consigli su come « mascherare la pancia » con una sciarpa e un articolo del *Daily Mail* intitolato PERDI UNA TAGLIA IN DIECI GIORNI! che avevo trovato sul tavolo della cucina. Anna, inoltre, aveva riscontrato in me diverse lacune nella cura del giardino, ai fornelli e in ciò che lei definiva « gestione domestica », perciò speravo proprio che la mia futura cognata non nascondesse una sfilza di abilità tali da umiliarmi.

Maggie dava l'impressione di non essere molto interessata

a ciò che la gente pensava di lei. Con quella rosellina tatuata sulla caviglia, le unghie dei piedi bluette e una cascata di riccioli sulla schiena, sembrava più pronta per celebrare il rito pagano del novilunio che una sposa desiderosa d'integrarsi in una nuova famiglia che già le stava mettendo i bastoni tra le ruote. Le sarebbe servita una gran fiducia in se stessa per resistere alle ferree regole di Anna sulla « condotta della famiglia Farinelli ».

Se la conoscevo bene, mia suocera doveva aver tentato d'impedire a Nico di sposare Maggie in tutti i modi possibili. « Due anni sono troppo pochi, sei ancora in lutto »; « Non è giusto nei confronti di Francesca. Non ha bisogno di una nuova madre, ha bisogno di un padre che si concentri su di lei »; « Vuoi davvero accollarti il bastardo di un altro uomo? » E probabilmente aveva usato proprio quelle parole. Qualsiasi elemento non si attagliasse alla sua visione del mondo doveva essere individuato e abbattuto.

Ma evidentemente non era riuscita ad allontanare il figlio da Maggie. Il viso di Nico era acceso dall'emozione, come se stentasse a credere che quella creatura spensierata volesse davvero unirsi a lui e portare vivacità tra le pareti di casa Farinelli. Era incredibile che Maggie avesse già trentacinque anni, la mia età. Indossava i panni da adulta con estrema leggerezza, come fossero uno stato in cui immergersi solo in caso di assoluta necessità, una temporanea interruzione al divertimento e al sacro principio di non stare in ansia per il domani, perché il domani si sarebbe preoccupato di se stesso. Col mio caschetto ordinato, con lo smalto rosa perla e con gli abiti lunghi fino al ginocchio che piacevano tanto a Massimo, dimostravo dieci anni più di lei.

Perciò, nonostante i mormorii di Anna su quel matrimonio « destinato a fallire », non ero affatto dispiaciuta per Maggie. Ero invidiosa. Invidiosa dell'ardente intensità di quel nuovo amore. Del loro ottimismo. Delle loro speranze per il futuro.

Immaginai Nico che rideva nel sentirla cantare con la radio accesa, che le dava un bacio sulla testa mentre lei si sedeva a tavola o le infilava la sciarpa nel cappotto prima che andasse al lavoro. Avvertii una fitta di nostalgia per i giorni in cui Massimo s'intrufolava nel mio ufficio e spazzava via dalla scrivania tutti i fogli accuratamente ordinati per sommergermi di baci sfrenati, facendomi dimenticare di colpo i rendiconti che stavo rivedendo. E per quelle cene « di lavoro » in cui eravamo così presi l'uno dall'altra da staccarci solo quando i camerieri cominciavano a pulire. Sentii il desiderio fortissimo di quel legame che apriva le porte al possedersi, al sentirsi di nuovo parte di una famiglia.

Che bello sarebbe stato, se il papà fosse potuto venire al matrimonio. Certo, Massimo aveva agito per il suo bene, non voleva che tutte quelle facce nuove lo mandassero in confusione, ma il papà amava ancora la musica e quella canzone anni '60 era proprio il suo genere. Ogni volta che dava segno di riconoscere qualcosa, la mia giornata acquistava un senso. E quanto mi sarebbe piaciuto vederlo indossare ancora il suo completo, elegante e sorridente com'era un tempo.

Com'eravamo tutti un tempo.

Rivolsi di nuovo l'attenzione a Nico e Maggie proprio quando stavano per pronunciare le promesse matrimoniali e lanciai un'occhiata al volto rigido di mia nipote. Nonostante le nefaste profezie di Anna, ero convinta che le seconde nozze di Nico fossero un bene per Francesca. Mia madre era morta quand'ero soltanto una bambina e, ora che il mio amato papà era anziano e stava sbiadendo come una vecchia polaroid, sarei stata felice di avere vicino una matrigna allegra e affettuosa. Forse, se avessi avuto una persona con cui parlare invece di qualcuno da proteggere, avrei avuto una vita diversa.

Ma, prima di potermi perdere ulteriormente lungo il cammino del passato e del presente, Sandro, il mio bimbo di sette anni, vide un ragno zampettare sotto la sedia davanti a sé. Da quando, qualche giorno prima, la nostra gatta, Misty, era scomparsa, Sandro era diventato ancora più sensibile e appiccicoso del solito e, se prima era solo pallido, adesso se ne andava in giro con l'aria di chi ha letto le indicazioni per l'evacuazione di un aereo e resta in attesa dell'emergenza. L'esatto opposto, per quel poco che avevo visto, del figlio di Maggie, Sam, che sembrava uno per cui la massima sfida quotidiana è riuscire a soffocare una risatina da birbante. Sandro prese ad agitarsi. Mi diede un colpetto col braccio e indicò a terra. Mi chinai e gli sussurrai che si trattava di un semplice ragnetto, che non gli avrebbe fatto del male, quando all'improvviso l'insetto andò a sbattere contro la scarpa di Beryl e indietreggiò veloce dirigendosi proprio verso di lui. Sandro strillò e si arrampicò sulla sedia.

Anna fece per girarsi, corrucciata, senza dubbio per caricare in canna un colpo tipo: « Lara fa del suo meglio, ma non ha proprio nessun controllo su quel bambino ». Massimo si chinò verso di lui per trattenerlo, però Sandro si mise a correre tra le sedie vuote. Mi affrettai a raggiungerlo, gli presi la mano e lo portai fuori dalla stanza, lieta di avere una scusa per lasciarmi alle spalle gli sguardi pieni d'accusa e di aspettative dei Farinelli. Eppure riuscii ugualmente a sentire il disprezzo strisciare sotto l'elaborato portone che avevo cercato di chiudere con calma. Strinsi forte Sandro, aspettando che le sue lacrime si placassero.

Mi sforzai di rassicurarlo con tono pacato: « Va tutto bene, non era poi così grande ».

« Non sto piangendo per il ragno, mamma. Voglio che Misty torni a casa. »

« Lo vogliamo tutti, tesoro. Vedrai che presto salterà fuori, non preoccuparti », dissi, sperando che un bimbo di sette anni non fosse in grado di cogliere la sfumatura di dubbio nella mia voce.

3

MAGGIE

Come « luna di miele » io e Nico ci regalammo una notte da sogno in una locanda di posta del XV secolo. Avevamo deciso di concederci una vacanza più lunga solo noi due una volta che i ragazzi si fossero abituati alla nuova vita familiare, il che, a giudicare dall'atteggiamento che aveva ancora Francesca dopo due settimane, rischiava di verificarsi alla fine del prossimo secolo.

Il tentativo di Nico di farmi conoscere pian piano la figlia nel corso dell'anno precedente non aveva funzionato. Avevamo cercato di creare un'atmosfera familiare, con cene casalinghe a base di curry e serate al cinema. Potevo contare sulle dita di una mano le volte in cui Francesca mi aveva risparmiato commenti pungenti su quanto Caitlin fosse più in gamba/più snella/più in forma/più spiritosa di me. Avrei potuto essere la massima esperta mondiale di *wing walking* e senza dubbio Caitlin sarebbe stata in grado di compiere le mie stesse acrobazie... e sui trampoli! Alla fine, Nico aveva optato per la strategia « volente o nolente », anche se avevamo concordato che Sam e io ci saremmo trasferiti dai Farinelli soltanto la settimana prima del matrimonio, come a tracciare una sorta di confine, oltre il quale avremmo dovuto trovare un modo per andare d'accordo, nel bene o nel male.

« È un problema per te trasferirti nella casa in cui ha vissuto Caitlin? » aveva domandato Nico quando mi aveva chiesto di sposarlo, mesi prima di fissare una data.

Avevo scacciato le sue ansie con un gesto, per timore che sembrasse assurdo nutrire riserve su un eventuale trasloco dall'appartamento da topolini in cui vivevo con la mamma e Sam alla villa vittoriana di Nico, con quattro camere da letto e due bagni. Avevo cercato un modo per dirgli: « Non voglio dormire nel letto che dividevi con lei, men che meno in quello in cui è morta » senza sembrare una strega insensibile, ma non ci ero riuscita.

E, come se fosse capace di leggere nella mia parte più infima e meschina, Nico aveva detto: « Sceglieremo un nuovo letto insieme ». Non aveva aggiunto altro e mi ero sentita incredibilmente grata per non dovermi chiedere quale lato del materasso memory foam fosse quello di Caitlin.

A conti fatti, però, comprare un letto nuovo non mi aveva fatto sentire a casa mia. Due settimane dopo il nostro matrimonio, continuavo a svegliarmi pensando di essermi appisolata nel bel mezzo di un servizio fotografico per una rivista patinata d'interior design. Cuscini grigi con una macchiolina turchese per far risaltare il motivo della poltrona a righe sottili. Armadio shabby chic con pomelli di ceramica che avevano tutta l'aria di essere stati fatti a mano in Toscana. E un apposito scomparto per qualsiasi cosa. Persino i vassoi avevano un posto speciale in cucina, invece di essere gettati a fianco del frigorifero, pronti a colpirti le caviglie se sbattevi lo sportello con troppa forza.

La totale assenza di disordine faceva sembrare la casa di Nico un luogo disabitato. L'esatto opposto dell'appartamento della mamma, con l'attrezzatura per la bici di Sam sparpagliata nel corridoio, le piante che crescevano come trifidi nella serra del soggiorno e il criceto che occupava più spazio di noi tre messi insieme, con una miriade di tubi e recinti sempre più complicata. Qualsiasi necessità si presentasse, che fosse un regalo da incartare, un fusibile da sostituire o un girasole da puntellare, ero sicurissima che la risposta di Nico avrebbe incluso le parole « in quel cassetto ». Mentre io avevo sempre preferito un approccio più casuale, tipo frugare sotto il lavandino come un cane che cerca di stanare un coniglio. Immaginavo che Caitlin avesse invece applicato l'inflessibile politica di buttare via un oggetto ogniqualvolta ne comprava uno nuovo.

Un tempo non vedevo l'ora di andarmene dall'appartamento della mamma. Sam e io dividevamo un divano letto in soggiorno da ben tre anni, da quando non mi ero più potuta permettere di pagare l'affitto per un posto tutto nostro. Con le sue lucine colorate, i cuscini patchwork e i plaid arcobaleno, era come dormire in una casba marocchina. Ora, però, la realtà che avevo tanto agognato - non inciampare più in una scarpetta da calcio quando mi alzavo la notte, trovare una chiave per i termosifoni entro cinque secondi, avere una salsiera della misura perfetta - mi faceva soltanto sentire un'ospite nella casa di qualcun altro, neanche fossi tenuta a passare arrecando il minimo disturbo, senza lasciare traccia della mia permanenza.

Cominciavo a pensare che forse sarebbe stato meglio per tutti trasferirci altrove, in un luogo in cui i ricordi di Caitlin fossero solo quelli che Nico avrebbe scelto di portare con sé, non quelli che spuntavano fuori di propria iniziativa: immagini spettrali appostate dietro ogni angolo, che s'infilavano tra noi sugli scomodi canapè francesi. Certi giorni immaginavo le dita lunghe ed eleganti di Caitlin chiudersi intorno alle stesse maniglie che impugnavo io. O la vedevo tirare le tende della camera da letto, per poi voltarsi a guardare le ciglia scure di Nico aperte a ventaglio sul cuscino, le sue labbra ancora mezze contratte dal sonno. Posavo deliberatamente le mani molto in alto o molto in basso, per far sì che le mie dita non stringessero la stessa pesante stoffa toccata dalle sue. Avrei potuto confezionare delle tende nuove in un battibaleno. Probabilmente avrei dovuto. Ma non era come entrare nella casa di un'ex moglie svanita dopo un divorzio carico d'astio e pensare: *Bene, ora ci sbarazziamo di tutta la sua robaccia schifosa,* e poi noleggiare un cassone per i rifiuti e gettarci dentro i piatti spaiati, seguiti dalla sua vecchia pentola a cottura lenta e da cosmetici mezzi usati. Ogni oggetto che buttavo era un altro pezzo della madre che Francesca non avrebbe mai più riavuto indietro. Un altro piccolo passo verso la consapevolezza che suo padre era andato avanti, e insieme con qualcuno che aveva gusti diversi in fatto di tende. E di stoviglie. E di *vita*.

Nico e io avevamo sfiorato l'idea di trasferirci, ma avevamo deciso di non affrontare l'argomento finché la situazione con Francesca non si fosse stabilizzata. Il che non mi sembrava potesse avvenire in un futuro prossimo, considerato che persino i più piccoli cambiamenti causavano enormi litigi. Proprio quella mattina Francesca aveva annusato il pullover della scuola con fare teatrale e aveva detto: « Questo maglione ha uno strano odore. Con cosa l'hai lavato? »

E mi ero trovata in imbarazzo perché, ora che non ero più squattrinata come un tempo, potevo finalmente permettermi di avere dei principi e avevo sostituito il consueto detersivo in polvere con un prodotto ecologico. Avevo tralasciato la parte relativa allo « scialacquare un mucchio di soldi per seguire la mia nuova etica » e bofonchiato qualcosa sull'impatto dei detergenti sulla sopravvivenza del rospo calamita. La reazione furiosa di Francesca era stata una variazione sul tema « la mamma usava sempre il Persil e io me ne sbatto dei rospi, dei tritoni e *soprattutto* di te », come se sperasse che ingerissi accidentalmente dell'acido cloridrico.

« Sei silenziosa », disse Nico quella sera, quand'eravamo tutti seduti a tavola per la cena. « Stai bene? » chiese posando la sua mano sulla mia.

La ritrassi subito. Ecco, quella era la cosa più strana: quando Francesca era nei paraggi, non riuscivo a toccarlo, benché il mio corpo tendesse i suoi tentacoli verso di lui, in cerca di rassicurazioni.

Francesca se ne stava seduta lì immobile, con gli occhi vigili, le pupille come piccoli bozzoli d'odio. Non sapevo cos'altro fare per evitare di scoppiare a piangere a dirotto gridando: « Mai stata meglio. Cosa può mai esserci che non va? Tua figlia mi odia. Va tutto benone ». Non era esattamente quello lo scenario che mi ero immaginata quando avevo detto a Sam che sposare Nico significava diventare parte di una famiglia più grande.

Con perfetto tempismo, Francesca si ravviò i lunghi capelli scuri e scostò il piatto. « Non mi piacciono gli spaghetti alla carbonara. »

Nico scosse il capo. « Non è vero. Li mangiavi sempre. » Le parole « quando c'era tua madre » rimasero appese nell'aria come stelline pirotecniche che scintillano nel buio della notte.

« Allora è la carbonara di Maggie a non piacermi. »

Cercai di allentare la tensione, pregando che Sam non ne approfittasse per fare a sua volta lo schizzinoso. « Magari, la prossima volta che faccio la pasta, puoi darmi una mano tu, per vedere di cucinare qualcosa che ti piaccia un po' di più. »

Francesca mi guardò come se avessi suggerito di confezionarci in fretta e furia una tuta spaziale e di lanciarci alla scoperta di Marte.

Neanche a farlo apposta, in quello stesso istante Sam starnutì con la bocca piena d'acqua, sputacchiando spaghetti mezzi masticati sul piatto di Francesca, che spinse via la sedia e si precipitò su per le scale. Cinque secondi dopo, si udì sbattere una porta con tanta forza da far tintinnare la fila di caraffe color pastello di Caitlin, allineate con cura sulla credenza.

« Sam! Quando capisci che stai per starnutire, mettiti la mano davanti alla faccia e voltati. »

Ma lui si mise a sbellicarsi dalle risate con quel fare birichino tanto amato dai bimbi di dieci anni. Rimasugli di pancetta e fili di spaghetti gareggiavano per schizzare fuori.

« Santo cielo. Chiudi quella bocca. È disgustoso », ordinai con un tono più brusco del normale. Non volevo che Nico pensasse di aver introdotto nella sua vita una manica d'incivili indisciplinati.

Lui, invece, gli porse un pezzo di carta da cucina. « Va' a darti una ripulita, pasticcione. »

Mentre Sam si dirigeva al bagno di sotto per sistemarsi, noi ci girammo l'uno verso l'altra e dicemmo al contempo: « Mi dispiace », il che ci fece scoppiare a ridere.

Nico mi tirò a sé. « Mi dispiace davvero. Francesca non dovrebbe parlarti in quel modo. Ma non so se rifilarle una punizione coi fiocchi o se provare a far finta di niente. »

La pressione della sua guancia sulla mia testa bastò ad alleviare in parte la tristezza. Avrei voluto chiedergli se si era pentito di avermi sposato, se pensava che in fondo sarebbe stato meglio continuare a frequentarci senza coinvolgere i figli. Ma stare lì seduti a un tavolo disseminato di spaghetti e sentire i passi pesanti che minacciavano di sfondare il pavimento della camera da letto al piano di sopra probabilmente non avrebbero favorito la risposta che volevo ricevere. E così mi rilassai tra le sue braccia, assaporai quel momento, quel piccolo ritaglio di tempo in cui potevamo concederci di essere una coppia, di toccarci, di stringerci, di amarci, liberi da quei filtri che ci eravamo imposti come « strategia per costruire una famiglia felice ».

Nel sentire il suono dell'Xbox di Sam accendersi nel soggiorno, Nico allentò la stretta e prese a giochicchiare con la manica consunta del maglione. Nei primi tempi in cui uscivamo insieme, si scusava per quella sua trascuratezza, che « faceva ammattire Caitlin », mentre io adoravo che lui fosse più felice così, con indosso jeans sbiaditi e vecchie T-shirt. Non riuscivo a immaginare di stare con uno come Massimo, coi suoi completi blu scuro e con le camicie coi gemelli.

Un paio di fili pendenti e di buchi allargati dopo, Nico alzò finalmente lo sguardo. Le sue labbra iniziarono a muoversi in cerca delle parole giuste da pronunciare. « Non so bene come affrontare la questione, ma tra due settimane è l'anniversario della morte di Caitlin. Mia madre vuole che andiamo tutti insieme al cimitero e poi a pranzo da lei. »

Che non si dica in giro che non avevo vita sociale, eh? Sai che spasso girovagare tra le tombe coi parenti della cara estinta!

« Immagino che la mia presenza non sia contemplata, giusto? »

« Oh, no, saresti la benvenuta. »

Sì. Certo. Senza contare che sarebbe stato un tantino strano. A dire il vero, non avevo affatto bisogno di avere davanti la prova concreta che tutti, forse anche mio marito, desideravano che Caitlin fosse ancora viva, che le loro esistenze fossero intatte come un tempo e non includessero me. C'erano mille cose che avrei preferito fare. Tipo sniffare peperoncino, scambiare il balsamo di tigre per il Canesten, amputarmi un arto con un tagliaformaggio a filo.

« Credo che sarebbe solo imbarazzante. E, in ogni caso, Francesca non mi vorrà lì con voi. »

La sua espressione tesa si rilassò. « Grazie, così mi faciliti la vita. So che non è l'ideale. Spero che stavolta riusciremo a convincere Francesca a venire. Finora si è rifiutata categoricamente di visitare la tomba di Caitlin, ma farlo potrebbe, non so, ribadire il concetto che sua madre non tornerà più e che lei deve vivere nel presente e smettere di essere tanto arrabbiata. »

« E tu? »

Mi baciò sulla testa. « Io sono stato fortunato ad avere avuto una seconda possibilità. Non sono più arrabbiato, sono solo triste per una persona che se n'è andata troppo presto e che non ha avuto l'opportunità di vivere la sua vita. » Tentò una battuta: « Sai com'è, godersi Francesca ».

Non sapevo ancora che faccia fare quando qualcuno parlava di Caitlin. Mi sentivo intrappolata a metà tra il rimorso e l'impulso di chiedere scusa. Anche se avevamo cominciato a uscire molto tempo dopo la sua morte, nessuno ci credeva. Ed era davvero un'ironia della sorte che io avessi conosciuto Nico solo *a causa* della malattia della moglie, perché in quel periodo mia madre era stata assunta da loro per occuparsi delle pulizie e della spesa. E le aveva fornito assistenza in punto di morte.

Quando passavo a prendere la mamma e lei non aveva ancora finito, Nico m'invitava a entrare. Dopo le prime due o tre volte in cui ero quasi collassata per lo sforzo di non chiedere nulla che prevedesse la risposta « di merda », « da schifo » o « secondo te, razza di cretina? » avevo iniziato a mandare alla mamma un messaggio invece di bussare alla porta, in modo da poter aspettare in auto. Ma nel possedere un cellulare lei vedeva più un esercizio di conservazione della batteria che non un mezzo di comunicazione.

E così, senza nessun secondo fine, io e Nico eravamo entrati in confidenza nel momento peggiore della sua vita, finché non mi ero resa conto di non vedere l'ora di vederlo. E, quasi un anno dopo la morte di Caitlin, ci eravamo incontrati per caso in città, avevamo bevuto un caffè insieme e ricordato quanto ci piacesse la reciproca compagnia.

Non ero certo l'unica a sentirsi a disagio per le circostanze. Ma era meglio piantarla il prima possibile per evitare che il nome di Caitlin s'insinuasse tra noi come un fetore imbarazzante che tutti cercano d'ignorare.

« Che ne diresti se organizzassimo il pranzo qui e cucinassi io per tutti? Per chiarire che Caitlin fa parte della nostra vita, com'è giusto che sia, e nessuno deve vergognarsi di sentire la sua mancanza? »

Nico si chinò verso di me e mi baciò. «Sei un tesoro. E io sono un uomo molto fortunato. Lo faresti davvero?»

«Sicuro, non preoccuparti. Mi farò aiutare dalla mamma. Sarà felice di rivedere tutti. E voi potrete concentrarvi su Francesca senza il pensiero di carbonizzare il pranzo. Vi servirà un piatto caldo. Tira un vento pazzesco in quel cimitero. Lo dici tu a tua madre?»

Nico annuì. «Certo. Oppure domani potresti fare un salto da lei, dall'altro lato della strada... se ne hai il coraggio. È più affabile di quanto sembri. Scommetto che sarebbe contenta di vederti.»

Non ero sicura che fosse proprio così. In realtà, il fatto che Anna abitasse nella casa di fronte influiva non poco sulla mia scelta di uscire o no dalla porta principale. Per la prima volta nella vita, mi guardavo allo specchio prima di metter piede fuori di casa. E, per quanto riguardava l'idea di fare una capatina da lei, non credevo affatto che mi avrebbe risposto: «Ma certo, entra pure per un croissant e un cappuccino».

Ci voleva ben di più della mia fede luccicante e nuova di zecca per catapultarci nella categoria di famiglia. Con tutta probabilità, per mia suocera, la mamma era ancora una «dipendente», come ai tempi della malattia di Caitlin, quando Anna impartiva ordini, rivestendo saldamente il ruolo di padrona di casa. E la mia modesta attività di sarta non l'avrebbe di certo impressionata, tenuto conto che Nico era il proprietario di uno dei più grandi vivai di Brighton: «Se sapessi quanto è disposta a spendere la gente per un piccolo alloro, ti sorprenderesti. Oggigiorno le piante sono una miniera d'oro. Ci fai una fortuna». Ma il suo vero vanto era il primogenito, il preferito, Massimo, che faceva a malapena in tempo a entrare in una stanza che subito veniva esortato dalla madre a sedersi e riposarsi dopo una dura giornata di lavoro. «Fa il contabile in una delle più importanti aziende del Paese, sai, ed è bravissimo.» Senza dubbio Anna si considerava in cima alla scala sociale e da lassù guardava in basso verso noi Parker, divorata dalla rabbia per il fatto che simile gentaglia fosse riuscita ad arrampicarsi fino a entrare a far parte della sua vita e alla pari, per giunta.

Ma era ovvio che nella sua mente non saremmo mai state alla pari. Mi aveva visto passare a prendere la mamma con la mia vecchia Fiesta scassata. Sapeva che abitavamo in un quartiere di case popolari. Era comprensibile che avesse tirato la conclusione che dovevo aver adocchiato Nico, e con lui una bella villa con un ripostiglio e i servizi al piano di sotto, e deciso di adescarlo.

In fin dei conti, però, non potevo biasimarla. Talvolta mi chiedevo io stessa se, a livello inconscio, non avessi pianificato tutto. Sennonché, nel nugolo di emozioni che mi punzecchiava ogni volta che gli ero vicino, mi sentivo leggera come se mi fossi accorta dell'enorme vuoto che c'era nella mia vita soltanto quando Nico l'aveva riempito. E nemmeno il rancore di Francesca nei miei confronti poteva indurmi a rimpiangere di averlo incontrato, di essermi innamorata del suo modo garbato di farmi sentire speciale senza avere un prezzo da pagare. Avventatamente, accettai di andare a parlare con Anna la mattina seguente.

Il giorno dopo, però, non riuscii a organizzarmi come avevo sperato. Dopo aver salutato tutti, chi diretto al lavoro chi a scuola, ci misi una vita a prepararmi per affliggere con la mia presenza la temibile matriarca in persona: sistemare le sopracciglia, pulirmi i denti col filo, cercare l'eyeliner che, naturalmente, trovai appoggiato sopra la gabbia del criceto. Ero appena andata al gabinetto vicino alla porta principale quando di colpo sentii un fruscio e il rumore di una chiave nella serratura. Avvertii un'ondata d'imbarazzo al pensiero di non aver chiuso come si deve e che Nico, o peggio ancora Francesca, fossero tornati a prendere qualcosa e mi trovassero lì con le mutande alle caviglie. Ma, con mio grande orrore, a entrare fu Anna, con un soffio di pantaloni di georgette neri, la camicetta di seta e un foulard al collo, annodato in modo tale che io, al posto suo, sarei sembrata una piratessa alla caccia di un tesoro.

Oddio. Immaginavo che mia suocera avesse una copia delle nostre chiavi da usare in caso di « emergenza » ma, a meno che non stessero uscendo nuvole di fumo scuro dal tetto, non era altro che un banalissimo venerdì mattina. Sorprendendomi a fare pipì, Anna fece un passo indietro, con gesto teatrale, come se mi avesse scoperto a combinare chissà cosa col criceto.

«Un attimo solo», gridai.

Doveva essere molto più turbata di me. Quando stavamo dalla mamma, se ci fossimo limitati ad andare in bagno uno alla volta, nessuno sarebbe mai arrivato puntuale al lavoro o a scuola.

Tirati su mutande e pantaloni, corsi di là e trovai Anna seduta in cucina, intenta a osservare il macello di pane e burro lasciato da Sam; quando toccò inavvertitamente con le dita un grumo di marmellata, indietreggiò come se si trovasse di fronte a un rituale di accoppiamento tra scarafaggi. Mostrai di asciugarmi per bene le mani per non darle modo di aggiungere anche la scarsa igiene alla lista di cose in cui ero di gran lunga inferiore a Caitlin. «Perdonami, Anna. Ero di fretta.»

Aspettai che si scusasse per essere piombata in casa nostra senza preavviso, ma mi fu presto chiaro che non era così che funzionava. Anzi, nel lasso di tempo in cui i suoi occhi scuri scansionarono la stanza, mi resi subito conto che non si trattava di una visita per sapere come stavo, ma per valutare le mie abilità di casalinga. Che non erano manifeste come, per dire, saper respirare o mettere un piede davanti all'altro. Aveva una tale aria di disapprovazione da farmi quasi scoppiare la ridarella.

Mi risistemai la cintura. «Una tazza di tè?»

«Io bevo solo caffè.»

«Caffè, allora?»

«No, grazie.»

Resistetti alla tentazione di coprirmi di ridicolo proponendole «un infuso d'ortica, un frullato di spinaci, una cioccolata calda con un goccio di brandy» e misi comunque a bollire l'acqua. Non c'era nessun motivo per cui io dovessi morire di sete. Mi avvicinai alla credenza per prendere una tazza e scelsi la più brutta e dozzinale, quella che di sicuro la mia predecessora non avrebbe mai usato. Se mi fossi sentita dire: «Quella era la tazza preferita di Caitlin», avrei rischiato di sbottare e mettermi a lanciare tutto per aria.

Radunai le forze per attuare l'operazione di seduzione che

avevo progettato. Se non volevo continuare a sgattaiolare fuori dalla porta di casa come un ladro con un paio di laptop nascosti nei pantaloni, dovevo avere Anna dalla mia parte. Non sarei mai stata quel genere di donna che si muove leggiadra con vassoi di biscotti alla mandorla in mano e chiacchiera del prodotto migliore per eliminare il calcare dai rubinetti, ma forse potevo convincerla che avevo a cuore gli interessi di suo figlio più che mire sul suo portafogli.

Non c'era da stupirsi che avesse qualche sospetto su di me. All'inizio, per riguardo a Caitlin, io e Nico avevamo mantenuto il riserbo sulla nostra storia. Inoltre mi aspettavo sempre che da un momento all'altro lui mi liquidasse dicendo: « Grazie per avermi aiutato a superare la morte di mia moglie, ma ora vado alla ricerca di una un po' più elegante/intelligente/snella », perciò non mi ero preoccupata più di tanto d'imparare il ballo della nuora. Avevo trascorso pochissimo tempo in compagnia di Anna prima che Nico la mettesse davanti al fatto compiuto: stava per sposare la figlia dell'assistente domiciliare di Caitlin. Ma non c'era modo di tornare indietro. Le avrei dimostrato che potevo essere una moglie fantastica anche senza abiti costosi.

Mi sarebbe tanto piaciuto sapere cosa pensava di Lara, l'altra sua nuora. Non la conoscevo benissimo, ma non mi aveva esattamente travolto col suo calore e con la sua accoglienza. Aveva sempre un'aria così seria, coi capelli biondi perfettamente acconciati e con le camicette piene di fiocchi e fronzoli. Non nutrivo grande fiducia nella possibilità che diventasse mia alleata contro Anna.

E me ne serviva terribilmente una.

Invece di conquistare mia suocera raccontandole qualche cazzata sulle piacevoli attività « di famiglia » che avevamo progettato e spararle qualche frottola sui progressi che stavo facendo con Francesca, il panico mi fece tirar fuori l'unico argomento che io e Nico avevamo deciso di tacere, finché lui non l'avesse affrontato al momento giusto. Si trattava del grande tabù, del discorso che doveva essere provato e introdotto con la stessa delicatezza da usarsi quando si discute di bare di cartone con un genitore anziano.

Mentre preparavo una tazza ribelle di tè denso, con tanto di bustina sporgente dal bordo, esclamai: « L'altra sera io e Nico parlavamo dell'ipotesi di trasferirci altrove. Abbiamo pensato che un nuovo inizio potrebbe essere un bene per tutti quanti ». Mi tuffai a capofitto nel silenzio che era seguito cimentandomi in un monologo sempre più disperato su quanto sarebbe stato salutare per noi scegliere un posto che Francesca non associasse alla madre. Sempre a Brighton, ovvio, sempre vicino al mare, sempre vicino alla scuola di Francesca...

A ogni mia parola, Anna sembrava via via più assorta finché non fu come ritrovarsi scaraventati nel peggior colloquio di lavoro possibile, quando ti rendi conto di aver detto l'esatto opposto di ciò che si aspettavano da te, ma non hai il buon senso di fermarti e dire: « Può darsi che sia partita col piede sbagliato ».

Nel vedere i lineamenti sottili di mia suocera passare dallo stupore all'indignazione, balbettai le ultime parole e mi zittii.

Anna appoggiò il gomito sul tavolo e posò il mento sulla mano con un movimento lento e teatrale. « Nico non può trasferirsi altrove. I Farinelli vivono qui da quasi cinquant'anni. È stato mio marito a comprare le case per i nostri figli, una a testa, perché Nico e Massimo potessero abitare l'uno accanto all'altro e di fronte a noi per il resto della loro vita. Nico non andrà da nessuna parte. Questa è casa sua. I Farinelli vivono in Siena Avenue dal 1970, l'anno in cui ci siamo trasferiti in Inghilterra. Abbiamo scelto questa strada perché, venendo da Siena, il suo nome ci sembrava di buon auspicio. » Balzò in piedi prima ancora che potessi replicare. « Questo è il problema di avere a che fare con gente che non dà importanza alla famiglia. »

Cercai di fare marcia indietro. « Mi dispiace, Anna. Non volevo turbarti. La casa è deliziosa, come la via, non c'è dubbio, ma stavo solo pensando a Francesca e a quanto sarebbe più facile per lei accettarmi se ci trasferissimo in un posto nuovo per tutti. Un posto senza tanti ricordi di Caitlin. Non intendevo dire che lo faremo domani, e nemmeno l'anno prossimo. »

« Se tu avessi minimamente pensato a Francesca, non avresti mai costretto Nico a sposarti. » Aveva sputato fuori quell'ultima frase marcando le R come se le fosse rimasta appiccicata dietro gli incisivi una caramella mou.

Mi fece venire le lacrime agli occhi. Sapevo che Anna non impazziva certo dalla voglia di accogliermi in famiglia. Avevo accettato l'idea che ci volesse del tempo e di non avere forse il *physique du rôle*, piccola e cicciottella com'ero, sempre scapigliata e, nonostante gli sforzi, con un'innata predilezione per i capi tinti a riserva, le balze e i fiocchi. Ma non mi ero mai aspettata che mi odiasse. Sentii l'ossigeno riempirmi di nuovo i polmoni. « Non l'ho costretto a sposarmi. »

Anna sbuffò a mo' di scherno. « E invece sì. Forse non puntandogli una pistola alla testa, ma Nico è sempre stato facilmente influenzabile. Troppo tenero. Suo fratello è molto più assennato. Si è sbarazzato di quella stupida della sua prima moglie, che non voleva avere figli, e se n'è trovata una che ha capito subito come si deve comportare una Farinelli. »

Qualsiasi vana speranza di avere Lara come alleata mi parve di colpo sconsiderata quanto la mia brillante idea di vendere la casa e cercare un posticino nuovo per la nostra buffa e sgangherata famigliola. E in quell'istante mi fu tutto chiaro: l'intero mazzo di carte sparpagliato sulla tavola, con gli angoli che si arricciavano sotto la luce brutale della verità. Anna non mi approvava. Pensava che Nico fosse un debole e che io l'avessi obbligato a sposarmi, andando alla carica non appena Caitlin si era degnata di morire. Non avevo mai sentito tanto la mancanza di un divano letto condiviso in soggiorno e di mia madre che cantava usando un tubetto di salsa come microfono.

4

LARA

Dopo quasi un mese di ricerche, non riuscivo ancora ad accettare che Misty potesse aver semplicemente trovato un'altra casa in cui le dessero porzioni più abbondanti di sgombro o, peggio ancora, che fosse morta in una siepe chissà dove. Cercavo di essere coraggiosa per Sandro, ma avevo dovuto nascondere le ciotole della gatta nella credenza per evitare di scoppiare in lacrime tutte le volte che ci passavo davanti.

Avevo ereditato Misty tre anni prima, quando mio padre era andato a vivere in una casa di riposo. Ogni volta che posavo gli occhi su di lei, rivedevo il papà dei vecchi tempi, quello che guardava i dibattiti di *Question Time* o ascoltava alla radio la soap *The Archers*, carezzandole il dorso. E non l'uomo confuso del presente, quello che lottava coi bottoni e doveva concentrarsi un attimo per ricordare chi fossi prima di sorridermi, quando entravo nella sala comune.

Da quand'era venuta a vivere con noi, Misty aveva risolutamente ignorato i tentativi di Massimo di attrarla offrendole a sorpresa pezzettini di tonno, grattandole le orecchie e agitando topolini di pezza infilzati su stecchi di legno. Per tutta risposta, lei andava a raggomitolarsi sul grembo di Sandro, quasi fosse fatto su misura per il suo didietro grigio. All'inizio Massimo ci scherzava su: « Quella gatta non sa che fortuna ha avuto. Micia ingrata. Chi crede che sia a darle il fegato di pollo? Meno male che almeno mia moglie mi apprezza ».

Io ridevo e lo prendevo in giro, dicendo che Misty era l'unica femmina al mondo a non trovarlo meraviglioso. Lui gettava il guanto di sfida assicurandomi che quella bestiola l'avrebbe amato persino più di me, non appena avesse ceduto al suo fascino irresistibile.

Ogni due o tre mesi ci riprovava, incredulo che ci fosse anche un solo essere vivente insensibile a quella forza della natura che era Massimo Farinelli. Eppure Misty accoglieva ogni offerta di sgombro, ogni lancio di gomitolo, ogni « micio, micino, micetto » adulatorio con occhiate sprezzanti, prima di allontanarsi impettita e saltare sulle ginocchia di Sandro.

Dal canto suo, il bambino cercava d'incoraggiare Misty ad avvicinarsi a Massimo, attirandola con pezzettini di pollo. Ma lei si appollaiava in braccio a mio marito per cinque secondi, giusto il tempo di trangugiare in fretta il suo boccone, poi con un colpo di coda indifferente balzava via, lasciandolo lì a metà tra il sorriso e l'imprecazione, con intima soddisfazione di Sandro, lieto che esistesse una cosa in cui riusciva meglio del padre.

Ora, a quattro settimane dalla sua scomparsa, la notte continuavo a restare distesa sul letto con l'impressione di aver sentito il suo campanellino tintinnare passando attraverso la gattaiola o di aver udito un miagolio lamentoso sul tetto del garage. Scendevo al piano di sotto in punta di piedi per controllare, ma di lei nessuna traccia. Quando mi rinfilavo sotto le coperte, Massimo allungava la mano per stringere la mia e mi tirava a sé, lasciandomi singhiozzare sul suo petto. Non riuscivo a rinunciare a lei: quello stesso giorno Sandro e io avevamo fatto l'ennesimo giro del quartiere e attaccato ovunque fotografie che la ritraevano mentre fissava l'obiettivo coi suoi magnifici occhi color ambra, invitando i vicini a cercare nei capanni e nei garage.

La sua sparizione aveva non so come rivangato tutto il dolore per la graduale perdita di memoria di mio padre e l'aveva trasformato in un vortice di emozioni che faticavo a controllare. Ogni puntina che conficcavo nei pilastri dei cancelli, ogni cartello che attaccavo alle vetrine dei negozi mi faceva sentire come se stessi tentando di recuperare me stessa, non solo la gatta. Era come offrire una ricompensa per ritrovare la donna che ero dieci anni prima, prima che Massimo mi seducesse con la sua villa vittoriana, col suo ruolo di comando al lavoro, col suo desiderio di avere figli. Ai tempi, quand'ero una venticinquenne che viveva col padre in una bifamiliare degli anni '30, Massimo mi aveva offerto la prospettiva di appartenere a una nuova tribù. Una famiglia che improvvisava grigliate, stappava bottiglie di champagne per la più insignificante delle occasioni e aveva sempre posto a tavola per uno in più. Del tutto diversa da casa nostra con le sue tende di tulle, il coltellino per il burro e i contenitori Tupperware, e da me stessa, una ragazza dalla mentalità limitata dal benintenzionato suggerimento di vita del padre: «Non prendertela troppo».

Buona parte del fascino di Massimo risiedeva nella sua insistenza nel ripetere: «Sei l'unica donna al mondo con cui vorrei avere dei bambini».

Come suonava facile e lusinghiero.

Non avevo compreso che Massimo voleva un tipo di bambino specifico: robusto, sportivo e sicuro di sé, un'immagine speculare dei suoi gusti, delle sue abilità, del suo intelletto. Non uno come Sandro, d'indole pensierosa e artistica, la cui sola presenza sembrava irritarlo più che renderlo felice.

Ma ora la scomparsa di Misty aveva avuto per noi un curioso risvolto positivo. Massimo era diventato molto più gentile con Sandro, come se alla fine avesse cominciato a prendere le misure col nostro piccino così sensibile. Erano passate varie settimane dall'ultima volta in cui aveva alzato la voce per una carta di caramella lasciata sul divano o un calzino perso sulle scale. Incerti semi di speranza: forse vedere Sandro così addolorato aveva ricordato a Massimo quanto gli voleva bene.

E, al contrario, io dovevo sforzarmi per non sentirmi esclusa mentre facevano insieme costruzioni coi Lego, uscivano per andare al cinema o a prendere un gelato «per distrarlo dal pensiero della gatta». Massimo non m'invitava mai ad andare con loro. Anzi, strizzava l'occhio e diceva: «Ciò che serve a Sandro è un po' di tempo col suo papà».

Li guardavo camminare per strada, la figura esile di Sandro accanto alla massa di muscoli di Massimo. Sennonché, per una volta, Sandro procedeva a testa alta, come se le inaspettate attenzioni del padre stessero nutrendo la sua autostima più di quanto avessero mai potuto fare le mie. Invece di stargli alla larga quando Massimo rientrava a casa, Sandro lo cercava per suggerirgli film che voleva vedere, per raccontargli com'era stato bravo a scuola, senza più guardarmi per chiedere: «Dillo tu al papà».

E Massimo era l'unico che poteva parlare a Sandro di Misty senza provocargli crisi isteriche. Io tentavo di evitare l'argomento per non mettermi a piangere. L'ultima volta che Sandro aveva menzionato la gatta, Massimo gli aveva tolto i capelli dal viso e aveva detto: «Ascoltami, figliolo, i gatti sono strane creature. Talvolta se ne vanno via per un po', poi ritornano. E talvolta, anche se la loro famiglia li ama davvero, preferiscono trovarne un'altra con cui andare a vivere. E devi considerare che Misty ha undici anni. Ha avuto una bella vita. Può darsi che sia andata a fare un sonnellino da qualche parte e che non si sia più svegliata».

Le labbra di Sandro avevano iniziato a tremare. «Misty salterà fuori. Non andrebbe mai a vivere con un'altra famiglia. Anche se le dessero da mangiare, sentirebbe troppo la nostra mancanza. E comunque undici anni non sono così tanti. Non era malata.»

Per consolarlo, Massimo l'aveva preso in braccio e se l'era stretto al petto. «Non preoccuparti. È normale sentirsi sconvolti quando qualcuno che amiamo muore. Se non tornerà, ti prenderemo un altro animale.»

Sandro aveva abbozzato un timido sorriso, grato per la gentilezza del padre. Pur nella sofferenza, avevo avvertito un senso di gioia nel vedere che Massimo non gli era saltato addosso intimandogli di smetterla di piangere e di comportarsi da uomo, ma gli aveva permesso di esprimere le sue emozioni senza spiegargli come gestirle. Una parola comprensiva, il più vago complimento, il più minuscolo accenno di approvazione da parte del padre batteva qualsiasi mio elogio volutamente sperticato. Mi sforzai di essere contenta di questa svolta, del fatto che Sandro fosse maturato abbastanza da diventare interessante agli occhi di Massimo e non essere più considerato un moccioso esigente che sviava la mia attenzione da lui.

Mi dimostrai ancora una volta di un'ingenuità sorprendente.

5

MAGGIE

Dopo la tragedia in stile *Padrino* inscenata da Anna alla mera ipotesi di un nostro trasferimento, alzai bandiera bianca e lasciai a Nico il compito d'informare la madre che avremmo tenuto il pranzo per l'anniversario della morte di Caitlin a casa nostra. Con un ammirevole piglio da « prendi su e porta a casa! » lui aveva dichiarato: « Oh, santo cielo. La mamma è così irrazionale a volte. Se decidiamo di trasferirci è proprio per la nostra famiglia e lei dovrà farsene una ragione. E, se non vuole venire a pranzo qui sabato, può starsene a casa a mangiare uova sode da sola. È già abbastanza faticoso avere a che fare con Francesca. Non intendo compiacere anche mia madre. E non devi farlo nemmeno tu ».

E il 20 febbraio, la data che tutti ricordavano senza bisogno di fare cerchi sul calendario, arrivò puntuale, portando con sé nuvole e freddo pungente. Per l'ennesima volta mi sentii in colpa per il fatto stesso di esistere, di essere un promemoria vivente e tangibile di tutto ciò che Francesca aveva perduto, senza essere ancora riuscita a convincerla di poter apportare un valore aggiunto di qualche natura. Sebbene la ragazzina avesse ereditato la pelle dorata e i capelli scuri di Nico, con quei lineamenti spigolosi e la figura esile era la fotocopia di Caitlin. Sarebbe finita senza dubbio sotto il radar « rimpinza-stecchini » della mamma. Mi offrii di prepararle delle uova strapazzate.

« Non ho fame. »

« Devi mangiare qualcosa di sostanzioso per tenerti calda. Farà freddo al cimitero. »

« Lo *so* che fa freddo al cimitero », disse lei, riempiendosi la bocca con una manciata di patatine.

Nico mi lanciò un'occhiata eloquente: *Cerca di capire*. Lasciai perdere. Non era la giornata giusta per vincere guerre. Mi dispiaceva per quell'adolescente dal volto pallido e dalle dita irrequiete, che si tormentava le cuticole al punto di farle sanguinare.

Avevo trentacinque anni e non riuscivo neanche a immaginare un mondo senza mia madre, la quale, grazie al cielo, aveva accettato di aiutarmi col pranzo. Piombò da me proprio mentre la famiglia Farinelli al completo si stava riunendo vicino al cancello per salire sulla collina che portava al cimitero. Passò in mezzo al gruppo chiocciando che bellissimo bambino era Sandro e com'era cresciuto, che aria fredda soffiava a febbraio, e Francesca... senza guanti! Cercò invano di rifilarle le sue manopole senza dita. Non le importava che stessero tutti lì ritti come birilli pronti a resistere ai colpi di una palla da bowling; continuava a cianciare, lodando il mazzo di rose bianche di Francesca, carezzando la testa a Sandro e imbottendogli le mani di caramelle mou.

Da quel poco che conoscevo Lara, ero sicura che le avrebbe scambiate con fave di cacao o albicocche non solforate non appena la mamma si fosse voltata. Quel povero bambino se ne stava infagottato dentro una camicia col colletto e un pullover. Mi prudeva il collo solo a guardarlo, seminascosto com'era sotto il poncho in mohair della madre. Quando videro passare un ragazzino con un pastore tedesco al guinzaglio, entrambi si schiacciarono contro una siepe.

Sandro era pallido e sembrava infreddolito. Quando Caitlin era morta, aveva solo cinque anni. Si ricordava a malapena della zia. Mi ero offerta di badare a lui mentre gli altri andavano al cimitero ma, prima ancora che Lara potesse rispondere, Anna si era intromessa dicendo: « No, il bambino viene con noi; è un'occasione di famiglia ». Come se ad attenderli ci fossero le minirapide e le tazze rotanti del parco divertimenti invece di una lapide di granito nero e un'ondata di emozioni tristi. Provavo l'orrenda sensazione che Anna sfruttasse quel dolore collettivo per continuare a escludermi.

Fu un sollievo quando la mamma si fiondò dentro dalla porta principale e potei chiudere fuori i Farinelli e la complessa ragnatela di tensioni che li univa. Spalancò le braccia e mi strinse forte. « Mi fa strano essere qui e non salire di sopra da Caitlin. »

Perfetto, persino mia madre trovava singolare la sua assenza.

L'aiutai a togliersi il cappotto, chiedendomi se da qualche parte in Mongolia un gregge di montoni stesse morendo di freddo senza il suo folto pelo. Lo appesi con calma nel ripostiglio, mentre lei si voltava verso Sam, che l'accolse gridando: « Nonna! » dalla cima delle scale. Sam le si lanciò addosso dall'ultimo gradino, facendola quasi cadere. Mi si strinse il cuore davanti alla spontaneità di quell'abbraccio.

La mamma tirò subito fuori un Twix dalla borsa. « Ti è mancata la tua vecchia nonna, non è così? »

Lui annuì, poi la trascinò di sopra a vedere la sua stanza.

Quando tornò giù, mia madre disse: « Sempre detto che questa casa era una specie di hotel a cinque stelle. Dovresti considerare l'idea di accettare ospiti. Avete una camera graziosa, col bagno. Potrei venire io tutte le mattine a preparare la colazione ».

Ovunque si girasse, la mamma vedeva sempre opportunità di guadagno. Riparazioni, creazioni, vendite, baratti... Era così che sopravviveva, spesso recuperando roba dai cassoni dei rifiuti « da vendere nei mercatini domestici all'aperto ». Sfortunatamente, mentre una vecchia macchina per cucire trovava una nuova casa, una sedia a tre gambe o un cuscino peloso prendevano il suo posto nel nostro appartamento.

« Morirei dalla voglia di vedere la faccia di Anna se aprissimo un B&B. Come te la cavi coi soldi da quando ci siamo trasferiti? Ne ho un po' da parte, se hai bisogno. »

« Ma figurati! Non mi servono i tuoi soldi, tesoro. Ho un nuovo lavoro: faccio la badante a una poveretta che pensa che i tedeschi la stiano venendo a prendere e continua a nascondere i gioielli nel porridge. L'altro giorno per poco non faccio saltare in aria il microonde, perché aveva infilato gli orecchini nella scodella. »

Dio benedica mia madre. Aveva sempre una storiella, un'avventura da raccontare. Grazie al passaparola, non restava mai senza impiego e veniva assunta di continuo da famiglie che le affidavano con gratitudine parenti di cui, per mancanza di tempo, non riuscivano a prendersi a cura.

« Come sta Nico? Ti sei già abituata a fare la moglie? E lui si è abituato ad averne una nuova? » La mamma scoppiò in una sonora risata, seguita a ruota da un accesso di tosse marcato Benson & Hedges.

La misi al corrente di ciò che mi aveva detto Anna.

« Quella vecchia ciabatta ficcanaso. Costretto a sposarti un corno. È fortunato ad averti. Spero che tu le abbia risposto che vieni da tre generazioni di madri single. Chissenefrega dei maledetti Farinelli e della loro bella 'avenue', le Parker vivono nel quartiere popolare di Mulberry Towers da oltre sessant'anni e senza bisogno di un marito. » Si sedette vittoriosa, come se avesse appena dimostrato, al di là di ogni possibile ragionamento, che Anna era una completa idiota. Bisognava riconoscerlo, le argomentazioni della mamma erano sempre state un trionfo di convinzioni senza logica.

Non potei fare a meno di ridere. « Non credo che sbandierare la nostra tradizione di fallimenti familiari per accalappiarsi un marito sia la tattica giusta con Anna. »

L'espressione della mamma si addolcì. « In ogni caso sono felice che tu ti sia sistemata, amore mio. Nico è un bravo ragazzo. Un po' esigentino in fatto di cibo, ma tutto sommato non male per essere un italiano. » Non si era ancora ripresa dall'unica volta in cui Nico l'aveva invitata a cena e le aveva preparato il polletto. Per tutto il viaggio di ritorno non aveva fatto altro che ripetere che per quel prezzo alla LIDL avrebbe comprato quattro polli interi, altro che quell'uccellino tutto pelle e ossa.

« È nato qui, mamma. È inglese. »

« Sia quel che sia. Non m'importa, finché sei felice. » Si fermò un istante e mi guardò di sottecchi. « Sei felice, vero? »

Inspirai profondamente. Mi sforzai di tirar fuori un tono deciso, non volevo che la mamma pensasse che avevo perso la determinazione tipica delle Parker e che mi fossi intenerita, ora che ero una « moglie ». « Certo che sono felice! Nico è davvero adorabile. Ora devo solo conquistare il resto della Famiglia e presto galopperemo tutti insieme al tramonto a dorso di pony. »

Mi diede qualche colpetto consolatorio sulla mano. « Oh, bambina mia. Sei solo all'inizio. Francesca è rimasta senza mamma due anni fa, ma Caitlin era già malata da quasi un anno. È dura da sopportare per una ragazzina della sua età, povera piccola. Dalle tempo. Cambierà idea. »

Annuii. « Lo spero. »

« E non preoccuparti per Anna. Se ne stava sempre qui a torcersi le mani, ma non l'ho mai vista darsi da fare quando c'era del vomito da raccogliere. Le donne di casa sono state del tutto inutili. La nuora, come si chiama, Lara, non è stata di grande aiuto. Alla fine sono rimasta io al capezzale di Caitlin, a dirle che Francesca sarebbe stata bene, che aveva già fatto abbastanza e che poteva andarsene in pace. »

Di colpo mi vergognai per aver provato imbarazzo nel sentire la mamma salutare Anna con un: « Ehilà, cara »; per aver desiderato che tenesse più sotto controllo il peso; per aver guardato di traverso quel berretto di lana che la faceva sembrare vecchia. La capacità di essere gentile, pratica e stoica valeva molto più dell'abilità nell'annodarsi il foulard.

« Nico era sconvolto? » Appena fatta la domanda, mi sarei voluta rimangiare le parole.

La mamma si accigliò. « Non è una gara a quale moglie sia stata più amata, Maggie. So che Nico ti adora. È stata dura per lui alla fine. Lo è stata per tutti. Caitlin era così giovane. Ma Nico ha fatto molto affidamento su suo fratello; Massimo passava sempre a sostituirlo, per dargli un po' di tregua. Mi sono sentita in colpa al pensiero che, quando me ne andrò, non avrai nessuno accanto. »

« Oddio, mamma, non voglio neanche pensarci! » Tagliai l'ossigeno a quella conversazione infilando la testa nel frigo in cerca di verdure per il minestrone.

Cominciammo ben presto a sbucciare e affettare a tempo, mentre Sam correva avanti e indietro dalla cucina per raccontare alla nonna che faceva il portiere nella squadra di calcio del suo istituto, che Nico l'avrebbe accompagnato a una partita vera, che gli piaceva andare a scuola a piedi ora che abitavamo più vicino.

Mentre il minestrone gorgogliava, apparecchiai la tavola;

pensai divertita che, se avessi messo tovaglioli di carta invece che di stoffa, probabilmente Anna sarebbe svenuta. La mamma, intanto, imburrava panini ascoltando Sam che le descriveva per filo e per segno le macchinine della pista da corsa Scalextric di Sandro. « La mia preferita è la Ferrari, che è un'auto italiana. Io ora sono mezzo italiano, giusto? »

Lo baciai sulla testa. « Non funziona proprio così, tesoro. Comunque, mi fa piacere che Lara sia contenta di averti a casa sua a giocare. » Anche se trovavo spocchioso quel suo modo di definire orari precisi: « Sam ha voglia di venire da noi verso le tre e mezzo? Fino alle cinque? » Nel nostro vecchio quartiere i bambini entravano e uscivano dalle case degli altri di continuo, finché i genitori non li richiamavano per cena.

« È contenta che ci vada perché Sandro non sa ancora usare bene la pista Scalextric che gli ha preso Massimo. Ogni volta che curva, le macchinine gli scappano via e io lo aiuto a mettere in ordine. Lara, però, mi ha detto che non posso andare da loro quando c'è Massimo. »

« Perché no? » domandò la mamma.

Sam fece spallucce. « Boh. Forse faccio troppo rumore. »

« Ma certo che no! Un topolino come te! » esclamò la mamma. « Intendiamoci, chiunque sembrerebbe un gran casinista in confronto a Sandro. Mai visto un bambino così silenzioso. »

Stavo proprio per chiederle cosa sapesse di Lara quando sentimmo aprire la porta d'ingresso. Mi pulii le mani su un canovaccio. « Hanno fatto in fretta », bisbigliai alla mamma.

Non mi sembrava il caso di sbucare nell'atrio e dire tutta allegra: « Allora, com'è andata? » come se avessero partecipato a una festicciola con tè e dolcetti, così rimasi ad aspettare in cucina.

Sentii un ticchettio di passi su per le scale, poi Nico entrò nella stanza, con le guance arrossate per il freddo, il viso stanco e tirato.

« Tutto okay? Dove sono gli altri? »

« Sono ancora là. Francesca ha avuto una crisi di nervi all'entrata del cimitero, ha cominciato a calpestare le rose e a piangere. » Sospirò. « Non riesce ad accettare che Caitlin non tornerà più. Pensavo che visitare la sua tomba avrebbe aiutato, ma forse è ancora troppo presto. »

Consapevole che mia madre mi stava guardando come se dovessi tirar fuori dal cappello qualche magia da brava mogliettina per sistemare le cose, lo abbracciai. Mentre Nico si abbandonava alla mia stretta, mi chiesi se un giorno avrei mai smesso di essere quella che era venuta « dopo », se la gente avrebbe mai detto: « Nico e Maggie » con lo stesso tono con cui diceva: « Nico e Caitlin ».

« Vuoi che vada su da Francesca? » domandò la mamma. Se c'era qualcuno in grado di parlare con una ragazzina isterica, quella era lei.

Nico annuì, grato, come se gli mancasse l'energia per reagire. Mentre la mamma usciva dalla cucina, lui mi disse: « È terribile. Non so cosa fare. È come se Francesca fosse bloccata nella terra di nessuno. Caitlin avrebbe saputo come agire; era molto più brava di me a gestire queste cose ».

Per l'ennesima volta sentii un pugno nello stomaco, come se una lode nei confronti di Caitlin fosse una critica verso di me. Nel profondo sapevo che Nico era solo frustrato perché non riusciva ad aiutare sua figlia. Ma, quando avevo immaginato la nostra vita insieme, mi ero vista come una possibile amica, qualcuno con cui confidarsi, un ponte tra lei e suo padre, e un aiuto per Nico nel comprendere i pensieri confusi di un'adolescente. Invece ero una nemica da togliere di mezzo perché Francesca potesse riaggrapparsi al vecchio status quo, intrappolando se stessa e il padre in un eterno omaggio a Caitlin.

Nico sparì di sopra. Me lo figurai appostato davanti alla porta della camera della figlia, in attesa di capire se la mamma sarebbe riuscita nella sua magia.

L'arrivo degli altri Farinelli m'impedì di sprofondare ancora di più nella cupa sofferenza.

Massimo fu il primo a entrare in cucina, strofinandosi le mani. Mi si avvicinò, mi cinse le spalle con un braccio e mi chiese sottovoce: « Francesca sta bene? »

« La mamma e Nico sono di sopra con lei in questo momento », risposi con una smorfia.

Lui annuì. « Le cose miglioreranno. »

Speravo tanto che avesse ragione.

Annusò l'aria. « C'è un buon profumino, qui. Minestrone? Fantastico. Ci vuole proprio qualcosa di caldo. Si gelava al cimitero. »

Ero davvero grata a Massimo per aver riconosciuto che anch'io stavo dando il mio contributo. « È quasi pronto. Siediti, preparo un po' di tè », dissi con un pizzico d'imbarazzo, come se non avessi nessun diritto di ricevere gente in casa di Nico.

« Sai che c'è? Faccio un salto da me a prendere del vino. Credo che un goccetto farà bene a tutti. »

Tentennai davanti al bollitore, combattuta tra il non voler ignorare la sua offerta e il non mostrarmi troppo entusiasta, tanto da passare per arraffona e inospitale. La cantinetta in salotto era piena, ma io non avrei saputo distinguere tra un vino pregiato e una robaccia da due soldi presa per cucinare lo stufato di manzo. « Se aspetti un attimo, Nico ha un sacco di bottiglie; quando scende, potete sceglierne una. »

Massimo sfoderò un sorriso smagliante, simile a quello del fratello ma senza la sfumatura di riservatezza. « Non preoccuparti, conservate le vostre bottiglie per un'altra occasione. Ne ho una marea. Ti piace il Picpoul? »

Non sapevo se stessimo parlando ancora di vino o di una nuova specialità del biliardo. Ero indecisa se rispondere: « I bianchi mi piacciono tutti », o: « Sono una maga al tavolo verde », quando fui salvata dall'ingresso impetuoso di mia suocera, seguita da Lara e Sandro. Feci un passo avanti per accoglierli coi dovuti modi, ma Anna mi porse subito l'impermeabile senza neanche prendersi il disturbo di salutare. Mi aspettavo quasi che mi chiedesse una ricevuta.

Ricordai a me stessa che Nico aveva già il suo bel daffare senza bisogno di uno scontro epico tra la madre e la sua seconda moglie, così borbottai qualcosa, m'infilai nel ripostiglio, feci un bell'inchino e mostrai il dito medio nella direzione in cui immaginavo si trovasse la vecchia strega.

Quando riemersi dalla mia personale sagra dell'insulto, Nico e la mamma stavano scendendo le scale con Francesca. Dalla sua espressione distrutta dubitai che ricordare gli anniversari con deprimenti pellegrinaggi al cimitero fosse una scelta saggia. Non c'era da stupirsi che quella povera ragazza avesse avuto un crollo nervoso. Siccome avevo letto che David Bowie non aveva avuto un funerale, avevo già istruito Sam affinché donasse il mio corpo alla scienza e onorasse il mio ricordo in momenti casuali, quando gli veniva in mente, senza lo stress di attenersi a una tristissima data che ricorreva ogni anno.

Tentennai, indecisa se correre da lei per assicurarmi che fosse tutto a posto o se astenermi per non dare l'impressione di voler sostituire sua madre. Le chiesi con estrema dolcezza: « Vuoi una cioccolata calda, Francesca? »

Lei annuì.

Nico mimò con le labbra un muto ringraziamento.

Delegai il compito alla mamma, poi ordinai a Sam di andare a chiamare Sandro. Non era entusiasta all'idea che fosse lui a venire da noi, perché la vera attrattiva del nuovo cugino era la pista Scalextric. E, nell'osservare Sandro scendere le scale, timido e rasente il muro, capii il perché. Era incredibile quanto poco avesse ereditato dell'esuberanza di suo padre, era un acquerello slavato della sagoma nitida e vivace di Massimo.

Mentre trafficavo per preparare il tè ad Anna e Lara, Massimo irruppe di nuovo in cucina e con gesto enfatico lasciò cadere rumorosamente sul tavolo un'intera cassa di vino. « Ho pensato che potremmo berci un bicchierino in memoria di Caitlin. »

Nico abbozzò una protesta: « Ho montagne di bottiglie, non occorreva che portassi le tue ».

« Ah, ma questa è roba buona. Me l'ha regalata un cliente per ringraziarmi di aver trovato una piccola scappatoia per fargli eludere le tasse. »

Nico scrollò le spalle.

Massimo batté le mani. « Allora, chi vuole un goccetto? Maggie, cognatina mia cara, saresti così gentile da tirarmi fuori qualche calice? »

Quello non mi sembrava esattamente il giorno migliore per sbandierare ai quattro venti l'etichetta di cognata. Ma, dato che Lara e Anna sembravano felici che io fossi lì per servirle, anche se non facevano nessuno sforzo per rivolgermi la parola, per me era meraviglioso che nella stanza ci fosse almeno una persona che mi considerasse parte della famiglia. Scovai dei bicchieri da vino.

Massimo fece una smorfia e sussurrò: «Fortuna che sei entrata in scena tu, Maggie. Dovrai procurare a mio fratello dei calici decenti. È un sacrilegio servire del Picpoul lì dentro».

Ero lieta che non avesse mai visto me e la mamma versare limonata nel disgustoso vino rosso in regalo col cibo cinese d'asporto e trangugiarlo da una tazza da latte.

Nico invitò tutti a tavola. Mentre servivo il minestrone, chiesi a Lara: «A Sandro piace? Vuoi che gli prepari dei panini?»

Ma, prima ancora che lei potesse rispondere, intervenne Massimo: «Non preoccuparti, Maggie, hai già abbastanza da fare».

Sandro diede uno sguardo al mestolo colmo, balzò via dalla sedia e nascose il viso nel grembo della madre. «Non mi piace il minestrone. Voglio i panini al prosciutto.»

Massimo gli fece il solletico dietro il collo, poi lo staccò da Lara e lo fece riaccomodare. «Dai, piccolo. Siediti, ora.»

Sandro incrociò le braccia con l'aria di uno costretto a nuotare dentro una ciotola di fegato con le cipolle.

Cercai di minimizzare: «Per me non è un problema, Massimo, sul serio. Ci metto un attimo a preparare un panino». Mi chinai per guardare Sandro negli occhi. «Il minestrone è un po' una roba da grandi; non è così, tesoro?»

Ma il padre non lo lasciò neanche rispondere. «Sei molto cara, Maggie, ma ai bambini italiani non viene offerto un menu a parte. Non esistono piatti da adulti e piatti da bambini. Loro mangiano quello che mangiamo noi.»

Sandro sembrava sul punto di scoppiare a piangere. Oddio. Avevo sollevato un vespaio. Da un lato ammiravo l'energia di Massimo. Dall'altro mi chiedevo: *Tra due settimane avrà ancora importanza che il bambino abbia mangiato panini al posto del minestrone?*

Sam aveva come uniche regole non rubare e non dire parolacce. Non ero mai stata una di quelle che si agitano per obbligare i figli a mangiare i piselli... o il minestrone.

Nico mi salvò. «Vieni a sederti vicino a me.»

Poi si rivolse al nipotino, dalla parte opposta del tavolo. «Guarda qui, prendi un pezzo di pane e inzuppalo. Così crescerai forte e muscoloso.»

Ma Sandro non alzò neanche gli occhi e abbassò la testa verso il suo piatto, dove avevo versato la quantità di minestrone più scarsa che potevo. Nel vederlo ingurgitare grandi sorsi d'acqua a ogni cucchiaiata, mi pentii di non aver preparato bastoncini di pesce, gelatina e gelato per tutti e stop.

Il resto del pranzo scivolò via in mezzo a un irrequieto acciottolio di posate, tra Lara che incoraggiava pacatamente Sandro a mangiare, Francesca che puniva Nico rispondendo a monosillabi e mia madre che blaterava del prezzo assurdo dei fiori freschi «considerato che durano solo pochi giorni». Mi sforzai di non pensare alle rose di Francesca all'entrata del cimitero, ai petali bianchi schiacciati sul selciato, ai gambi ammaccati e spezzati.

Per un brevissimo istante, quando Anna fece ticchettare le unghie sul vetro del bicchiere, sperai che introducesse un argomento di conversazione capace di distrarci da quei lugubri pensieri.

«Siccome oggi è l'anniversario della scomparsa della mia amata nuora, ho pensato che potremmo raccontare a turno il nostro ricordo preferito della cara Caitlin.»

Dovetti ricorrere a tutto il mio autocontrollo per non lasciarmi sfuggire una risata stridula. Avevo capito finalmente. Era previsto che la disprezzata seconda moglie restasse lì ad ascoltare l'omaggio alla favolosa prima moglie.

Balzai in piedi. «Vi lascio soli», dissi, lasciando cadere le mie parole in un silenzio denso d'imbarazzo. «Mamma, vieni a darmi una mano a sistemare.»

Mia madre, che stava allungando a Sandro pezzettini di pane per indurlo con l'inganno a mangiare il minestrone, si alzò e infilò lesta il piatto del bimbo sotto il suo.

Nico disse ad Anna qualcosa in italiano che io non capii, ma che suonava indiscutibilmente come un rimprovero.

Cominciai a sparecchiare. «Continuate pure. È bello ricordare i tempi felici. Io e la mamma andiamo in cucina.» Invece di far sbattere le stoviglie, impilai con delicatezza i piatti, rifiutandomi di dare ad Anna la soddisfazione di capire che in realtà avrei avuto una voglia matta di lanciarli contro la parete come frisbee, gridando: « Non è colpa mia se Caitlin è morta, cazzo! »

Massimo si alzò per prendere la parola e di colpo un rossore improvviso chiazzò le guance di Nico, palesemente divorato dall'incertezza. Passai le mie emozioni al vaglio. Da una parte mi dispiaceva per lui, strattonato a destra e a manca da Anna e Francesca. Dall'altra avrei voluto urlare: « Comportati da uomo, Cristo santo. Di' a tua madre di andare al diavolo. Perché, che le piaccia o no, io sono qui per restare. Sempre che lei non riesca a mandare completamente a puttane il nostro rapporto ».

Il che non era un bel pensiero da fare a poco più di un mese dalle nozze.

6

LARA

Tipico di Anna: elevare Caitlin al rango di santa ora non che era più possibile incrociare le spade con lei su tutto, da come stirava le camicie di Nico a quanto sale aveva messo nella pasta.

Massimo fu il primo a unirsi alla farsa. Anche se, naturalmente, si premurò di tenere il piede in due staffe. « Innanzitutto, vorrei proporre un brindisi a Maggie e a sua madre per aver cucinato per noi quest'oggi. Un pranzo delizioso, grazie. »

Sandro lo guardò. Grazie a Dio, con destrezza di mano, Beryl era riuscita a far sparire il suo piatto.

Che voglia avrei avuto di seguire lei e Maggie in cucina! La sola idea di rispolverare un bel ricordo di Caitlin mi metteva addosso un'agitazione tremenda. Non riuscivo a pensare a nulla che fosse in grado di soddisfare i presenti.

Massimo decise di concentrarsi sulla sua vitalità ed energia, rivolgendo il suo discorso interamente a Francesca. « Tua madre era straordinaria. Ogni mattina, quando io e Lara eravamo a malapena scesi dal letto, la vedevamo rientrare dalla sua corsetta quotidiana, fresca come una rosa, già pronta a iniziare la giornata. »

Allargai la maglietta all'altezza dello stomaco, pervasa da un'ondata di disprezzo per me stessa per tutte le volte in cui avevo piluccato qualche forchettata di pasta dal piatto di Sandro, rubato un biscotto dal pacchetto, spazzolato i bastoncini di pesce avanzati.

Massimo non aveva finito. « Stento ancora a credere che una persona che mangiava così sano, che praticava regolarmente attività fisica e che si prendeva tanta cura di sé possa essere morta così giovane. » Bevve un sorso di vino. « Ma con te, mia cara Francesca, Caitlin ci ha lasciato una figlia incantevole. So che sarebbe entusiasta nel vederti così bella e sportiva. Vorrei che ti avesse visto vincere i campionati di nuoto della contea.»

Aveva scelto lo sport come motivo di lode, ovvio. Quel gene che rendeva i membri della sua famiglia superiori dal punto di vista atletico, che li aveva spinti a farsi strada nella vita con un super rovescio, una stramaledetta e strabiliante farfalla e un'incredibile capacità di prendere in mano qualsiasi tipo di racchetta, mazza o bastone ed essere subito ricoperti di applausi ammirati.

Tutti i Farinelli, tranne Sandro.

Mentre Massimo parlava, Francesca riduceva un tovagliolo in mille pezzi. Di certo non le serviva che le ricordassero tutto ciò che sua madre si era persa. Sentivo il suo respiro irregolare. Aveva le guance chiazzate di rosso per l'emozione, come se si stesse trattenendo dal mandarci tutti al diavolo. Ma d'altronde aveva tutte le ragioni per essere arrabbiata di aver perso la mamma così giovane. A ogni mio compleanno provavo ancora un misto di tristezza e collera per la morte di mia madre, avvenuta quando non avevo ancora cinque anni. Tutti i «sei bella» e i «sei fantastica» del mondo non avrebbero mai potuto compensare la sensazione di essere stata «abbandonata». Per tutta la mia infanzia non ero stata altro che «la povera piccola che ha perso la mamma». La bambina strana con un papà molto più vecchio degli altri, una singolare creatura barbuta pigiata tra borsette e tacchi alti agli eventi scolastici.

Quando Massimo richiamò la nostra attenzione chiedendo un brindisi «per la meravigliosa Caitlin che non c'è più, ma che resta viva nei nostri cuori», sviai i pensieri dal mio lutto.

Era il turno di Anna. In cucina, Maggie e sua madre si muovevano senza posa. Da lì probabilmente sentivano tutto. Se Maggie si stava chiedendo in che razza di manicomio fosse finita, non potevo certo biasimarla. Ma, se ciò che diceva mia suocera era vero, la sua era stata una mossa ben calcolata: Maggie doveva essere stata l'amante di Nico prima ancora che Caitlin morisse.

Una volta avevo sentito Anna fare la sua imitazione: «'Nessuno ci crede, ma ci siamo messi insieme secoli dopo.' Che sciocchezze!» E con la madre era altrettanto cattiva: «'Povera

Caitlin, lascia che ti sprimacci i cuscini, tesoro' ». E avanti così, a blaterare e offendere Beryl: « E nel frattempo quella aveva già adocchiato la grande opportunità: sistemare per bene la figlia e il nipote. Niente male per una che cuce bottoni per vivere ».

Chissà se Beryl aveva capito di che pasta era fatta Anna. Non era una stupida. L'aveva quasi fatta svenire quando aveva mostrato di non conoscere la differenza tra le penne e i fusilli: « È sempre pasta, no? »

Ma, al contrario di me, Beryl non si era impegnata per far meglio, leggere di più, pensare più in fretta, imparare il ritmo della danza dei Farinelli. Lei trovava le loro idiosincrasie e le loro critiche *divertenti*. Piccoli sprazzi d'insolenza contrapposti alla pomposità di mia suocera. Dio solo sa che faccia stava facendo ora Beryl mentre lavava i piatti, con Anna che pontificava su che favolosa casalinga fosse Caitlin, rammentando il « più magnifico » paio di forbici da uva vittoriane mai esistito, scovato da lei a un mercatino dell'antiquariato. Se Anna mi avesse ritenuto degna di una commemorazione morbosa di quel genere, mi auguravo mi ricordasse per qualcosa di più significativo dell'abilità nello scoprire forbici da frutta in un vassoio di cianfrusaglie. Alla fine si rivolse a Francesca. « Tocca a te, *amore*. »*

Avrei voluto balzare in piedi e fermare quel macabro spettacolo. Avevo una voglia disperata di dire a Francesca che non era costretta a partecipare. Doveva imparare ad accettare i suoi sentimenti, trovare consolazione nei ricordi senza che il resto della stramaledetta famiglia Farinelli valutasse la sua abilità oratoria. Ma lei guardò un attimo il tavolo, poi si alzò come se ciò che stava per raccontare andasse oltre un semplice ricordo casuale.

Il suo viso si ammorbidì, assumendo i tratti arrotondati e rilassati del volto di una bimba piuttosto che quelli della ragazzina suscettibile che era diventata.

Poi, guardando di traverso Nico, con gli occhi cerchiati di rosso e i lineamenti di nuovo duri e contratti, disse: « Il ricordo più vivo che ho della mamma è che era sempre qui per me, al

* In italiano nel testo. (*N.d.T.*)

cento per cento. Per lei ero la persona più importante al mondo. E questo mi manca». La sua voce si assottigliò, sgretolandosi nel dolore.

Nico sussultò. Allungò la mano verso di lei. «Io sono qui per te, Cessie. Spero che tu lo sappia.»

Cercò di tirarla a sé per abbracciarla, ma lei si divincolò. «Devo dividerti con Maggie, ora.»

Nico si afflosciò sulla sedia. Benché avesse solo quarant'anni, cinque in meno di Massimo, poteva essere scambiato senza difficoltà per il figlio maggiore, con quella sua aria stanca, esausta, i fili grigi che punteggiavano i capelli scuri, l'impressione di aver perso la vitalità, prosciugata dalle lotte continue con Francesca, guerre impossibili da vincere.

Mi dispiaceva per lui, era più forte di me; m'immedesimavo appieno in quella sensazione di non farne mai una giusta, nonostante tutti gli sforzi possibili e immaginabili. Avevo pensato che essere genitore sarebbe stato una passeggiata, specialmente con Massimo al mio fianco. Il suo entusiasmo all'idea di formare una famiglia aveva sconfitto le mie riserve sul mettere in pausa la mia carriera di contabile alle prime armi per dare la priorità alla maternità, ben sapendo che il suo primo matrimonio era naufragato perché Dawn non voleva figli. E da allora sembrava non ci fosse più stato il momento «giusto» per tornare a lavorare. Almeno non per Massimo e di sicuro non per Anna, che sarebbe rimasta sconvolta all'ipotesi di vedermi lasciare Sandro al nido con «delle stupide ragazzine che non hanno neanche figli loro!»

Scacciai via la fitta di dolore causata dal ricordo dell'ottimismo con cui avevo accettato di diventare madre e dalla fatica immane che era in realtà.

Con perfetto tempismo, Sandro mi sussurrò che non si sentiva molto bene, aveva mal di stomaco. Non volevo ritrovarmi a parlare della probabile origine del problema proprio a tavola: con tutto il disprezzo che provavano per le debolezze altrui, i Farinelli si dimostravano ridicolmente puritani quando si trattava di funzioni fisiche. Così mi alzai per portarlo fuori, ma subito Massimo posò una mano sulla mia.

«Sandro può attendere un minuto. Non perdere l'occasione

di condividere il tuo ricordo di Caitlin, tesoro. È importante sentire quanto lei significasse per tutti noi, vero, Francesca? »

Francesca aveva conquistato, e perfezionato, la capacità della madre di guardare gli altri come se stare in sua compagnia rappresentasse per loro un onore, come se provasse pietà per gli alberi che producevano l'ossigeno sprecato dalle mie parole.

Mi sedetti, mormorando a Sandro di andare in bagno, l'avrei raggiunto in un attimo. Ma lui scosse la testa e mi tirò la mano. Mi s'irrigidirono le spalle, la mia mente iniziò a correre. Dovevo stroncare tutto quanto sul nascere prima dell'escalation, prima d'incamminarci sul sentiero fin troppo battuto dello scontro padre-figlio, con me nel mezzo a ballare come una bambola impazzita. Il peso dell'inevitabile faceva a gara con l'angoscia.

Massimo diede una pacca sulla schiena a Sandro. Soltanto io vedevo le dita dell'altra mano scavargli nel braccio per forzarlo a staccarsi da me. « Vieni, figliolo. Lascia che la mamma parli della zia Caitlin. » Aveva un tono leggero, ma l'orecchio esperto di Sandro sarebbe stato in grado di distinguere il filo sottile della minaccia.

Il piccolo si chinò su di me, trattenendo il respiro e tirando in dentro la pancia. Pregai che non si esibisse in una disgustosa vomitata di minestrone.

Diedi un colpetto sul braccio a mio marito. « Credo che Sandro non si senta molto bene. Potresti portarlo fuori tu? »

Le narici di Massimo si dilatarono per il nervoso, ma lui recitò a beneficio dei presenti: « Cosa ti fa male, figliolo? Vieni, fammi dare un'occhiata ».

Non occorreva che guardassi Anna per sapere che aveva dipinta sulla faccia quell'espressione, quella che segnalava al mondo: *La povera Lara fa del suo meglio, ma spesso deve intervenire Massimo. Il bambino è così delicato, credo che abbia un'alimentazione scorretta.*

Sandro si divincolò per sfuggire al padre e si buttò su di me, conficcandomi tra le costole la schiena rigida e le spalle ossute.

M'infilai le mani sotto il sedere per evitare di prenderlo in braccio, posarmelo sulle ginocchia, massaggiargli la pancia e mandare via la paura con l'amore.

Quando Beryl rientrò allegramente nella stanza con un Cornetto in mano, sarei schizzata in piedi per baciarla. « Sandro, vieni in cucina con noi a mangiare il gelato, mentre i grandi parlano. »

Lo portò via prima che Massimo potesse reagire e insistere che il bambino restasse lì davanti a lui per essere esaminato e infine liquidato con un buffetto e con un: « Non hai niente ».

Avvertii il senso di apprensione sciogliersi dentro di me, vedendo Sandro allontanarsi mano nella mano con Beryl, rannicchiato vicino ai suoi fianchi larghi come fossero un frangivento nella tempesta, momentaneamente al sicuro.

Un lampo d'irritazione balenò sul viso di Massimo, che tuttavia tornò a sedersi, con le braccia conserte e un'aria d'attesa. « A te la parola, Lara. So quanto ti manca Caitlin. »

Cercai d'inventarmi qualcosa, qualsiasi altra cosa oltre a quella che mi frullava nella testa in quell'istante preciso, cancellando tutto il resto. La cicatrice che avevo sul dorso della mano, causata da un vecchio morso di cane, si tese e iniziò a prudere, come faceva tutte le volte che ero nervosa. Mi guardai intorno furiosamente, mentre Massimo si agitava sulla sedia accanto a me. Adocchiai un piccolo vaso di bucaneve. « Il giardinaggio », dissi come se avessi appena trovato la risposta a una domanda da un milione di sterline. « Era bravissima a fare giardinaggio. » Mi preparai a elencare i bulbi primaverili, per poi lanciarmi in un panegirico sulle sue giunchiglie, sui suoi giacinti e sui suoi crochi.

Qualsiasi cosa che m'impedisse di dire: « Il ricordo più vivo che ho di Caitlin è quanto la odiavo, lei e la sua vita perfetta ».

7

MAGGIE

Ora che non passavo più le mattine in negozio a calcolare quanti vestiti dovevo sistemare per pagare le nuove scarpe da calcio di Sam, il mio antico amore per il cucito si era risvegliato. E, a metà marzo, quando Francesca aveva intensificato le ostilità, lasciando stizzita la stanza ogni volta che entravo, tagliandomi la strada per sedersi vicino a Nico sul divano e incoraggiando Sam a fare l'insolente con me, il lavoro era diventato anche il mio rifugio. Adoravo aprire la porta ed entrare nel mio spazio privato, un luogo in cui non mi trovavo costantemente in svantaggio, con la sensazione di dover chiedere scusa persino per l'aria che respiravo. Lì conoscevo le risposte. La gente contava su di me perché l'aiutassi e non faceva di tutto per contraddirmi quando proponevo una soluzione. Nelle lunghe ore trascorse piegata sui bottoni, sugli orli e sui ganci, la fastidiosa sensazione di non essere abbastanza in gamba si attenuava, per poi tornare alla ribalta quando mi riavvicinavo a quel posto che non riuscivo ancora a chiamare casa.

Così, quella sera di marzo in cui il proprietario del locale spuntò all'improvviso e si mise a gironzolare avanti e indietro strascicando i piedi per poi uscirsene con un: «Mi dispiace tanto» e con la notizia che aveva venduto tutto il palazzo e che dovevo liberare lo spazio nel giro di un mese, la gonna di seta che stavo rammendando si ritrovò subito bagnata di grossi lacrimoni. Per quel posticino pagavo una vera miseria da tanto di quel tempo che non avevo nessuna chance di trovare un altro negozio di cui potessi permettermi l'affitto. E, se non cucivo, non potevo guadagnare, rispettando le aspettative di chi mi credeva una cacciatrice di dote. Il commento sarcastico: « Non c'è voluto molto perché si trasformasse in una mantenuta » sarebbe rimbalzato in certe case di Siena Avenue prima ancora di poter mettere via i puntaspilli.

Ero tentata di dare uno squillo alle amiche del vecchio quartiere, di sparire nell'Hat and Feather e bere tanta vodka da vedere il lato comico della situazione. Oppure potevo rinunciare all'alcol e andare dritta a casa della mamma, dove Sam si fermava ogni mercoledì dopo l'allenamento di calcio. Come sarebbe stato confortante fiondarmi dentro dalla vecchia porta d'ingresso e accasciarmi sul divano sgangherato, mentre la mamma s'affaccendava con tè e *crumpets*. In casa di Nico le sedie erano tutte progettate per spingerti ad alzarti e fare altro. E per una volta volevo mangiare il mio curry d'asporto direttamente dalla vaschetta d'alluminio e inzuppare nel sughetto un pezzo di naan, senza dover perdere tempo con aglio, erbe aromatiche e brodo di pollo fatto col pollo vero.

Ma ero una moglie, ora, dovevo andare a casa. Quando rientrai, Nico era già tornato dal vivaio. Alzò gli occhi dal risotto che stava mescolando e corse da me. « Maggie, stai bene? Cosa c'è che non va? »

E, invece di sentirmi in obbligo di essere io quella fiduciosa nel lieto fine per tutti noi, data la conclamata infelicità di Francesca, persi seduta stante la maschera da donna impavida. Nico tese le braccia verso di me. Francesca, che stava facendo i compiti sul tavolo della cucina, uscì dalla stanza sbattendo la porta.

E, una volta rotti gli argini, Nico doveva aver desiderato di avere a disposizione un camion di kleenex e rotoli da cucina. Buttai fuori tutto. La sartoria perduta. I vestiti di Caitlin, beige, neri e blu scuro, appesi nell'armadio della camera degli ospiti come un rimprovero. La guerra intrapresa, e vinta, da Francesca, una guerra che significava non aver mai tempo per noi due. Avrei voluto risolvere i suoi problemi, avrei voluto fare meglio di così, farla smettere di soffrire e di essere arrabbiata.

Ma non potevo.

Il che voleva dire che non ci saremmo mai potuti rilassare perché Francesca poteva aver bisogno di Nico. Persino quando andavamo a letto, si verificavano spesso drammi notturni: « Papà, c'è una forbicina nella mia stanza/sento uno strano rumore al piano di sotto/non riesco a dormire/ho mal di testa ». Sebbene fossi cresciuta in una casa popolare dai muri così sottili che potevi sentire i vicini scoreggiare e fornicare, la paura dei passi di Francesca sul pianerottolo era il più efficace antidoto alla libido che un novello sposo, o una novella sposa, potesse conoscere.

Nico parve quasi sollevato. « Pensavo ti fossi accorta di non volermi più. » Mi carezzò i capelli. « Mi dispiace che essere sposata con me non sia bello come dovrebbe. »

« Non essere sciocco. Adoro essere sposata con te. Ho solo l'impressione di deluderti continuamente. Sapevo che non avrei mai sostituito Caitlin, ma nessuno mi ha mai odiato quanto Francesca. »

« Ma lei non ti odia. Come potrebbe? Sei adorabile. È ciò che ha perso e ciò che rappresenti a farla soffrire. Allora sai cosa suggerisco, Mrs Farinelli? » chiese, porgendomi una sedia.

Anche se aveva un tono allegro e positivo, sul mio viso balenò un lampo di paura. Eravamo sposati da due mesi eppure continuavo ad aspettarmi che lui si accorgesse che era stato tutto un grosso errore.

Si chinò e mi baciò. « Trasformeremo la soffitta nel tuo atelier. È un bel posticino, sai. Ci sono già le prese e le pareti imbiancate perché, prima che si ammalasse, Caitlin voleva allestirci uno studio di yoga. C'è un grosso Velux, perciò è una stanza luminosa, e possiamo commissionare qualche tavolo da lavoro, scaffali e armadi incassati a muro: qualsiasi cosa ti occorra per ottenere il massimo da questo spazio. »

Commissionare. Cielo, era un termine che non avevo mai avuto bisogno di usare. Far sistemare. Barattare. Raffazzonare. Un sottile filo di speranza mi avvolse il cuore. Un posto speciale solo per me. Avrei potuto confezionare vestiti nel vero senso della parola, e non solo fare modifiche e riparazioni.

« E il vantaggio principale è che non dovrai pagare l'affitto. »

« Ne sei sicuro? Non ti sentirai sfruttato, alla lunga? »

« Non dire stupidaggini! Sono tuo marito, non il tuo padrone di casa. Funziona così nelle coppie. Si condividono i problemi e si trovano soluzioni.»

A quel punto ricominciai a piagnucolare. Dopo tanti anni passati a lottare da sola per superare le difficoltà, senza dover chiedere soldi alla mamma o far mancare nulla a Sam, le parole di Nico erano come polvere fatata che fluttuava tutt'intorno tirando fuori dal nulla piccole soluzioni scintillanti.

«Ma dovremo svuotare la soffitta.» Fece una smorfia. «Francesca potrebbe darci una mano. C'è un mucchio di roba di Caitlin, lassù. Dio solo sa cosa. I libri dell'università, l'attrezzatura da sub e da escursionismo, il corredo da equitazione, vecchi album... Conservava tutto: programmi di concerti, biglietti aerei, roba del genere. Ma potrebbe esserci qualcosina che Francesca desideri tenere.»

Cercai di non pensare a quanti ricordi si sarebbero risvegliati nella mente di Nico facendo una cernita delle cose di Caitlin. Tenuto conto di quanto era sportiva, era sorprendente che lui fosse finito con una tombolotta come me. Non ero mai montata su un cavallo in vita mia. Non mi piaceva l'idea di stare in sella a un affare privo di freni affidabili. Non ero sicura di voler essere presente quando Nico avrebbe parlato a Francesca dei posti che avevano visitato, dei gruppi musicali che avevano visto, delle spiagge in cui avevano guardato tramontare il sole. Non volevo guastare nulla di ciò che facevamo insieme chiedendomi se per lui fosse stato meglio farlo insieme con Caitlin. Oppure scoprire che c'era una lunga lista di posti al mondo in cui lui aveva già fatto sesso con la prima moglie.

Desideravo mostrarmi opportunamente grata, così tentai l'approccio diplomatico: «Sono lieta di aiutarvi, ma non credi sia preferibile che lo facciate tu e Francesca da soli? Io non dovrei avere voce in capitolo su ciò che si tiene e ciò che si butta. Se è uno spazio grande, potreste tenerne una parte per voi e io potrei usare il resto».

«Se per te non è un problema, penso sia meglio che ci sia anche tu, altrimenti continueremo solo a rinviare. E non posso certo aspettarmi che tu conviva con la roba di Caitlin radunata in un angolo. Io non vorrei che tu conservassi le cianfrusaglie dei tuoi ex sotto la mia scrivania. È giunto il momento. Francesca può tenere le cose che vuole nella sua stanza.»

Lo abbracciai. Ora dovevamo solo vendere il progetto a Francesca.

8

LARA

Verso la fine di marzo, con Pasqua appena dietro l'angolo, dovetti smettere di raccontarmela, sapevo esattamente da quanto tempo non vedevo il papà: da Capodanno. L'ultima volta in cui Massimo era stato abbastanza libero da accompagnarmi alla casa di riposo, nella profonda campagna del Sussex.

Non volevo pensare a quel pomeriggio e al terribile comportamento che il papà aveva tenuto nei confronti di mio marito. Aveva gridato sciocchezze incomprensibili su presunte « finestre viola » e minacciato di colpirlo col bastone da passeggio. Nel viaggio di ritorno, ero rimasta seduta in auto tremante e in lacrime, mentre Massimo inveiva contro quel « vecchio ingrato », descrivendo nel dettaglio quanto spendeva per la struttura che lo ospitava. « Lo sai quanto mi costa fargli tagliare i capelli, anche se ormai gli sono rimasti solo quattro peli in testa? Diciassette sterline! »

Massimo era sempre stato troppo indaffarato per riportarmi a trovarlo, o troppo stressato, troppo lontano, troppo impegnato. E, per ironia della sorte, dato che il papà mi aveva sempre scoraggiato a imparare a guidare perché non voleva che morissi in un incidente d'auto come mia madre, non potevo andare da lui coi miei mezzi. Certo, all'inizio avevo ancora alcune amiche disposte a darmi un passaggio. Ma alla fine Massimo le aveva fatte sentire così sgradite o aveva fatto tali scenate quando desideravo vederle, che man mano le poverette si erano arrese, trovando la nostra amicizia troppo faticosa. E non volevo neanche pensare alla raccapricciante reazione di mio marito l'ultima volta che avevo speso una fortuna per un taxi.

E così ora non potevo vedere il papà.

Ma negli ultimi tempi Massimo sembrava più disponibile. Forse era solo meno stressato al lavoro, ma bere il tè a letto era ormai diventata la norma, così come i massaggi alla schiena e persino le conversazioni razionali sulla possibilità di trovarmi un posto di lavoro nella sua azienda. « Esaminiamo a fondo la questione dopo l'estate, quando Sandro tornerà a scuola » era un bel cambiamento rispetto al solito: « L'atmosfera in azienda è diventata molto più spietata rispetto a quando ci lavoravi tu. Non penso proprio che faccia per te ».

Anche quella sera era di buon umore. Aveva letto una storia della buonanotte a Sandro e aperto una deliziosa bottiglia di Sancerre, mentre io avevo preparato la coda di rospo arrosto con l'aglio, proprio come piaceva a lui. La serata perfetta per toccare l'argomento papà. « So che non è il massimo come gita fuori porta, ma a Pasqua devo assolutamente andare a trovare mio padre. Detesto l'idea che tutti gli altri trascorrano del tempo con la loro famiglia e che lui se ne stia lì da solo con l'uovo di Pasqua della casa di riposo. »

Massimo prese una forchettata di pesce e si tamponò l'angolo della bocca con un tovagliolo. « Non voglio vederti di malumore a Pasqua. Sai quanto ti deprime andarlo a trovare. Ho solo quattro giorni di vacanza e pensavo che avremmo potuto fare una capatina a Londra, portare Sandro al London Dungeon e alla Torre di Londra. Prenotare un hotel in città... »

Lo fissai, facendo attenzione a non sembrare contraria. Il London Dungeon? Sandro avrebbe avuto gli incubi per mesi. « È una splendida idea. Darò un'occhiata per vedere il programma. Potremmo andare a vedere uno spettacolo, se ne hai voglia. Se finisci di lavorare abbastanza presto, c'è qualche possibilità che riusciamo a fare un salto dal papà la sera prima di Venerdì santo? »

« Giovedì sarà difficilissimo, dovrò sistemare tutto prima del weekend, per potermi permettere di non lavorare a Pasqua. Ma tuo padre non saprà neppure che è festa, giusto? Potresti andare da lui in qualsiasi altro momento. La settimana dopo o quella dopo ancora. » Massimo ripiegò il tovagliolo e trangugiò il vino. Il suo coltello sbatteva contro il bordo del piatto creando una leggera melodia.

Erano passati tre mesi da quando avevo visto il papà. Dovevo andare da lui. Cercai di mantenere un tono calmo, d'impedire alla mia voce di virare verso la supplica o la pretesa. « Ti andrebbe bene se un giorno della prossima settimana andassi in autobus fino a Worthing e poi da lì prendessi un taxi? »

« Il viaggio in taxi è piuttosto costoso. Mi hanno appena avvisato che alla casa di riposo aumenteranno le rette. Penso che dovremmo provare a tagliare le spese inutili. »

Inspirai a fondo. « Sei stato incredibilmente generoso a pagare per la sua assistenza finora, ma forse è arrivato il momento di chiedere un parere legale per ottenere il permesso di usare i soldi ricavati dalla vendita della casa per finanziare le sue cure. In questo modo il peso non ricadrebbe solo su di te. » Evitai di aggiungere: « E io potrei essere libera di spendere cinquanta sterline per andare a trovarlo ».

Massimo sospirò come se stesse parlando a qualcuno con limitate capacità intellettive. « Non credo che tu abbia idea dei prezzi di quella struttura. » Mi diede un colpetto sulla mano. « Tuo padre potrebbe arrivare a novantacinque anni. Se non lo finanziassi io, resterebbe senza un soldo in un attimo. E odierei vederlo finire in un tugurio puzzolente di cavolo, dove i vecchi se ne stanno tutti seduti in cerchio col pannolone addosso. »

Mi si strinse lo stomaco. Non potevo lasciare che accadesse una cosa simile a mio padre, sempre così distinto, con le camicie coi gemelli e « un goccio di dopobarba ». Insisteva ancora nell'alzarsi, seppur a fatica, quando un'infermiera entrava nella stanza. Avrei dovuto pensare a come provvedere alla sua vecchiaia quando avevamo venduto la casa, invece di fare affidamento sulla benevolenza di Massimo. Ma ai tempi, proprio come ora, mio marito aveva opposto un netto rifiuto: « Hai già abbastanza cose di cui preoccuparti. Penserò io al lato economico. È ciò che vorrebbe tuo padre. Dopotutto i clienti mi pagano una fortuna per badare ai loro affari. Lascia che condivida con te un po' dello stress, altrimenti finirai di nuovo sotto antidepressivi ».

E, poiché quando chiedevo di vedere i documenti Massimo mi liquidava con un cenno della mano – « Me ne occupo io, per me è un piacere » –, se anche fossi riuscita a strappargli il controllo finanziario sul patrimonio del papà, non avevo idea di quanto lui sarebbe potuto rimanere in quella struttura se avesse pagato col proprio denaro.

Massimo stava schiacciando con forza il pesce contro il bordo del piatto. Rischiavo di rovinare la serata. Avrei fatto un altro tentativo l'indomani.

Alzò gli occhi. « A ogni modo, se hai tanto tempo libero, perché non te ne vai dal medico e non provi a scoprire davvero perché non riesci a rimanere incinta di nuovo? A quanto pare hai trovato un sacco di tempo per organizzare le ricerche di quella stramaledetta gatta, ma non abbastanza per capire come mai Sandro non ha fratelli né sorelle. »

Avrei dovuto sapere che non era il caso d'insistere. Era tipico di Massimo tollerare, persino accettare qualcosa d'importante per me finché non gli andava a noia, o finché non poteva più assumersene tutta la gloria, quando non c'era più nessuno che dicesse: « Avresti dovuto vedere come si sforzava di rallegrare quel povero bambino quando il gatto è scomparso ».

« Ho provato a prendere appuntamento, ma la dottoressa specializzata in fertilità e pianificazione familiare è assente da un po'. » Mi alzai per andare a prendere un bicchiere d'acqua, di modo che non mi vedesse arrossire davanti a quella bugia. « Non appena rientra, sentirò cosa mi dice. A un certo punto, probabilmente, vorrà far fare qualche esame a entrambi. »

Massimo sbatté il coltello sul piatto. « Non c'è mai stato nessun problema di fertilità nella famiglia Farinelli. Nico ha avuto una sola figlia perché Caitlin non voleva altri bambini. Fai i test e vediamo cosa salta fuori. »

Annuii come se fossi davvero intenzionata a prendere appuntamento il prima possibile.

Però Massimo non poteva controllare tutto.

Non ancora.

9

MAGGIE

Per la prima volta da quando mi ero trasferita, sentivo di poter rivendicare il mio posto in casa invece di aggirarmi dietro le quinte con aria di scuse. Avrei avuto il mio atelier, avrei reso mia un'area della casa anziché occupare abusivamente lo spazio di un'altra donna. Stavo per scendere a passo lieve le scale per andare a preparare la colazione quando sentii uno strano rumore sul pianerottolo. Mi venne in mente la volpe che un giorno avevo visto contorcersi agonizzante in un canaletto di scolo del vecchio quartiere, dopo esser stata investita da ladri d'auto in fuga.

Mi precipitai in fondo al pianerottolo. La camera di Francesca. Esitai per timore che mi urlasse di andarmene. Poi decisi che dall'altro lato della porta poteva esserci una vera emergenza e mi fiondai dentro, chiamando Nico a gran voce. Le tende erano ancora tirate e mi ci volle un istante per individuarla, coi piedi sul cuscino e con la testa in fondo al letto, mezza scoperta, in lacrime, come fosse successa la fine del mondo.

« Francesca! » Corsi da lei e le posai la mano sulla piccola schiena calda. « Cos'hai? » Cercai di farla voltare, ma si nascose ancora di più sotto il piumino.

Poi vidi le grosse chiazze di sangue sulle lenzuola. « Oh, piccina. È la prima volta che ti vengono? »

Lei annuì.

« Hai quello che ti serve? »

« No », rispose tra i singhiozzi.

Sulla soglia apparve Nico. « Cosa succede? »

Mi misi il dito davanti alle labbra e lo invitai ad andarsene con un cenno della mano, mimando con la bocca un *è tutto okay*. Il disagio di Nico ogni volta che si sfioravano « argomenti da donne » non era ciò che occorreva in quel momento. Si allontanò con aria perplessa. Lo amavo per la fiducia che riponeva in me.

Andai a prendere la vestaglia di Francesca appesa al gancio dietro la porta. « D'accordo, tesoro. Ora va' a farti una bella doccia; dopo ti sentirai molto meglio. Io intanto vedo di recuperarti degli assorbenti. »

Con mia grande sorpresa mi gettò le braccia al collo e appoggiò il viso caldo e bagnato di lacrime sulla mia spalla. « Voglio la mamma. Voglio tanto la mia mamma. Vorrei che fosse qui. »

Mi sforzai di non pensare a come se la sarebbe cavata Sam se io fossi morta all'improvviso. Tuttora non riuscivo a immaginare di non avere mia madre intorno: quanto mi sarei sentita sola il giorno delle nozze percorrendo il corridoio che mi portava da Nico se lei non fosse stata in prima fila, con la sua imitazione del profumo Coco Chanel comprata al mercato? Avevo vissuto per oltre tre decenni con una mamma che mi ripeteva in continuazione che ero fantastica, mentre in realtà ero terribilmente ordinaria. Ma per lei no, ero straordinaria, come nessun altro avrebbe mai potuto essere. Talvolta, per scherzo, mi chiamava ancora la sua « bambina ». Eppure a me piaceva essere ancora la bambina di qualcuno, anche alla mia età. La mamma: una barriera di sicurezza tra me e il mondo esterno, qualcuno che avrebbe fatto del suo meglio per rendere bella la mia vita, senza nessun programma da seguire e senza aspettarsi nulla in cambio.

Francesca aveva avuto così poco tempo per assorbire da Caitlin questa sensazione di avere in lei « la sua fan numero uno ». E adesso era lì, alla soglia della maturità, in lotta con emozioni contrastanti e ormoni impazziti, senza l'unica persona che avrebbe potuto aiutarla a dare un senso al tutto.

Faceva venir voglia di piangere anche a me.

Non mi ero mai sentita così inutile, così incapace di provvedere ai bisogni di un altro essere umano. Mentre le lacrime di Francesca continuavano a scendere, la rabbia e la spigolosità abituali cancellate da un'esplosione di dolore puro, la strinsi a me e le carezzai la schiena sussurrando: « Su, su », come faceva la mamma quand'ero turbata. Le sollevai i capelli dal collo nel tentativo di calmare il turbinio di emozioni che la stava consumando.

Pian piano i singhiozzi di Francesca persero intensità. Si staccò e si sedette, senza guardarmi. Cercai di rimanere aggrappata a quel momento d'intimità sospeso tra noi, fragile come una bolla di sapone. Le toccai la mano. « Ti capisco. Davvero. Al posto tuo, anch'io vorrei la mia mamma. Non una tizia che ha sposato mio padre. »

Francesca si morse il labbro. Restò immobile, con una linea di lacrime appese alle ciglia inferiori, desiderose di cadere. Chissà quante serate aveva passato a piangere sul cuscino mentre io e Nico stavamo al piano di sotto a sorseggiare vino dopo averla vista fuggire via imbronciata. Mentre discutevamo di come « gestire il suo comportamento », stava forse premendo il viso sulle camicette di sua madre, alla ricerca disperata di un profumo familiare? O stava setacciando il suo portagioie, sbrogliando collane, provando anelli, tentando di rievocare l'essenza di Caitlin? E tutte quelle volte io stavo pensando solo a me stessa, sentendomi contrariata da una tredicenne e chiedendomi come domandare a Nico di mettere una serratura alla porta di camera nostra?

Alla fine stavo cominciando a capire cosa significasse essere l'adulta.

Ed essere la matrigna di una ragazza la cui madre era morta.

Se c'era un momento per smetterla di piangermi addosso per il fatto che il mio favoloso nuovo mondo aveva un paio di lievi imperfezioni, era quello. « Ora vado a prenderti gli assorbenti. Perché non usi il bagno della camera degli ospiti? Così puoi avere un po' di privacy. Ci penso io a cambiarti le lenzuola. Butta il pigiama nel cesto dei panni sporchi, del resto mi occupo io. »

Francesca annuì. « Grazie. » E mi abbracciò di nuovo.

Fu solo il suo faccino triste a impedirmi di mettermi a saltare sul letto, con le lenzuola sporche e tutto il resto.

10

LARA

Il Venerdì Santo, quando alle sette in punto Massimo balzò fuori dal letto e, dopo avermi dato un bacio sulla guancia, mi disse: « Resta dove sei, bella. Esco un attimo a prendere il tuo regalo di Pasqua », dovetti trattenermi dal dire: « Avremmo potuto essere dal papà per le otto e mezzo ». Il lato positivo, se non altro, era che ero riuscita a evitare di torturare Sandro con un weekend in qualche macabra attrazione di Londra, ricordando a Massimo la nostra necessità di « tagliare le spese ».

Tornai ad accoccolarmi sul cuscino e ad arrovellarmi sulle contraddizioni di mio marito. Tanti pensierini affettuosi per bilanciare le sue dolorose sfuriate. Ma l'avevo sempre saputo, sin dall'inizio, quando aveva cominciato a farmi il filo in ufficio. Allietava la mia giornata notando una camicetta nuova, poi frantumava ogni fiducia in me stessa arricciando il naso per il mio ultimo taglio di capelli. Mi portava il caffè quando continuavo a lavorare durante la pausa pranzo, poi se ne andava via senza di me se tardavo a uscire dall'ufficio anche solo cinque minuti. Ma, ovunque fossimo, quand'ero con lui ero sempre parte dell'azione, assorbivo la sua energia, buona o cattiva che fosse, non ero una spettatrice passiva. E, senza i Farinelli, con tutti i loro difetti, ora sarei stata sola nel mio mondo, tolto mio padre, che stava gradualmente staccandosi dal suo. Mi consolai pensando che, pur preferendo andare a trovare il papà, lo sforzo speciale compiuto da Massimo nel farmi un regalo di Pasqua era un altro granello che si aggiungeva sul piatto della bilancia del « m'ama, non m'ama ».

Ma alle dieci iniziai a chiedermi dove fosse finito. Come mio padre, detestavo che la gente uscisse in auto e ci mettesse più tempo del previsto a tornare. Così la mia prima reazione quando Massimo irruppe di colpo dalla porta di casa con un grosso cucciolo fulvo tra le braccia fu di sollievo. Seguito da sconcerto e infine paura.

Il viso di Massimo, quel bel viso altero, era pieno di entusiasmo. « Guarda cos'ho trovato! »

Indietreggiai, immaginando che avesse scoperto il cane a vagabondare per la strada e l'avesse portato dentro per evitare che finisse investito. Avrei preferito che l'avesse legato in giardino.

Mi si avvicinò col cucciolo che si divincolava per sfuggirgli dalle braccia. Io ero in piedi, sul secondo gradino delle scale.

Massimo lo allungò verso di me, facendomi quasi gridare. « Una cosina per rimediare alla perdita di Misty. È un Rhodesian Ridgeback. L'ultimo della cucciolata. Ha quasi sei mesi. Volevano usarlo per la riproduzione, ma è saltato fuori che ha un piccolo difetto alla coda e così hanno pensato di cercargli una nuova casa. Li ho convinti che da noi sarebbe stato alla grande. »

Mi sforzai di sorridere, ma avrei voluto fuggire su per le scale e barricarmi in camera finché non avesse rinchiuso quell'animale. Non poteva parlare sul serio. Sapeva che avevo il terrore dei cani da quand'ero stata morsa da un collie da bambina, sapeva che avevo smesso di portare Sandro al parco perché non riuscivo a rilassarmi se c'erano cani che correvano di qua e di là. Anche se erano al guinzaglio, non riuscivo a staccare gli occhi da loro, come se all'improvviso potessero liberarsi dal collare e attaccarci.

Con mio profondo orrore, Massimo chiamò Sandro, che schizzò fuori immediatamente dalla sua stanza al piano di sopra, con un'espressione a metà tra il fervore e la trepidazione.

« Ta-da! Saluta il tuo nuovo amico, Lupo. »

Sandro rimase di stucco, mi lanciò un'occhiata e abbozzò un sorriso stentato. Indugiava sul pianerottolo, mentre Massimo gli faceva cenni entusiastici.

« Guarda com'è carino. Il cane è il miglior amico dell'uomo. Lo adorerai, Sandro. Forse anche più di Misty. I cani sono ottimi compagni. »

L'entusiasmo di Massimo iniziò a spegnersi davanti alla mancanza di reazioni da parte nostra. Non potevo deluderlo, non potevo rinfacciargli una cosa che aveva fatto per tirarci su di morale. Forse pensava che non avrei avuto problemi con un cucciolo tutto nostro. E, razionalmente, sapevo che la maggior parte dei cani era innocua. E poi avevamo parlato tante volte del fatto che non volevo che nella vita Sandro s'impietrisse ogni volta che ne incrociava uno per strada. E così ingoiai la paura e mi avvicinai a Lupo per accarezzargli la testa.

«È magnifico, Sandro, guarda com'è dolce», dissi, schiacciandomi contro la parete mentre Lupo arrancava verso di me, con la lingua penzoloni. La paura mi afferrò le ginocchia e prese a farmi tremare le gambe. Richiamai alla mente il tono che usano i padroni dei cani, con tutti quei nomignoli affettuosi. «Guarda qui che bel cagnolino.»

«Questa razza viene dall'Africa, Sandro. Sono andato fino a Whitstable per prendere Lupo», fece Massimo, con una sfumatura d'impazienza nella voce.

Ma nell'elenco dei difetti che Sandro aveva ereditato da me - un secondo dito del piede troppo lungo, un dente traballante, una tendenza alle labbra screpolate - c'era una paralizzante paura dei cani. Dovevo impedire a Massimo di notare che Sandro stava retrocedendo su per le scale, invece di fiondarsi giù. Cominciai a battere le mani allegramente come un'insegnante di nido in procinto di attaccare con qualche gioiosa canzoncina.

«Dai, vediamo se gli piace il nostro giardino. Può darsi che debba fare pipì, visto il viaggio lungo, e non vogliamo che combini un pasticcio dentro casa, vero?» Feci cenno a Sandro di scendere.

Massimo appoggiò il cane sul pavimento e il cucciolo iniziò a saltellare e a grattarmi le gambe. Sarei voluta scoppiare a piangere.

Massimo mi osservò. «Allora, cosa ne pensi del tuo regalo?»

Feci un sorriso forzato. «È stata una sorpresa assoluta! Non avevo la minima idea che desiderassi un cane.»

«L'ho preso per Sandro. Gli farà bene. E sarà un ottimo cane da guardia per te, quando sarò via per lavoro.»

Che fossi disposta a sopportare di vivere con un cane che mi terrorizzava piuttosto che rischiare di passare per un'ingrata e scatenare la collera di mio marito dava la misura di quanto la mia vita fosse diventata assurda.

11

MAGGIE

Sebbene Francesca mi vedesse solo come una fonte di assorbenti igienici che le consentiva di non dover chiedere nulla d'imbarazzante al padre, nelle ultime due settimane il suo atteggiamento nei miei confronti si era decisamente ammorbidito.

Di conseguenza esitavo a toccare con lei l'argomento dello sgombero della soffitta, combattuta tra la necessità di avere uno spazio di lavoro tutto mio e la paura di rompere la delicata tregua scaturita da una ragione così improbabile. In ogni caso, verso la metà di aprile, con la data del trasloco dal negozio ormai alle porte, Nico fu irremovibile: « A te serve un posto in cui lavorare e a tutti noi serve che questa sia una vera casa, non un santuario ».

Al contrario di quanto si potrebbe pensare, non appena lui dimostrò di essere in grado di mettere Caitlin in un angolo, io non lo considerai una prova che mi amava così profondamente da riuscire ad andare oltre, ma come un indice del fatto che mio marito non si concedeva di affezionarsi troppo a nessuno. Se fossi morta dall'oggi al domani, speravo di non finire spazzata via dalla sua vita dentro qualche sacchetto dell'immondizia e un paio di ceste di vimini, per poi essere trasportata alla Oxfam.

Mentre Nico ne discuteva con la figlia, io rimasi seduta in cucina, in attesa di sentire le urla. Ma, quando scese al piano di sotto, Francesca si appoggiò timidamente allo stipite della porta e disse: « Stavo pensando... Quando il tuo atelier sarà finito, potresti farmi un vestito per la festa di fine anno? Se ne hai voglia, ecco ».

Avrei voluto balzare in piedi dalla sedia e promettere di confezionarle cinquantacinque vestiti, tutti di colore diverso. L'opportunità di fare qualcosa di cui avremmo discusso insieme, che non era una delle occasioni create ad hoc da Nico «per imparare a conoscere Maggie», mi riempì di una speranza per il futuro che non avrei neanche potuto immaginare solo due settimane prima.

Quando arrivò il sabato, Massimo e Sandro invitarono mio figlio al parco. Sam non aveva avuto nessuna difficoltà ad abituarsi alla famiglia allargata. Anzi, se avesse potuto, probabilmente si sarebbe trasferito in casa dello zio, col doppio richiamo esercitato dal calcio e da Lupo. Ma non ero sicura che sarebbe stato tanto felice di vivere con Lara. Era una donna «cupa», come diceva mia madre, con l'aria di chi si attende sempre pioggia battente invece di un cielo senza nuvole. Massimo, però, sembrava adorarla, non faceva che abbracciarla e dirle «ti amo» anche quando gli portava una semplice tazza di tè.

Mentre guardavo Sandro seguire gli altri strascicando i piedi, facendo correre la mano sopra i muretti di cinta, fermandosi a raccogliere una piuma, mi venne il sospetto strisciante che Massimo fosse contento di assecondare quel calciofilo accanito di mio figlio. Ogni volta che li vedevo insieme, parlavano di giocatori della Premier League che non avevo mai sentito nominare. Nico non era così, era molto più interessato a programmi sul giardinaggio come *Gardeners' World* che a Sky Sports, perciò era magnifico che Massimo fosse sinceramente interessato invece di fare solo finta, come me. Cercavo di non pensare a quante cose Sam avesse perso nell'avere un padre come Dean che, tolta qualche cartolina, non ci aveva mai disturbato con la sua presenza. Anche se, a onor del vero, Dean non aveva mai finto di essere diverso da ciò che era: una sorta di tuttofare che lavorava nei cantieri edili fintantoché non fosse riuscito a guadagnare a sufficienza per partire e andarsene a vivere in una capanna di paglia su qualche isola esotica. Mi diceva sempre: «Tu sei troppo seria, Mags. Devi vivere alla giornata. Per quanto mi riguarda, finché ho una bottiglia di birra e un po' di luce del sole, sono il re del mondo». Ma, quando se n'era andato, era stato doloroso lo stesso.

Mi consolava il fatto che alla fine, anche se con suo padre

avevo preso un abbaglio, almeno avevo trovato un patrigno fantastico per Sam.

E quel giorno, il giorno stabilito per lo « sgombero della soffitta », Nico mi stupì ancora con la sua gentilezza, preoccupandosi più di quanto potesse essere difficile per me rovistare tra le cose della sua defunta moglie che non di quanto fosse traumatico per lui. Lo abbracciai. « Ce la faremo. »

Dal canto mio, ciò che mi rendeva più nervosa era la reazione di Francesca. Quando Nico andò a prenderla in camera sua, io indugiai imbarazzata sul pianerottolo. Ma il disagio svanì nell'istante in cui provai a tirare giù la scaletta, una fatica simile alla pesca delle paperelle di plastica alle giostre, solo doppiamente frustrante. Sperai di prenderci la mano, altrimenti salire a lavorare ogni giorno sarebbe stata una gran rottura di palle. Fui grata, comunque, di aver trovato qualcosa di cui ridere e da risolvere tutti insieme prima di dedicarci al vero obiettivo di quella giornata.

La soffitta mi piaceva da morire. Sentii un brivido di euforia al pensiero di sistemare un tavolo da cucito sotto la finestra e mettere degli scaffali nell'alcova per conservare i fili di cotone, gli spilli e gli accessori. E, a differenza dello stipetto della mamma nel vecchio appartamento, dove non toccavo niente per paura di veder saltare fuori un ratto da una vecchia scarpa da calcio, quella stanza non aveva proprio nulla del « ripostiglio », luminosa com'era, con una fila di scatoloni ben allineati e contrassegnati con una penna rossa: *Calzoni e cappelli da equitazione, Pesetti e bande elastiche, Cassette dalla A alla J*. Mi fece un certo effetto vedere quei caratteri grandi e chiari, il tipo di grafia sicura che associavo a chi doveva essere stato attaccante a canestro nella squadra di netball e centro in quella di hockey. Chissà se quegli scatoloni erano già lassù o se Caitlin aveva iniziato a imballare le sue cose quando aveva scoperto che stava per morire, per evitare ad altri il disturbo.

Se avessi avuto i giorni contati, speravo di avere cose più urgenti da fare che mettere i miei CD in ordine alfabetico. O forse, quando quella poveretta aveva così poco controllo sulla sua vita, assicurarsi che gli ABBA fossero vicini agli Aerosmith le garantiva un pizzico di conforto, di sicurezza di fronte al grande ignoto.

Non riuscivo neanche a immaginare di vivere con la consapevolezza di avere un tempo limitato. Ma, in tal caso, avrei davvero trascorso gli ultimi mesi a paracadutarmi dagli aerei, a passeggiare lungo la Grande Muraglia cinese o a fare immersioni nella grande barriera corallina, se attività del genere non mi avevano mai attratto quando ancora pensavo di avere altri cinquant'anni di vita davanti? Avevo il desolante sospetto che avrei trascorso le ultime settimane a sbarazzarmi di vecchie T-shirt malandate, biancheria intima ingrigita e calzini bucati, per non passare alla storia come la donna con le mutandine sformate e i reggiseni flosci.

Inoltre avrei dovuto sfrondare i miei album ed eliminare qualsiasi foto compromettente in grado di cambiare l'opinione altrui una volta che non fossi più stata lì a difendermi e spiegare che in fondo non era « male come sembrava ». Probabilmente non era il caso che Sam s'imbattesse in immagini postume di sua madre accasciata sopra una bottiglia di Mezcal, col verme in equilibrio sulla guancia, che ballava con un pene gonfiabile o che limonava con uno della lunga schiera di scansafatiche conosciuti negli anni e che, in ogni caso, avrebbe fatto meglio di quell'uomo invisibile del suo vero padre.

Nico stava ritto in piedi con le mani sui fianchi, mentre Francesca lo guardava in cerca di aiuto. Io mi trattenni vicino al portello della soffitta, per timore d'intromettermi nelle emozioni piombate tra gli scatoloni.

Nico si voltò verso Francesca. « Da dove vuoi cominciare? Diamo un'occhiata alle cassette della mamma? »

Lei lo guardò come se le avesse chiesto se intendeva indossare un vestito di crinolina per la festa di fine trimestre. Le cassette erano già passate di moda ai tempi in cui io ero un'adolescente. Agli occhi di Francesca dovevano sembrare roba antiquata come il mangano. Quand'ero ragazzina, la mamma non aveva soldi da buttar via con l'acquisto di un lettore CD, così avevo continuato a estrarre nastri smangiucchiati dal mio walkman del cavolo e a riavvolgerli con la biro fino a molto tempo dopo che i miei amici erano passati ai CD. Ma, poiché stavo cercando di diventare amica di Francesca, non volevo sottolineare di essere abbastanza vecchia da ricordare la vita senza iTunes.

Lasciai che Nico concludesse da solo che le cassette potevano essere la prima cosa da spostare verso l'uscita.

Esaminai le altre scatole, cercandone una col minor carico emotivo possibile. Non volevo di certo imbattermi nelle foto di Nico e Caitlin che tagliavano la torta nuziale, che guardavano amorevoli la figlia appena nata o che brindavano accanto all'albero di Natale. Lessi le etichette in cerca di qualcosa di simile ad *Attrezzi per sturare gli scarichi.*

Di sicuro non lo scatolone contrassegnato *Francesca.*

Lo indicai. «Guarda qui, ce n'è uno col tuo nome. Vuoi iniziare da quello?»

Francesca sembrava un po' indecisa e, a essere sincera, non potevo biasimarla. Dio solo sa cosa avrebbe potuto contenere una scatola con la scritta *Maggie,* probabilmente venti fiale di siero anticrespo per soddisfare la mia infinita brama di capelli lisci e luminosi, abbandonate quando il potere superiore dei riccioli naturali aveva sconfitto il mio ottimismo.

Lanciai a Nico uno sguardo eloquente che parve riscuoterlo dal suo torpore.

Allungò le braccia per prendere la scatola e cominciò a togliere il nastro adesivo. «Forza, tesoro, che ne dici di dare un'occhiata?»

Mentre le loro teste scure si avvicinavano per sbirciare all'interno, ispezionai le altre etichette.

Abbigliamento da esterno. Chissà se Caitlin era una tipa così organizzata da piegare e mettere via sciarpe, impermeabili e berretti coi pompon a ogni aprile, così da non essere costretta a trascorrere l'estate a lottare in mezzo a montagne di vestiti di lana prima di riuscire a scovare le infradito.

No. Gli abiti erano qualcosa di troppo personale, troppo reale. Non volevo starmene lì a studiare ogni più piccola traccia di fango sugli stivali di Caitlin per poi chiedermi se li avesse indossati durante una passeggiata mano nella mano con Nico, interrotta magari da un acquazzone estivo che li aveva costretti a rifugiarsi sotto un albero, dove si erano abbracciati e baciati fino a quando non aveva smesso di piovere.

Passai alla scatola successiva, *Manuali*. Non sembrava potesse contenere ricordi troppo sdolcinati. La aprii ed esaminai i titoli: erano i libri di Caitlin sullo sport e sull'alimentazione. Ne sollevai qualcuno dalla fila superiore, solo per verificare di non buttare via una prima edizione del bestseller *Fit or Fat?* oppure un volume imperdibile su come « controllare il tuo metabolismo », come « rinforzare i pettorali » o altre cose noiosissime di cui non mi ero mai preoccupata in trentacinque anni di vita.

Chiamai Francesca. « Non pensi di studiare Scienze della nutrizione o Scienze motorie, vero? »

« Non ci penso neanche. Non intendo passare la mia vita a cercare di rimettere in forma un mucchio di vecchie ciccione. »

Tirai in dentro la pancia.

Estrassi dalla scatola un gigantesco volume illustrato sul ruolo dell'attività fisica nella psicoterapia. Somigliava a quegli enormi dizionari di francese che la mamma aveva trascinato a casa dopo lo sgombero di una biblioteca locale, casomai riuscisse a venderli. Non avevamo trovato nessun acquirente, ma li impilavamo e li usavamo come supporto per la gabbia del criceto. Nico doveva considerarmi parecchio limitata se Caitlin aveva un cervello così grande da capire come saltare la corda sul posto potesse far rinsavire una persona.

Lanciai un'occhiata a mio marito dall'altro lato della soffitta, augurandomi di essere abbastanza per lui sul lungo termine. Stava seduto accanto a Francesca e rovistava in una cesta di vimini bianca, commentando con dolcezza il ritrovamento di minuscole scarpine da neonata, di un pagliaccetto fantasia con tanti piccoli tulipani, di un coniglietto azzurro con un orecchio solo. Dubitavo che il padre di Sam fosse in grado di riconoscerlo in mezzo a un gruppo di decenni dai capelli biondo-rossicci e con le lentiggini, figuriamoci di ricordarsi i suoi giocattoli di quand'era piccino. Francesca accarezzava gli oggetti, se li premeva sul viso. Mi si stringeva il cuore nel vedere i suoi sforzi per trovare un ricordo di Caitlin, un residuo di profumo, il fruscio di un contatto in mezzo a quegli oggetti casuali che probabilmente odoravano più che altro di polvere e di umidità.

Tirò fuori alcuni quaderni di scuola. « Guarda, papà, scrittura creativa con Miss Roland! »

Nico iniziò a leggere a voce alta il racconto dedicato al suo nuovo cane, Polly-Dolly, mentre Francesca strillava imbarazzata: « E non era neanche vero! La mamma non mi ha mai permesso di avere un cane ». Picchiettò la pagina col dito. « Guarda come l'ho disegnata grassa. Non ricordo che fosse così. »

Cercai di non ascoltare le loro conversazioni frugando rumorosamente nella scatola: le emozioni condivise di padre e figlia mi facevano sentire un cuculo in un nido per due. « Mi si è seccata la gola per via della polvere. Scendo a prendere un po' di tè. »

« Vado io », disse Nico, balzando in piedi come se fosse grato di avere una scusa per allontanarsi un attimo.

Avrei voluto fiondarmi giù dalla scaletta, fuggire da tutto quel dolore e rimpianto e amore altrui che si espandeva come edera da qualsiasi scatola aprissimo, ma m'inginocchiai di nuovo per continuare la selezione.

M'imbattei per caso in un portagioie d'oro nascosto sotto uno strato di libri. Meno male che non avevo solo sbirciato velocemente prima di buttare via tutto, visto che si trattava di qualche vecchio volume impolverato su come smetterla di farsela addosso sul tappeto elastico. Lo sollevai e feci scorrere le dita sul coperchio, dove spiccava un cuore tempestato di quelli che sembravano rubini. Lo aprii. Era vuoto, c'era solo un cuscinetto imbottito sul fondo, ma di colpo un'ondata di musica classica cominciò a riempire la stanza, facendomi sobbalzare. Francesca allungò il collo per vedere cosa avevo trovato. Mi alzai, circumnavigai la cyclette di Caitlin e calpestai i suoi materassini di yoga e una palla da pilates mezza sgonfia per mostrarglielo.

Lei carezzò il velluto blu all'interno. « Non ricordavo che la mamma avesse un oggetto simile. È bellissimo. » Chiuse il portagioie, poi lo riaprì. « Che musica è? »

« Non lo so. Devi chiedere a tuo padre. Non so nulla di musica classica. » Direttamente dal mio manuale *Come essere una matrigna favolosa*, approfittati dell'opportunità per attaccare discorso. « Ti piace questo genere di musica? » domandai, temendo che si lanciasse in qualche paragone tra compositori che non avevo mai sentito nominare. Tutti i Farinelli sembravano ingurgitare la pagina culturale dei quotidiani insieme con la colazione.

Francesca arricciò il naso. « Non proprio. La mamma l'ascoltava di continuo, ma io non sono una grande appassionata. »

« Magari un giorno lo sarai. Posso metterlo da parte per te? È oro vero, a giudicare dal marchio di autenticità sul fondo, perciò vale sicuramente la pena conservarlo. »

Francesca annuì. « Sì, grazie. Potrei usarlo per gli orecchini. »

Il mio momento di utilità svanì e lei ricominciò a guardare i vecchi quaderni di scuola. Voltai le spalle e tornai dall'altro lato della stanza. Mentre me ne stavo lì in piedi, indecisa se affrontare la borsa con la scritta *Biancheria da letto* o se aprire una vecchia cassapanca che conteneva Dio solo sa cosa per farmi dubitare di me stessa un altro po', starnutii e il portagioie d'oro mi cadde di mano.

Atterrò su una pila di zaini, il coperchio si aprì e subito il suono di violini e flauti invase la soffitta.

« Mi dispiace, scusami, dev'essere per via della polvere. » Cercai tentoni di recuperarlo, con la speranza di non aver ammaccato un oggetto che poteva rivelarsi una preziosissima eredità.

Lo raccolsi e lo girai per controllare che non ci fossero danni, e all'improvviso il cuscinetto di velluto blu scivolò via, seguito da una cascata di fogli: biglietti, una cartolina, un paio di appunti scritti a mano, un menu pieghevole della National Portrait Gallery. Radunai il tutto per rimetterlo dentro, quando mi accorsi di un'incisione sul fondo del portagioie.

MIA ADORATA CAITY-CARA

OGNI VOLTA CHE SENTIRÒ QUESTA MUSICA, PENSERÒ A TE.
SE SOLO AVESSIMO FATTO SCELTE DIVERSE!

TUO PER SEMPRE, P

Confusa, mi avvicinai per leggere meglio. Sì, era senza dubbio una P. Non volevo sapere che razza di nomignolo Caitlin usasse per Nico. Piccolo? Pulcino? Patatino? Puah. Grazie a Dio, Nico non aveva pensato a un equivalente di Caity-Cara per me. Tipo Maggie-Mia. O qualcosa di peggio, se non mi fossi rimessa in forma alla svelta, tipo Maggie-Mella. In passato avevo avuto un fidanzato che mi chiamava « Trottolina ». Mi aveva fatto detestare i nomignoli per l'eternità.

Se solo avessimo fatto scelte diverse! Cosa voleva dire? Quali scelte? Guardai i foglietti che avevo tra le mani, ricordi della vita di Caitlin. Quante cose aveva perduto. Avrebbe apprezzato un pochino di più tutti quei concerti, quei luoghi, quelle cene, avrebbe cercato di strappare una frazione di gioia in più a ogni minuto se avesse saputo che erano contati? Avrebbe deciso di bere un altro bicchiere, mangiare un altro pasticcino, e al diavolo il domani?

Lanciai uno sguardo a Francesca, che stava ancora sfogliando i suoi quaderni, mordicchiandosi il labbro per la concentrazione. Sebbene sapessi che scoprire ulteriori dettagli sulla relazione di Nico con la donna che mi aveva preceduto sarebbe stata solo una tortura extra per me, scartabellai tra i biglietti. Ingressi per l'opera. *Pelléas et Mélisande* alla Royal Opera House di Covent Garden. *La traviata* al London Coliseum, *Così fan tutte* al Theatre Royal di Bath. Li rinfilai di nuovo nel portagioie, insieme col volantino di una mostra della Tate Britain sull'ultimo periodo artistico di William Turner.

Nico non mi aveva mai parlato di opera. Doveva avermi catalogato come un'ignorante senza speranza e deciso di limitarsi a temi su cui sapeva di andare sul sicuro, come i reality show alla *Survivor*, gli ultimi film di James Bond e quale colore scegliere tra il calicò naturale e il bianco orchidea per ritinteggiare il soggiorno. Avvertii una fitta di dolore. Se fossi cresciuta in una famiglia italiana in cui i fine settimana erano tutti dedicati ai musei, ai concerti e alla cucina, probabilmente anch'io avrei saputo qualcosa di opera e arte. La mamma, con tutto il suo affetto e le sue meravigliose qualità, era molto più interessata alle soap opera e a un cartoccio di pollo del KFC che alla cultura e alla cucina « etnica ». Mi auguravo che Nico non si aspettasse da me di assistere a spettacoli più sofisticati di un concerto di Adele. Ero certa che non sarei riuscita a sostenere una serata coi Farinelli impegnati a riassumermi la trama della *Turandot*, cantando in coro in italiano.

Diedi un'occhiata agli altri foglietti di carta. Un menu del Ritz. Dio mio, sarei stata grata anche solo per una colazione al Premier Inn. Avevo sempre avuto l'impressione che Nico preferisse i ristoranti in stile rustico, semplici e alla buona, piuttosto che i locali superchic. O forse pensava solo che lì mi trovassi più a mio agio. Forse pensava che l'avrei messo in imbarazzo mescolando il vino con l'acqua o infilando le mentine nella borsetta. A essere sincera, avrei potuto farlo, indottrinata com'ero dalla mamma, che aveva la fissazione d'intascarsi bustine di zucchero e tovaglioli. Non riusciva a passare vicino a un cucchiaio di plastica in un bar senza pensare che le sarebbe tornato utile, in un modo o nell'altro.

A seguire c'era un bigliettino di auguri di compleanno, con una battuta oscena su quanto sesso gli serviva per essere felice. Quello era un lato di Nico che non conoscevo. Era più in linea con ciò che avrebbe trovato divertente il padre di Sam. Il pensiero di Nico e Caitlin che facevano sesso mi diede la nausea.

Biglietti per Andrea Bocelli a Leeds, novembre 2013. Il concerto del gruppo Il Divo a Rotterdam, nell'aprile 2012. Preferivo non ammettere di essere stata a un solo concerto, quello degli One Direction con Sam.

Presi in mano una cartolina dell'abbazia di Bath. Avevo sempre sognato un fine settimana a Bath. Una volta il padre di Sam aveva voluto fare le cose in grande e mi aveva portato in un pub a Dudley, dove si era sbronzato di brutto bevendo *snakebite*. Mi sarei dovuta render conto allora che non era uno su cui fare affidamento. Voltai la cartolina.

Giugno 2012

Mia cara Caitlin,

ogni volta che verrò a Bath, penserò al nostro meraviglioso fine settimana. Sto ancora cercando un modo per poter stare insieme per sempre!

Con tutto il mio amore, sempre,

P.

Guardai la data. Quattro anni prima. Cosa intendeva con « un modo per poter stare insieme per sempre »? Di sicuro non parlava di morire anche lui, vero? Aveva valutato l'ipotesi di un patto suicida? Sapeva già che lei era malata a quei tempi? Ricordavo che la mamma mi aveva detto che Caitlin stava benissimo, poi a Pasqua del 2013 aveva iniziato ad avvertire dolori allo stomaco ed era morta a febbraio dell'anno successivo. In ogni caso, a qualunque cosa si riferisse, non erano affari miei.

Sentii Nico chiamare dal fondo della scala. Pigiai tutto quanto dentro il portagioie e ci schiacciai sopra il cuscinetto imbottito, col cuore in gola e con un gran senso di colpa per aver letto i loro bigliettini d'amore, piccoli frammenti della sua vita prima di me.

Prima che il cancro scegliesse di bussare alla sua porta.

Mi sporsi dal portello e presi le tazze dalle sue mani, mentre saliva i gradini.

Quella breve pausa gli aveva fatto bene. Aveva l'espressione meno tirata. Si avvicinò a Francesca. « Come va? »

« Tutto okay. Dovrei buttare via questi vecchi quaderni di scuola. Ma, non so, ho la sensazione che non mi ricapiterà più di scrivere della mamma o di disegnarla di nuovo. Mi piace l'idea di avere dei ritratti di prima che si ammalasse. »

« Tieni ciò che vuoi, tesoro. »

« Maggie mi ha trovato un bellissimo portagioie, non è così? Quello che da cui esce la musica quando lo apri. »

Nico aveva l'aria perplessa. Alzai la scatola, preparandomi a sentir dire: « Ah, sì, l'ho comprato durante quel magnifico fine settimana a Vienna/Verona/Parigi ».

Invece si accigliò. « Non me lo ricordo. »

Aprii il coperchio.

Alzò gli occhi al cielo. « Non sapevo che esistessero portagioie capaci di suonare arie d'opera. »

« Che opera è? » chiese Francesca.

Nico rise. « Non ne ho idea. L'opera è roba troppo chiassosa per me. Cercavo sempre di mandare Caitlin con la nonna. Chissà da dove viene quel portagioie. »

Una passione condivisa per l'opera non sarebbe stata per me una via percorribile per stabilire un legame con Anna. Cercai di non provare disagio per tutto ciò che stavo apprendendo su Caitlin. Non volevo trovare altri cinquantacinquemila ambiti in cui potermi considerare inferiore. Per fortuna, in quel momento Francesca tirò fuori un paio di minuscoli stivaletti di gomma con le coccinelle e Nico si distrasse.

« Mi ricordo quando li indossavi! Correvi dentro le pozzanghere e t'immergevi talmente tanto che tutta l'acqua tracimava e mi toccava riportarti a casa scalza, caricandoti sulla schiena. »

Ero grata di non dovergli allungare il portagioie e vedere nei suoi occhi il luccichio dolceamaro dei ricordi dimenticati, eppure non riuscivo a capire come fosse possibile per un uomo far incidere un dono per sua moglie e poi scordarsene completamente. Stava cercando di proteggere i miei sentimenti?

Ma non me la sentivo di andare da lui, strappare il cuscinetto di velluto e dirgli: « Guarda! Le hai fatto fare un'incisione! » senza sembrare una pazza totale. Cosa che sarei potuta tranquillamente diventare, una volta passato il senso di nausea che m'attanagliava lo stomaco.

Francesca si alzò e si stiracchiò la schiena. « Okay. Qual è la prossima scatola, papà? »

« Scegli tu. » Nico si rivolse a me. « Come va? »

Sebbene fossi tentata di rispondergli: « Mi sento sempre più inadeguata a ogni minuto che passa », riuscii a rispolverare un tono allegro. « Bene, credo che non terrete granché di ciò che si trova qua dentro. Sono solo libri dell'università. Potremmo donarli alla biblioteca, cosa ne dici? »

Nico scrollò le spalle. « Altrimenti c'è un deposito di libri vicino al parcheggio Morrison. »

Controllammo altre due casse e mettemmo tutti gli album di foto da una parte. Mi ripromisi di non cedere mai alla tentazione di aprirli e mi concentrai invece sull'idea che, se avessimo chiuso il discorso « cose di Caitlin » il prima possibile, avrei smesso di sentirmi un'impostora che faceva il suo ingresso in casa con un paio di baffi finti. Ma, nonostante le mie buone intenzioni, i miei pensieri tornavano continuamente alla cartolina. La profondità della devozione che Nico provava per Caitlin mi aveva annientato. Forse ero più una sorta di governante da portarsi a letto ogni tanto che una seconda opportunità di amare.

Alla fine Francesca alzò lo sguardo. « Non è abbastanza così per oggi? »

Ero stanca morta anch'io ma, poiché stavamo facendo tutto quanto per me, non mi sembrava giusto lamentarmi. « Per me è uguale. Nico? »

« Abbiamo fatto il grosso. Ora riposiamoci e riprendiamo domani. »

Indicai un vecchio schedario. « Vuoi portarlo giù per vedere se qualcuno di quei documenti ti serve ancora? »

Nico rise. « Oddio! Guarda, Francesca, è roba di prima che nascessi tu. Prima di avere te, avevo addirittura il tempo di scrivere etichette e archiviare tutti i miei documenti. Non sono mica così organizzato, adesso. »

Mentre mi chiedevo a chi mai verrebbe in mente la sera di sedersi e pensare: *Ora ho proprio tempo di prendere un pennarello rosa fosforescente e mettermi a scrivere sulle etichette Collaudo Macchina/Garanzie Elettrodomestici/Assicurazione Sanitaria*, mi resi conto all'improvviso del perché nessuno dei ricordi caduti dal portagioie sembrava corrispondere all'immagine che avevo di mio marito. Le S maiuscole di Nico erano molto curve, mentre le P e le F avevano delle code buffe e arricciate, come dei baffi a manubrio.

Quella non era la sua grafia.

E, se quella non era la sua grafia, chi era che faceva incidere messaggi dentro portagioie zeppi di bigliettini d'amore per sua moglie?

12

LARA

Un mese dopo, agli albori di maggio, Lupo stava già diventando enorme. Una versione più grande e turbolenta, con mascelle più feroci, che ci spaventava a morte. Quando Massimo non era in casa, non lo lasciavo mai da solo con Sandro che - con gran disappunto del padre - strillava e si agitava ogni volta che il cane gli andava incontro. Io non ero molto meglio, tanto che lo rinchiudevo nel ripostiglio ogni volta che potevo, buttandogli dentro un disgustoso pezzo di pelle di pesce essiccata per non dovermi avvicinare più di tanto. L'interesse di Massimo nei confronti di Lupo si limitava al metterlo in mostra al parco come fosse un giocattolo costoso, con tutte le mamme graziose che facevano a gara per chiacchierare con lui di come impedire ai cani di saltare/mettere in disordine la casa/abbaiare in giardino. E nel frattempo Massimo propinava loro la sua tiritera sull'addestramento coi fischi e sulle cucce indistruttibili, raccontando storielle che iniziavano tutte con la frase: « È stato così umiliante quando... »

Ometteva di dire che non aveva mai aperto neanche un barattolo di cibo per cani, né raccolto le feci o asciugato con lo straccio le pozze di pipì che Lupo faceva per l'eccitazione quando lo vedeva rientrare a casa.

Ma ciò per cui mio marito mostrava grande interesse era il fatto che io ora avessi qualcosa con cui tenermi « occupata ». Di fatto, aveva usato l'arrivo del cane come una condanna a morte per qualsiasi discussione inerente un mio possibile ritorno al lavoro, dicendo: « Non sarebbe giusto lasciare Lupo rinchiuso tutto il giorno ».

Nei giorni no, rimpiangevo di aver abbandonato il mio lavoro per stare a casa con Sandro, convinta com'ero che, se avessi delegato la sua educazione a una tata o a un nido, sarebbe cresciuto più sicuro di sé. E forse lo sarei stata anch'io. La contabilità faceva proprio per me. Ero orgogliosa di essere quella « da tenere d'occhio ». Quella che nel giro di poco avrebbe fatto le scarpe a Massimo, dicevano tutti per punzecchiarlo. Quante battute erano circolate al nostro matrimonio sul fatto di « sposare la concorrenza ». Ma, dopo la nascita di Sandro, Massimo aveva smesso di parlarmi di lavoro, mi aveva incoraggiato a restare a casa e prendermela comoda per un po'.

Mentre la maggior parte delle donne nel mio gruppo post parto cercava disperatamente un modo per poter avere un giorno la settimana da trascorrere coi propri bambini, si agitava per le rette del nido e stilava complicati programmi che comprendevano nonni e babysitter, a me sembrava volgare insistere sul voler tornare al lavoro. Ma ciò non m'impediva di continuare a desiderarlo: la prospettiva, per un paio di giorni la settimana, di trovare rifugio in ordinate colonne di numeri, nella prevedibilità di un risultato razionale, nel senso di un lavoro ben fatto era più allettante che restare chiusa in quella prigione senza logica che era diventata la mia vita, intrappolata com'ero con un bambino che non voleva dormire, così furioso col mondo da rifiutarsi di mangiare, coi pugni stretti per la rabbia, mentre mi sforzavo di camminare, cantare, cullarlo, calmarlo, fallendo miseramente a ogni tentativo.

Ogni volta che sfioravo l'argomento, Massimo mi cingeva col braccio e mi diceva: « Hai appena iniziato a dormire più di cinque ore. Non voglio che ti sfianchi perché tiri troppo. E Sandro è ancora un po' sottopeso. Perché non aspetti che compia un anno? » E poi: « Il bambino continua a prendere infezioni polmonari; non ha senso rientrare al lavoro per poi chiedere un permesso dopo l'altro ». Ed eravamo andati avanti così, finché Sandro non aveva iniziato la scuola. E a quel punto non ero neanche più sicura di riuscire a caricare la lavastoviglie in modo soddisfacente per Massimo, figuriamoci spiegare a un gruppo di alti dirigenti perché una società non aveva superato la revisione dei conti.

E ora, a causa del « generoso e premuroso » regalo di mio marito, non solo era improbabile che rimettessi piede al lavoro, ma avevo un sacco di strada da fare per evitare che i giorni si disintegrassero in recriminazioni cariche di tensione.

Quel giorno non ce l'avevo fatta. Avevo appena rotto le uova nel tegame, quando Lupo aveva fatto la pipì sul pavimento. Mentre pulivo sotto gli occhi da falco di Massimo, attenendomi alle sue precise indicazioni - carta da cucina, sacchetto, candeggina, pattumiera esterna, spazzolino per le unghie sulle mani -, Lupo aveva cominciato a correre tutt'intorno, cercando di leccarmi la faccia. Me l'ero immaginato farsi di colpo pericoloso, appendermisi alla guancia, azzannarmi il naso e sfigurarmi per sempre. Avevano cominciato a tremarmi le mani ed ero diventata lenta e impacciata, mi ero dimenticata delle uova e dei tre minuti e mezzo esatti richiesti da Massimo per ottenere un tuorlo a metà tra il morbido e il medio.

Avevo guardato il tegame, chiedendomi cosa avrebbe reso peggiore la giornata: servirgli le uova dal tuorlo troppo solido o buttarle e rifarle come si deve, rischiando di farlo aspettare. Avevo perso secondi preziosi tentennando. Troppo tardi. Massimo aveva alzato gli occhi dal giornale. « Sono pronte le mie uova? »

« Arrivano subito. Vuoi dell'altro caffè? »

Lui aveva annuito e ripreso a leggere il *Times*, grattando pigramente il cane dietro le orecchie. Speravo che l'acqua bollisse in fretta.

Per fortuna un articolo sulle pari opportunità al lavoro lo aveva distratto. « Che mucchio di stronzate. Incoraggiare le donne a pensare che possano fare lo stesso lavoro degli uomini per lo stesso stipendio. Nel mio ufficio le donne devono sempre uscire prima perché i figli hanno l'otite o qualche concerto del cazzo. »

Avevo annuito come se fossi d'accordo con la sua visione antiquata e soffocato un sorriso nel ripensare alla croce che avevo messo a fianco al candidato dei verdi per le elezioni locali. Erano quei piccoli atti di ribellione a salvarmi dalla follia totale.

Ero riuscita a spadellare delle perfette uova in camicia su un letto di spinaci, con una spruzzata di panna e una grattatina d'aglio, proprio come piacevano a Massimo, prima che lui si accorgesse di quanto tempo ci avevo messo.

In quel momento Sandro entrò timidamente nella stanza, lanciò prima un'occhiata a Lupo accucciato sotto il tavolo, poi a Massimo, per assicurarsi che fosse assorto nella lettura del giornale. Mi mostrò i disegni che aveva fatto con lo spirografo. Gli sorrisi e lo baciai sulla testa, prima di dire a voce alta: «Okay, metti via i compiti, adesso, e vieni qui a fare colazione».

«Non voglio fare colazione. Voglio disegnare.»

Massimo alzò lo sguardo. «Farai meglio a darti una mossa. Stamattina hai la prova di judo al centro sportivo.»

Sandro cambiò espressione. Si mise a fissare il pavimento. «Non sapevo che fosse questa settimana.»

Mi allontanai e cominciai a pulire le superfici di lavoro, mentre sentivo crescere l'ansia. Senza voltarmi, attaccai con un allegro: «Sono sicura che ti divertirai. Che ne dici di un piatto di uova strapazzate, per darti un po' di energia?»

Sandro finì nella mia visuale, le spalle curve, gli occhi supplichevoli in cerca del mio conforto.

«Questo pomeriggio potremmo tirare fuori gli acquerelli che hai ricevuto per il tuo compleanno, ti va?»

Non era quello il tipo di conforto che voleva, ma era il massimo che mi era concesso.

Uscì dalla stanza strascicando i piedi e si diresse verso la stanza dei giochi.

Massimo sbatté sul tavolo coltello e forchetta. «E così è contento di gironzolare da solo coi suoi acquerelli, ma non vuole darci sotto e divertirsi coi bambini della sua età? Ora vado a parlargli.»

Sentii il cuore balzarmi in petto al rumore della sedia che strisciava e al prevedibile ruggito: «Sandro!»

Udii le calzine antiscivolo che zampettavano sul parquet della stanza dei giochi. Stava sicuramente raccogliendo i meravigliosi Caran d'Ache che Nico gli aveva regalato a sorpresa. Uno sbatacchiare di porta nell'atrio. Ma nessuna corsa disperata su per le scale. Non era stato abbastanza veloce. Chiusi gli occhi.

Le urla di Massimo mi raggiunsero in cucina: « Quando ti entrerà in testa che l'unico modo per avere successo nella vita è sviluppare abilità diverse? Non ti fa bene startene chiuso qui da solo coi pastelli. Devi uscire e iniziare a stare in mezzo agli altri. E adesso fila a metterti la tuta ».

Sandro salì in camera sua, strascicando i piedi. Mi pervase la sensazione familiare di avere il cuore impigliato in un punto, mentre in realtà agognava di essere altrove. Il mio povero bambino, il perdente - come sempre - nelle dinamiche della famiglia Farinelli.

Mi asciugai le mani e raggiunsi Massimo nella stanza dei giochi. Aveva in sé quell'energia in costante subbuglio, sempre in attesa di essere sprigionata. Potevo ancora cambiare le cose. Sì, potevo.

Lo guardai con espressione neutra. « Mi sono appena ricordata di avergli lavato la tuta. È nell'asciugatrice. Torna pure a mangiare le tue uova, ci penso io a recuperarla, così non arrivi in ritardo. » Esitai una frazione di secondo per capire se con quella scusa l'avevo passata liscia e potevo andare da Sandro o se stavo per scatenare un sfuriata su quanto ero « mamma chioccia ».

Interpretai il grugnito di Massimo come un assenso e corsi di sopra, chiedendomi come avessi fatto a diventare una persona del genere. Cercai di rammentare se mia madre fosse una donna mite e gentile, ma non ci riuscii. Ricordo che mi sentivo al sicuro, come se non dovessi preoccuparmi di nulla, perché pensava a tutto lei. E ancora una volta mi sentii in colpa al pensiero che Sandro non avrebbe mai potuto dire una cosa simile di me.

Entrai di soppiatto nella sua stanza. Era seduto, con la testa appoggiata sulla scrivania e un pennarello in mano: stava disegnando una casa. Non volevo vedere che famiglia di nevrotici avrebbe fatto abitare lì dentro. Lo abbracciai e lui si appoggiò a me, come se potessi proteggerlo. Aveva solo sette anni, come poteva capire che ogni volta che prendevo le sue parti, che alzavo la testa, che puntavo i piedi, l'intero panorama cambiava, portando con sé un mucchio di modi nuovi in cui Massimo poteva imporre la sua volontà su di me? Non riuscivo neanche a pensare alla volta in cui avevo detto a Massimo che non volevo più che Sandro giocasse a calcio. Gli avevo spiegato che non sopportavo di vedere le sue gambette secche diventare blu per il freddo, il viso riempirsi di paura quando un'orda di ragazzini correva ansimante verso di lui, l'umiliazione quando per l'ennesima volta cercava di tirare un calcio alla palla e la mancava, coi compagni di squadra che lo deridevano. Avevo davvero creduto che Massimo mi avrebbe applaudito per essermi resa conto che nostro figlio era infelice, che avrebbe discusso in modo costruttivo di altri possibili sport in grado d'infondergli coraggio.

Non che l'avrebbe iscritto a rugby, « per aiutarlo a non essere più così smidollato ».

Baciai Sandro sulla guancia e gli dissi che il papà non intendeva arrabbiarsi, si accalorava solo perché voleva che lui si facesse degli amici con cui giocare, visto che era figlio unico. Ed era passato un sacco di tempo da quando il papà aveva sette anni, perciò talvolta non capiva che, anche se lui stava per conto suo, non significava che fosse solo. Sandro annuì, ma non disse nulla.

« Capisci cosa voglio dire? »

Assentì di nuovo e mi guardò con gli occhi asciutti, avvilito, senza alzare la testa dalla scrivania.

Non riuscivo a decifrare cosa stesse succedendo nella sua mente. Qualsiasi cosa fosse era troppo complicata per un bambino di sette anni, che avrebbe dovuto pensare solo ai film della Disney, ai Lego e al kit del Meccano, e non cercare di comprendere i giochi di potere prima ancora di smettere di credere a Babbo Natale.

Ma che lezione avrebbe tratto da un mondo in cui una persona dettava ordini e l'altra acconsentiva? Dov'era la parte dell'ascoltare ciò che ognuno di noi ha da dire? E il « ci prendiamo cura gli uni degli altri » che Massimo tanto agognava di farci entrare in testa, quando gli faceva comodo? Come poteva capire perché non ero mai intervenuta quando Massimo lo sgridava perché «bighellonava con gli acquerelli e le matite» e perché non lo avevo affrontato, puntandogli il dito sul petto e dicendo: «Ora basta. Ti lascio e porto via il bambino con me»?

Forse, da grande, avrebbe capito. Che, se me ne fossi andata, avrei dovuto farlo senza di lui. Massimo aveva detto senza mezzi termini che mi avrebbe cercato anche in capo al mondo. Non ci saremmo mai liberati di lui. Conoscevo abbastanza i Farinelli per sapere che Anna e Massimo non avrebbero mai accettato una sconfitta; che la loro idea di vittoria non era solo ottenere ciò che volevano, ma assicurarsi che gli oppositori rimanessero esanimi. E, se, per miracolo, fossi riuscita a ottenere una custodia congiunta, per *metà* del tempo Sandro sarebbe stato da solo con Massimo senza di me, pronta a prevenirlo, a calmarlo, a sacrificarmi, se necessario. Metà del tempo passato per conto suo a cercare di prevedere se un 9 nel compito di spelling, considerato accettabile la settimana prima, stavolta poteva scatenare l'inferno. A stare seduto davanti a un piatto di pesce che detestava e a chiedersi se fosse peggio rifiutarsi di mangiarlo o provarci e vomitare tutto. A restare disteso in un letto bagnato di pipì piuttosto che svegliare suo padre.

E tutto ciò senza considerare cosa sarebbe accaduto al mio povero papà, attualmente al sicuro nella sua casa di riposo privata specializzata in pazienti con l'Alzheimer e pagata dal mio generoso marito, che voleva «solo il meglio per tutti noi».

Così, invece di rimanere lì a coccolare quel bambino dolce, con l'aria confusa sul perché la mamma non potesse migliorare le cose parlando col papà, tirai fuori la tuta dal cassetto e lo guardai indossarla con una lentezza straziante.

Gli diedi una pacca sulle spalle. «Vado a prepararti la merenda. Non metterci tanto, il papà ti aspetta.»

Mentre scendevo le scale, sbirciai attraverso la ringhiera nella stanza dei giochi e vidi Massimo camminare avanti e indietro, senza posa. Centinaia di pezzetti di carta con frammenti di cerchi colorati erano sparpagliate sul pavimento, come all'indomani di un folle matrimonio. Poi l'inconfondibile rumore del legno che si spezza, il suono degli adorati pastelli di Sandro che cadevano a terra in un arcobaleno di follia.

Una punizione per lui, per il suo animo artistico e pacato, per non essere sportivo e sufficientemente maschio per Massimo.

E una punizione per me.

13

MAGGIE

Nico mi comprò un magnifico tavolo da lavoro, con cassetti e luci incorporate. Aveva commissionato - non mi sarei mai stancata di quella parola! - un armadio favoloso con una barra appendiabiti abbastanza alta da potervi agganciare anche vestiti lunghi ed elaborati. Ci sbarazzammo di quasi tutti gli scatoloni e mettemmo in un angolo quelli che Francesca credeva di poter desiderare da grande. Avevo nascosto il portagioie d'oro sotto un mucchio di stoffe, dietro uno dei miei armadi. Un giorno sì e uno no lo tiravo fuori e mi chiedevo se avessi preso lucciole per lanterne. Tra i commenti di Anna e i ricordi di Francesca, l'immagine di Caitlin che mi si era conficcata nella mente era quella di una santa dal bel fisico asciutto, capace di tenere la sua casa, i suoi beni e la sua *intera* vita in perfetto ordine, senza concedere spazio neanche a un bombolone alla marmellata, figuriamoci a conversazioni clandestine e incontri sessuali di bassa lega. Nelle mie fantasie, non c'era mai stata l'immagine di una donna di facili costumi, in grado di recarsi a Bath per un appuntamento illecito sfoderando un ventaglio di alibi e bugie. Una persona così inquadrata da inserire nei cassetti divisori per i calzini poteva davvero tirar fuori le tette per qualcuno che non fosse suo marito? Possibile che una donna che possedeva una spazzola speciale per spolverare dietro i termosifoni si lanciasse in una storia di sesso avventato e imprudente?

Facevo scorrere le dita sul fondo della scatola e sbirciavo le cartoline e i biglietti, esaminando quella grafia sconosciuta e confrontandola con quella di Nico. Esitavo. Da qualsiasi prospettiva la considerassi, ero più che sicura che ci fosse un'unica spiegazione possibile: l'aureola di Caitlin stava scivolando fino alle caviglie, insieme con le sue mutandine.

Era una follia conservare un oggetto che poteva solo far soffrire mio marito. Il gesto più premuroso sarebbe stato buttarlo via e spedirlo in fretta in discarica, dove avrebbe continuato a custodire i suoi segreti per sempre in mezzo a pannolini marcescenti, cinture di castità e VHS, giusto? Forse tra un centinaio d'anni qualcuno sarebbe stato così fortunato da localizzarlo con un metal detector, ma per ora conoscere la verità avrebbe solo sollevato una serie di domande dolorose e senza nessuna possibilità di risposta. Senza contare che avrebbe ravvivato il falò dei sentimenti contrastanti che Francesca stava già cercando di domare.

Eppure continuavo a tenerlo, incapace o restia a disfarmene senza capire bene il perché. Forse lo consideravo una sorta di bizzarra protezione contro Anna, quando m'induceva a credere che Nico non sarebbe mai stato felice con me come lo era con Caitlin? Una prova che non me l'ero sognato, che la mia non era la mente distorta e risentita di «quella che era venuta dopo» in cerca d'inganni e tradimenti inesistenti?

Valutai di mostrare il portagioie a Nico. Forse c'era una spiegazione semplice, solo non riuscivo a capire quale. Ma non volevo umiliarlo o ferirlo per procura. Non avrei proprio saputo come fare a confortarlo se avesse scoperto che Caitlin aveva una relazione. Per me era più facile accettare che lui soffrisse per la sua morte che per il suo tradimento.

Non mi pesava nemmeno che, per ironia della sorte, l'onere di proteggere Nico dal tradimento della prima moglie ricadesse sulle spalle della seconda. No, a preoccuparmi non era il tenerlo nascosto a Nico. La vera sfida era resistere alla tentazione di vedere la faccia di Anna se fosse saltato fuori che la favolosa Caitlin se ne andava a Bath a scopare con l'amante.

Tra la fine di maggio e l'inizio di giugno, cominciai a pensarci sempre meno. Avevo confezionato a Francesca un paio di vestiti e lei era diventata una specie di pubblicità vivente per la mia attività. La prima volta che aveva indossato uno dei miei abiti a una festa era un tale schianto che avrei voluto spedire Sam con lei per tenere alla larga i ragazzi. Che avesse scelto il «mio» vestito tra le decine disseminate sul pavimento della sua stanza era un indice di accettazione così significativo che dovetti sforzarmi parecchio per non rovinare il momento con un entusiasmo eccessivo. Si stava diffondendo la voce che «la matrigna di Francesca faceva vestiti fichissimi». Alcuni genitori mi avevano contattato per confezionare gli abiti per la festa di fine anno, che era a fine luglio, e iniziavo a essere davvero indaffarata. Mi avevano anche commissionato un abito da sera con un corpetto di piume di pavone per «un compleanno importante». Ogni volta che ci lavoravo, mi sembrava di essere la sarta di una star di Hollywood.

Una delle cose che amavo di più del mio piccolo atelier in soffitta erano i due abbaini, da cui si vedeva tutto il quartiere. Quando a furia di cucire cominciavo ad avere gli occhi strabici per colpa dei ganci o, peggio ancora, delle paillettes, come quel giorno, riaggiustavo la vista guardando fuori, in lontananza, permettendo ai miei occhi di focalizzarsi sulla punta degli alberi. Vedevo perfettamente il giardino di Lara e Massimo, un parco di lusso con una casetta di legno sull'albero, uno pneumatico a mo' d'altalena e un tappeto elastico. Sam fingeva di essere troppo grande per quelle cose ma, quando andava dagli zii, lo spiavo dalla finestra mentre correva a tutta birra verso la pedana e si cimentava in capriole in avanti e all'indietro che era meglio non vedessi.

Quel giorno, Sandro era sdraiato sul tappeto elastico, intento a giocare, quando d'un tratto si mise seduto vedendo il cane uscire dalla portafinestra sul retro. Era un maestoso Rhodesian Ridgeback. Massimo mi aveva raccontato che si trattava di una razza allevata in Africa per la caccia ai leoni, il che mi aveva spinto a domandarmi se il povero Lupo non si sentisse un po' truffato nel ritrovarsi confinato in un giardino nei sobborghi del Sussex.

C'era un non so che nei movimenti di Sandro che catturò la mia attenzione. Strisciava titubante sulla pedana, come se cercasse di evitare il fuoco di un franco tiratore. Poi all'improvviso saltò giù, schizzò di corsa dal lato opposto del giardino e si arrampicò sulla scaletta di corda della casa sull'albero in preda al panico, mancando il piolo e rimanendo pericolosamente penzoloni. Capii il perché quando vidi Lupo inseguirlo, abbaiando così forte da riecheggiare in tutto il vicinato. Sandro indietreggiò, arrivato alla casetta, mentre il cane si diede la spinta con le zampe posteriori e con quelle anteriori cominciò a raspare la scaletta.

Spalancai la finestra e gridai a più non posso: « Lupo! Lupo! » Ma il cane era concentrato sul trovare un modo per salire, come se una gazzella ferita si trovasse lì, a pochi passi di distanza da lui. Sentivo le urla terrorizzate di Sandro. Dove diavolo era Lara? Mi precipitai fuori dalla soffitta il più in fretta possibile, evitando di farmi male a mia volta. Mi sarei preoccupata più tardi dell'imbarazzo nel dover ammettere che li stavo spiando. Mi fiondai in strada, corsi davanti alla porta di Lara e cominciai a bussare, sempre più forte, ma non arrivava nessuno.

Alla fine Lara aprì con un piumino per spolverare in mano. Se non fossi stata nel panico assoluto, avrei potuto fare qualche battuta osé.

« Maggie? » Non si scostò né mi fece cenno di entrare, rimase immobile a guardarmi come se ricevere una visita inaspettata l'avesse in qualche modo disorientata.

« Lupo ha intrappolato Sandro nella casa sull'albero e il bimbo è terrorizzato. Non credo che il cane riesca ad arrampicarsi fin lassù, ma non ha di certo un atteggiamento amichevole. »

« Oh, santo cielo. Stavo passando l'aspirapolvere al piano di sopra, non l'ho sentito. Il cane era rinchiuso nel ripostiglio. Dev'essere riuscito a scappare. » Si precipitò verso la portafinestra della cucina.

Io la seguii, anche se non mi aveva ancora invitato a entrare. Ci buttammo dritte in giardino e corremmo dal cane, che sembrava ballare sulle zampe posteriori, carico di frustrazione. Sandro piangeva, nascosto dentro la casetta di legno, appiccicato alla parete.

Lara si avvicinò a Lupo per portarlo via, ma sentendolo ringhiare fece un balzo all'indietro. Il cuore mi batteva all'impazzata, chissà, forse ci saremmo trasformate in prede. Lara gridava ordini al cane, ma il panico riduceva la sua voce a un timido filo. Ricordai a me stessa che le Parker non avevano paura di niente, men che meno di un cane finito nel continente sbagliato.

Corsi di nuovo in casa, preparandomi a sentire il rumore

convulso di quattro zampe dietro di me e sforzandomi di non pensare a quanto delle mie chiappe poteva entrare nella bocca di Lupo, nel caso avesse deciso di attaccarmi. Schizzai verso il frigo, presi la prima cosa che vidi, un petto di pollo avvolto nel prosciutto - così da Lara -, e mi precipitai fuori. «Ehi, Lupo, cos'è questo? Guarda cosa c'è qui per te.»

Il cane smise di abbaiare e cominciò ad annusare l'aria. Poi si lanciò verso di me con una veemenza che mi fece desiderare di essere già stesa a terra ricoperta di sugo pur di farla finita in fretta. Invece Lupo cominciò ad agitare la coda e a mostrare i denti in una sorta di sorriso. Lo stoppai col palmo della mano aperto, sperando, alla fine della storia, di ritrovarmi ancora con cinque dita.

«Seduto. Seduto!» Mi drizzai in tutta la mia altezza, nella vana speranza di sembrare più grande e imperiosa.

Incredibilmente, il cane posò il didietro a terra.

Io strappai un pezzo di prosciutto e, nel frattempo, feci cenno a Lara di recuperare Sandro. Qualche istante dopo, Lara riuscì a convincere il bambino ad avvicinarsi alla scaletta. Lo prese in spalla e corse in casa, mentre il piccolo le si aggrappava al collo con le braccine esili.

Staccai un pezzo di pollo e il cane quasi si mise a cantare dalla gioia, emettendo flebili e allegri guaiti.

Quando sentii Lara avvicinarsi alla portafinestra, sbrindellai il resto della carne, la gettai in giardino e me la svignai.

Lara mi aprì la porta e, sfinita, si lasciò cadere su uno sgabello. «Grazie, Maggie. Grazie davvero. Quel maledetto bastardo del cazzo. Lo detesto.»

L'adrenalina che avevo in circolo e le imprecazioni di Lara, una che dava l'impressione di pensarci due volte anche solo prima di dire: «Accidenti!» se le cascava un mattone sul piede, mi fecero scoppiare a ridere come se mi fossi scolata mezza bottiglia di vodka e fumata una canna.

Sandro era seduto sul piano di lavoro, col mento appoggiato sulle ginocchia.

«Lupo aveva mai fatto una cosa simile?»

Lara sospirò. «Massimo voleva un cane da guardia nel vero senso della parola. Vuole che siamo al sicuro quando lui non c'è, ma Lupo ha bisogno di un padrone col polso fermo e non penso che l'abbiamo addestrato nel modo giusto. Avrei preferito un pappagallino.» Cominciò a ridere, poi smise di trovare la cosa divertente e dalla sua bocca uscì un singhiozzo che fece ricominciare a piangere anche Sandro.

«Be', forse è il momento di trovare a Lupo una nuova casa, non credi? Non penso proprio che Massimo vi voglia vedere terrorizzati da lui.»

Lara scosse la testa. «Oh, no. Non possiamo farlo. Massimo adora quel cane. Se ci sbarazzassimo di lui, ne uscirebbe distrutto.»

«Lo distruggerebbe di più ritrovarsi un figlio con la guancia maciullata.»

Sandro lanciò uno sguardo in giardino, poi scese dal piano di lavoro. «Quando Lupo ha morso la mamma, il papà ha detto che era colpa sua, perché lei non sa addestrarlo.»

«Ti ha morso?»

«Una cosa da niente, semplici giochi da cucciolo, hanno i denti affilati da piccoli, lo sai. E sono stata io a permettergli di farlo, Massimo aveva ragione.»

«È uscito il sangue, mamma.» Sandro se ne stava lì, coi suoi occhioni scuri vigili e preoccupati.

Lara rise. «Erano solo graffi superficiali, tesoro, i denti dei cuccioli sono come minuscoli aghi. A ogni modo, perché non vai a fare un bel disegno per la zia Maggie?»

Sandro sparì nella stanza dei giochi.

«Davvero Lupo ti ha morso?» domandai.

«No, non proprio, stava solo facendo quelle buffe boccacce che fanno i cuccioli. Solo che è andato un po' troppo oltre.»

«E Massimo cosa dice? È preoccupato per il suo comportamento?»

Lara sorrise. «Lupo è sempre buono come il pane per Massimo. È un bravo cane, sul serio, solo che ogni tanto si eccita un po' troppo quando Sandro gli gira intorno.»

«Stavo guardando fuori dalla finestra, Lara.» Feci una pausa e mi resi conto che, detta così, potevo passare per una vicina ficcanaso e un po' inquietante. «Cioè, solo perché ho sentito abbaiare. Comunque, Sandro non stava dando fastidio al cane.

Si stava facendo gli affari suoi. E hai visto Lupo, non stava giocando, era davvero aggressivo. Ne avevi paura anche tu. »

« È solo perché io non ci so fare coi cani. Sono stata morsa da piccola », ribatté lei, mostrandomi una cicatrice frastagliata sulla mano destra. « Preferisco i gatti, ma, quando Misty è scomparsa, abbiamo deciso che un cane sarebbe stato più adatto come animale domestico. Se gli facciamo capire chi è che comanda, Lupo diventerà bravissimo. »

La osservai con attenzione. Quella donna sprecava metà della sua vita ad agitarsi inutilmente per somministrare a Sandro le giuste porzioni di pomodori/cetrioli/peperoni rossi, gli propinava lo sgombro per fornirgli gli omega 3 « essenziali per il cervello » e le noci brasiliane per il selenio, qualunque fosse la sua utilità, e ora, invece, sembrava non preoccuparsi della possibilità che il cane se ne andasse in giro per il giardino ciancicando un pezzo di arto di suo figlio.

Lara cominciò ad armeggiare in cucina, pulendo tavolo e piani di lavoro già immacolati. « Comunque, mi spiace aver interrotto il tuo pomeriggio con le nostre sciocchezze. So quanto sei indaffarata col lavoro. »

Voleva che me ne andassi, si capiva dal tono. Era tornata a essere la solita Lara, riservata e un po' glaciale. Forse pensava che la stessi giudicando per il fatto che era di sopra a pulire invece che in giardino a controllare suo figlio.

Ritentai: « Come dici tu, poco male. Non puoi mica sorvegliare Sandro ogni minuto della giornata, no? Vuoi che gli insegni come trattare il cane nel modo giusto? Quand'ero ragazzina, mia madre aveva un Jack Russell che era un vero incubo. Ma bastava ricordargli chi comandava e vedevi come rigava dritto ».

Lara distolse lo sguardo dai pomelli della credenza, che stava lucidando con un tale impegno da far temere che la casa fosse invasa da un esercito di escherichia coli. Aveva l'aria intontita, come se le avessi chiesto di moltiplicare delle frazioni e di darmi la risposta sotto forma di percentuale di 319. La preferivo quando imprecava a tutto spiano che non quando mostrava il suo talento nello sterminare i batteri della cucina. Annuì lentamente, ma non disse nulla.

Io non mollai: « Lupo deve imparare che, nella gerarchia del branco, Sandro viene prima di lui ». Cominciai a spiegare che il bambino doveva iniziare a dargli da mangiare, a uscire dalla porta per primo, a addestrarlo a obbedire ai suoi fischi e a comportarsi lui stesso come il « cane alfa ».

« Lo faresti sul serio? » Sembrava sempre che le aspettative di Lara fossero visibili solo al microscopio, quando invece, da ciò che vedevo, non c'era nulla che non andasse nella sua vita, se non un figlio cui occorreva un po' più di fiducia in se stesso. Dovevo sforzarmi di non invidiarla per le attenzioni che le dava Massimo. Un bacio sulla fronte, una carezza sulla mano, un tè/un caffè/qualcosa da bere, cara? Sembravano loro gli sposi novelli, altro che io e Nico.

« Certo. Anzi, stasera, dopo l'allenamento di calcio di Sam, potremmo trasformare il tutto in un gioco. Probabilmente è una buona idea iniziare subito, prima che Sandro abbia il tempo di rimuginare su quello che è successo oggi. »

« No, stasera no! »

Cosa? Ero davvero seccata: dopotutto, se fosse stato per lei, Sandro sarebbe stato ancora in cima alla casetta sull'albero a tremare come una foglia.

Lara doveva aver capito di aver esagerato, perché aggiunse: « Mi spiace, è solo che Massimo torna presto stasera e gli piace trascorrere un po' di tempo da solo con Sandro. È molto bravo, ci tiene a dedicargli attenzioni ».

Resistetti alla tentazione di ribattere: « Be', allora ti lascio al tuo aspirapolvere ». Invece dissi: « Okay, non preoccuparti. Fammi sapere quando può andarti bene e vengo. Vai pure da Sandro, io esco da sola ».

Nessuna delle mie amiche mi forniva fasce orarie come Lara. Anzi, ogni volta che uscivo con le ragazze, suscitavo scalpore se cercavo di andarmene prima di mezzanotte.

Camminavo a passi pesanti verso casa, mormorando « stronza ingrata », quando vidi Massimo accostare.

Saltò giù dalla macchina e mi abbracciò calorosamente. « Come sta la mia meravigliosa cognata? Vieni dentro a bere un caffè? Più tardi io e la mamma faremo un salto da te per parlare delle vacanze estive, ma voglio sapere come stai senza quel monopolizzatore di mio fratello.»

Esitai, non volevo sembrare scortese ma ero sicurissima che Lara non avesse voglia di rivedermi così presto. Cercai di spiegargli che venivo proprio da casa sua, però non volle sentire ragioni. Probabilmente Lara stava guardando fuori dalla finestra, perché all'improvviso apparve sulla soglia. Massimo salì i gradini di corsa e la baciò sulle labbra, indugiando così a lungo che mi ritrovai a fare le smorfie che faceva Sam quando guardavamo le commedie romantiche alla TV. Nico era molto meno esuberante di Massimo in quel senso, grazie al cielo. Anche se provavo una piccola fitta d'invidia nel vederli ancora così appassionati dopo dieci anni. A detta di Nico, all'inizio tutti pensavano che la relazione tra Massimo e Lara, il classico cliché del collega più anziano che si approfittava della giovane inesperta, non sarebbe durata. A me, invece, lui sembrava ancora innamorato cotto.

Massimo agitò il braccio verso di me. «Maggie viene a bere un caffè.»

«Oh, no, non voglio essere invadente, oggi ho già rubato fin troppo tempo a Lara...» attaccai, aspettandomi che lei intervenisse per raccontare il dramma pomeridiano e, se devo essere onesta, per mostrare un pizzico di gratitudine.

«Sciocchezze, ci fa piacere. Così racconti anche a me di cosa avete parlato», disse Massimo.

Lara indugiava sulla soglia, un po' come le porte automatiche nell'istante in cui non sanno se aprirsi o bloccarti fuori. Chissà come aveva fatto una donna fredda e riservata come lei ad attrarre un uomo generoso e pieno di calore come Massimo. A sentire Nico, la sua prima moglie era un tipo molto più socievole. Forse Massimo era passato all'estremo opposto, sviluppando una predilezione per le donne enigmatiche. O forse la spiegazione era più semplice: per quanto all'apparenza fosse un uomo intelligente, poteva darsi che a motivarlo fosse stato il banale desiderio di un corpo molto più giovane. Poi pensai, meschinamente, che, se l'attrattiva principale di Lara quando si erano conosciuti era stata la sua taglia trentotto, ormai aveva i giorni contati. Massimo mi fece entrare dicendo:

« Vado a cambiarmi, un attimo solo. La, ci prepareresti un caffè? »

La seguii in cucina. Lara era un concentrato di tensione, i suoi movimenti erano rigidi e legati. Mi sarei sentita più a mio agio se mi fossi messa a cantare al karaoke in un convento di suore. Forse Lara apprezzava anche le « attenzioni » che Massimo dedicava a loro due soltanto.

Non volevo fare la terza incomoda. « Non mi tratterrò a lungo. Sam sta per rientrare dall'allenamento di calcio. »

Lara lanciò un'occhiata verso il corridoio, poi sussurrò: « Potresti evitare di menzionare la faccenda del cane con Massimo? È così stressato in questo periodo, non voglio che pensi che non me la so cavare da sola qui a casa, mentre lui si dà tanto da fare al lavoro ».

Non approvavo nemmeno un po' il cazziatone stile « non devi disturbare il grande uomo con queste bagatelle domestiche », soprattutto quando le « bagatelle domestiche » riguardavano grossi denti affilati e pronti ad azzannarti. E Massimo non pareva affatto distrutto nel rientrare dall'ufficio alle sei un quarto, mentre Nico tornava alle otto, esausto e piegato dopo una giornata intera passata a spostare statue di pietra nel vivaio. Ma Lara sembrava talmente tesa che acconsentii. « Okay, ma dovresti dirgli che stai facendo fatica a gestire il cane, davvero. Ne rimarrebbe sconvolto, se lo sapesse. »

Per un istante Lara non reagì. Poi si rasserenò. « Sono sicura che Lupo supererà questa fase disobbediente. Non lo lascio mai da solo con Sandro. Oggi è scappato per puro caso. E, quando Sandro maturerà un po', la smetterà di avere sempre paura di tutto. L'ultima cosa di cui ho bisogno è che Anna venga a sapere di questa storia. Troverebbe sicuramente il modo di dare la colpa a me. » Trasalì, come se quel commento le fosse sfuggito di bocca prima di avere l'opportunità di scolorirlo e trasformarlo in un'affermazione insipida e inutile.

Avrei voluto esultare. Era la prima volta che la sentivo articolare un pensiero vero e reale. Io avevo avuto solo un paio d'anni per prepararmi alle stoccate di Anna. All'inizio sembravano frasi innocenti, piccole osservazioni, che poi si levavano in alto come sacchetti di plastica nel vento, vorticando per la stanza e portando con sé nubi dense di critiche. Lara godeva di quelle piccole osservazioni distruggi-morale da quasi dieci anni, da quand'era più giovane e vulnerabile. Ero sul punto di approfondire, e non da ultimo di scoprire se Anna aveva anche le chiavi di casa loro, quando Massimo fece il suo ingresso in cucina, avvolgendola in un effluvio di dopobarba. Con la camicia verde pallido e dal colletto sbottonato, sembrava essere appena sceso da uno yacht ormeggiato lungo le coste della Sardegna. Il momento magico svanì, Lara si voltò e cominciò a sistemare i biscotti su un grazioso piattino, mentre Massimo aprì la portafinestra per chiamare dentro il cane.

Quando Lupo schizzò in cucina per salutarlo, Lara si posizionò dietro gli sgabelli. Santo cielo, se un cane mi avesse terrorizzato tanto, l'avrei portato al rifugio prima ancora di sentir dire: « Seduto nella cesta! »

Massimo ordinò: « Giù » e Lupo si sdraiò immediatamente, a testa china, come se trascorresse le giornate aspettando con calma che qualcuno si ricordasse di dargli da mangiare.

« Allora, di cosa avete chiacchierato oggi? » domandò Massimo, mentre Lupo si rotolava sulla schiena.

Lara mi lanciò un'occhiata, poi rispose di getto: « Del più e del meno. Sandro ha giocato sul tappeto elastico nel pomeriggio, così ho avuto un po' di tempo per riordinare al piano di sopra ».

Osservare Lara era come guardare un Sudoku senza numeri nella griglia. Sapevo che c'era un enigma da risolvere, ma non avevo la minima idea di dove iniziare. Massimo era aperto e cordiale, mentre Lara dava sempre l'impressione di voler risparmiare sulla sua dotazione quotidiana di parole.

Avrei detestato essere così piena d'insicurezze da non riuscire a essere onesta nemmeno con mio marito. Anche se era improbabile che Sam si ritrovasse a fare una brutta fine perché ero troppo assorbita dai lavori di casa. Dal cucito, forse, ma di sicuro non dalla scopa elettrica.

Strana gente, i Farinelli.

14

MAGGIE

Anche senza lo spettro della visita di Anna e Massimo per discutere delle « due settimane di vacanza dei Farinelli », la serata era partita male. Francesca aveva realizzato dei gioielli durante la lezione di design e voleva il portagioie d'oro di sua madre per esporli.

Io esitai. « Non ricordo bene dove l'ho messo. Ma, in ogni caso, penso sia troppo prezioso per portarlo a scuola. »

Lei rimase immobile, con le mani sui fianchi e la pretesa adolescenziale di vedermi correre subito a cercarlo. A essere sincera, ogni volta che Francesca dava segno di volere qualcosa da me, scattavo come un giocattolo a molla. Probabilmente ora non riusciva a capire perché io continuassi a sbucciare patate, quando in condizioni normali avrei mollato seduta stante il coltello e sarei balzata sull'attenti, grata per quella piccola promessa di relazione.

Non sapevo proprio come dissuaderla. « Fammi solo finire di preparare la cena, poi vedrò di trovartelo. » A ogni colpo di lama, nella mia mente si scatenava un vortice di pensieri e mi chiedevo cosa fosse meglio fare. Dirle che l'avevo buttato via per sbaglio? Che l'avevo smarrito? Tirare fuori tutti i ricordini e i souvenir e premere con forza il cuscinetto imbottito sul fondo della scatola, sperando che lei non scoprisse mai l'incisione?

Avevamo avuto un paio di mesi di relativa pace. Non che ora Francesca corresse ad abbracciarmi per darmi la buonanotte, ma talvolta si sedeva su uno sgabello in cucina anche quando Nico era ancora al lavoro e mi raccontava qualcosa che era accaduto a scuola o mi mostrava un video di YouTube che trovava divertente. Le porte sbattute sembravano acqua passata ed ero decisa a far sì che la scomparsa di quel maledetto portagioie non rovinasse il nuovo equilibrio.

Stavo ancora rimuginando in cerca di una soluzione quando Anna e Massimo suonarono il campanello. Molto prima che ci sposassimo, quando aspettavo ancora che Nico scoprisse che, anche se lo facevo ridere, non ero certo una con cui potesse fare sul serio, lui mi aveva parlato della tradizione di famiglia di affittare ogni anno, per le prime due settimane d'agosto, un castello nella campagna toscana. Lo avevo invidiato. L'intimità, le cene movimentate sotto le stelle, i botta e risposta scherzosi sdraiati a prendere il sole, le chiassose gare di nuoto in piscina. Mi ero vergognata al confronto coi quattro giorni che la mamma, Sam e io eravamo riusciti a concederci due anni prima, in roulotte, sull'isola di Sheppey, dove dormivamo su letti poco più larghi di uno scaffale e accendevamo il piano di cottura a gas per stare al caldo.

Ora, tuttavia, la prospettiva di finire sotto il microscopio di mia suocera per quattordici giorni interi mi riempiva di paura. Anna si sedette sul sofà come un'ape regina e cominciò a tener corte decidendo i turni per cucinare, fare la spesa, sorvegliare i bambini in piscina... « E *qualcuno* dovrà passare lo straccio sul pavimento della cucina ogni giorno. L'anno scorso era disgustoso, con quel continuo andirivieni coi piedi bagnati. Nico, tu andrai a fare la spesa con Maggie. È un peccato che lei non parli l'italiano come Caitlin. Lara se la cava, nel corso degli anni ha imparato i rudimenti piuttosto bene. »

Nico allungò la mano per stringere la mia. « Da' a Maggie una possibilità, mamma. Non è mai stata in Italia prima d'ora. Tutti gli altri, invece, ci vanno da anni. » Sospirò. « Comunque, sarò lieto di condividere i lavori domestici con lei. » Si voltò verso di me. « Fare la spesa in Italia è fantastico, con tutto quel basilico fresco e i pomodori che profumano di sole. Compriamo sempre una grossa forma di parmigiano da spizzicare. Non vedo l'ora di portarti un po' in giro. »

Amavo il modo in cui Nico mi difendeva. Cercai di compensare la mia condizione di ramo secco offrendomi di passare lo straccio. Forse potevo controbilanciare la mancanza di abilità linguistiche con la destrezza nell'usare il mocio Vileda. E quantomeno, restando dentro a fare la Cenerentola, non sarei stata costretta a chiacchierare del più e del meno con mia suocera a bordo piscina.

Sul viso di Anna balenò un lampo di frustrazione, come se la sua frecciatina avesse mancato il bersaglio.

Nico sorrise e andò a prendere il vino.

Massimo mi strizzò l'occhio. «Starai benissimo, Maggie. La sera nei paesini ci sono sagre e concerti all'aria aperta. Dobbiamo assolutamente portarti sui bastioni del castello. Da lì si vedono chilometri e chilometri di vigneti e campi di girasole. Sandro sarà felice di giocare con Sam in piscina. Organizzeremo qualche gara di nuoto.»

Mentre mi aggiornava su tutte le cose che avremmo potuto fare, l'avrei abbracciato per quel suo farmi sentire anche solo un po' più benvenuta di una valigia ingombrante da imbarcare come costoso extra. «Sarà bellissimo per Sam avere compagnia. Si annoia da solo con noi in vacanza.»

Nico riapparve con un vassoio in mano. «Attenta a ciò che desideri, tesoro. Massimo è l'ideatore di tutte le attività vacanziere. Non sguazzeremo banalmente in piscina, avremo le Olimpiadi di nuoto. Lo sai che Massimo gareggiava per la squadra della contea, vero? Dovremo farlo partire con uno svantaggio, altrimenti lui farà cinque vasche nel tempo che a me serve per completarne una.»

«Ho sentito dire che Francesca ha fatto faville ai campionati di nuoto della contea, ultimamente», ribatté Massimo.

«Sì, ha ereditato la tua vena competitiva assassina.»

Massimo fece una smorfia. «Vena che non si è ancora trasmessa a Sandro, a quanto pare.»

Nico bevve un sorso di vino. «Caro mio, può darsi che tu debba semplicemente rassegnarti al fatto che tuo figlio abbia ereditato i miei geni artistici e non i tuoi geni da Superman.»

Massimo si accigliò. «I geni non c'entrano, il punto è volere una cosa ed essere disposti a dedicarci del tempo.» Si voltò verso di me. «Vi metterò sotto tutti in vacanza. Non ti eri resa conto d'esserti iscritta al centro di addestramento reclute dei Farinelli, vero, Maggie?»

Scherzava, ma mi si chiuse lo stomaco al pensiero di essere la grassona all'ultimo posto.

Nico gli diede una pacca sulle spalle. « Non ti permetterò di fare il bullo con la mia sposina. » Mi strizzò il ginocchio. « Alle proposte di Massimo rispondi sempre di no. Tu pensi di uscire a fare due passi, invece lui ti obbliga a salire su tutte le colline nei dintorni. E non pensare neanche di tirar fuori le carte. Mai visto partite di rubamazzo così accanite. »

Massimo lo guardò con aria di superiorità. « Che senso ha partecipare, se non è per vincere? Perché essere mediocri, quando si può essere i migliori? »

« Io non mi entusiasmo per una partita a rubamazzo. » Nico si rivolse a me. « Massimo non sopporta di perdere nemmeno con Sandro, non tollera di essere battuto da un bambino di sette anni. »

« Esatto. Vincere è uno stato mentale, mio caro fratello. Ecco perché tu guidi una Volvo, mentre io ho una BMW! »

Nico rise. « Non avrebbe senso rovinare un'auto elegante con tutto il fango che mi porto dietro dal vivaio. E almeno non sono così spilorcio da rifiutarmi di far prendere lezioni di guida a mia moglie. »

Massimo alzò le mani in aria, in segno di resa. « Oh, Maggie, aiutami tu. È colpa mia se Lara ha una coscienza ambientale così sviluppata da rifiutarsi d'imparare a guidare? Sarei *felicissimo* se avesse un'auto, ma non ne vuole sapere. »

Sentii un impeto di ammirazione per mia cognata e le sue posizioni etiche, anche se non sapevo bene come conciliasse la sua coscienza ecologica con l'uso dei funghi riscaldanti nel patio e della cucina Aga. Principalmente, però, ero invidiosa del fatto che lei avesse il tempo di andare a piedi ovunque invece di correre a destra e manca per la città lagnandosi, come facevo io.

Massimo ammiccò. « E, già che parliamo di spilorci, non sarebbe ora che Nico ti comprasse qualcosa di più recente di quel tuo macinino? »

Lanciai un'occhiata a Nico per capire se quelle frecciate – che nella famiglia Farinelli passavano per essere battute umoristiche – lo infastidissero ma, bonaccione com'era, sembravano scivolargli addosso.

Intervenni io: « Non voglio una macchina nuova. Adoro la

mia vecchia Fiesta perché non me ne devo preoccupare: nessuno si prenderebbe la briga di rubarla, con tante belle auto in giro».

Nico disse: «Risparmia il fiato, mogliettina. Massimo non capisce cosa significhi essere soddisfatti di ciò che si ha, lui vuole avere il meglio ed essere il migliore».

Volevo che Nico sapesse che stavo dalla sua parte. «Meno male che non ero nella tua squadra nell'ora di ginnastica a scuola, Massimo. Ero una di quelle capaci di mettersi a salutare la mamma durante le gare di atletica, invece di scattare.»

Lui rise. «Ma tu sei una ragazza, Maggie. Puoi passarla liscia lo stesso.»

Santo cielo. Ai Farinelli piaceva il cliché di merda del bel principe che salva la principessa in ambasce dalla cima della torre. Due settimane passate a «giocare a chi ce l'ha più lungo» rischiavano di diventare sfiancanti. Speravo di avere anche un po' di tempo per stare sola con Nico. Svignarcela per una cenetta a due sarebbe stato bollato come sacrilegio? Sondai il terreno: «Se tu e Lara voleste uscire per conto vostro una sera, sarei più che felice di fare la babysitter a Sandro».

Massimo fece un gran sorriso. «Sarebbe fantastico, Maggie. Vedrò se riuscirò a convincere Lara, non le piace granché separarsi da lui.»

Anna s'intromise: «Ma Sandro non ti conosce ancora molto bene, o sbaglio?»

«No, ma verso la fine della vacanza spero che saremo entrati più in confidenza. E comunque è molto a suo agio con Nico, non è così?»

Quella donna era stata contraddetta troppo poco nella sua vita. Si sistemò sul sofà sospirando, sorpresa che qualcun altro a parte lei avesse un'opinione. Restò un attimo in silenzio, come se stesse formulando una strategia per rimettermi al mio posto, poi prese la borsetta. «Bene, è ora che andiamo, Massimo.»

Fino ad allora mi ero mossa con cautela, tuttavia, per quanto pontificasse sulla famiglia Farinelli che faceva questo, quello e quell'altro, Anna dimenticava una cosa fondamentale: nella mia testa io ero ancora una Parker e le Parker non erano certo note per la loro capacità di sottomissione.

Una volta usciti, dopo che Anna si era praticamente girata oltre la spalla destra mentre le baciavo in fretta la guancia, Nico mi prese tra le braccia. «Sarà divertente, te lo prometto. La mamma si calmerà una volta arrivati.»

Mi lasciai cadere su una poltrona, facendo penzolare le gambe oltre il bracciolo come segno di ribellione infantile nei confronti di mia suocera, che non faceva altro che ripetere a Sandro di stare seduto ben dritto e a Sam di togliersi le scarpe o addirittura riprendeva Nico se lasciava il cappotto sullo schienale della sedia, in casa sua e alla veneranda età di quarant'anni.

Nico mi versò un bicchiere di vino e mi massaggiò le spalle. «Sei tesissima.»

«Mi dispiace. Non voglio fare l'ingrata. Sono figlia unica, madre di un figlio unico, non sono abituata a tutte queste dinamiche. Ho sempre voluto un fratello o una sorella, ma non mi ero mai resa conto di quanta rivalità potesse nascere.»

«Massimo è un tipo a posto, è solo che gli piace fare il capobranco. Da piccoli era un incubo. Voleva tutto ciò che avevo io: la mia bicicletta, il mio Action Man, persino i miei amici. E, anche se avevamo la stessa identica cosa, lui voleva la mia.»

«E non ti dà fastidio?»

«Ci sono abituato. È tutta apparenza, comunque. Ora ci prendiamo cura l'uno dell'altro. Era davvero sconvolto quando Dawn l'ha lasciato per la questione figli. Penso che nessuno gli avesse mai negato niente prima di allora. Vagava come un'anima in pena, perciò lo invitavamo spesso da noi.» Quando pronunciò quel «noi», trasalì leggermente.

Gli sorrisi, sforzandomi di fare l'adulta. «È tutto okay. So che sei già stato sposato.»

Mi strinse forte. «Lo so, sono solo imbarazzato. Non voglio che pensi che non ti amo, be', come...»

«Non lo penso affatto, è solo diverso, lo so.» Arrossii: mi aveva letto nel pensiero.

«Comunque, Massimo è stato favoloso con Francesca, l'ha incoraggiata moltissimo col nuoto. Naturalmente anche a me interessa sapere come va, ma non capisco nei dettagli il programma di allenamento come fa lui. »

Sapevo di sembrare cattiva, ma non riuscii a trattenermi: « È fantastico che possa aiutare Francesca, ma non gli farebbe male prestare un po' più di attenzione a Sandro. Stanno vivendo un incubo in quella casa ».

Raccontai a Nico dell'aggressione di Lupo e che Lara non voleva parlare dell'episodio con Massimo, oltre che della mia offerta di aiutarla a addestrare il cane.

« Fa' attenzione. Lara non dovrebbe rischiare che Lupo morda qualcuno. Non so perché si comporti come se la stessimo continuamente giudicando. È difficile capire cosa pensa. Dawn era molto più estroversa. Lara invece è suscettibile su tutto. » Mi scompigliò i capelli. « Tu non ti arrangeresti da sola, vero? Non vorrei mai che ti sentissi obbligata a tenere tutto dentro per paura di ciò che potrei pensare di te. »

Non incrociai il suo sguardo. Il mio pensiero andò subito al portagioie in soffitta. Il problema non era ciò che lui avrebbe pensato di *me*.

Grazie a Caitlin, quello che ora restava da decidere era chi tra le sue due mogli fosse la vera cattiva.

15

LARA

Maggie fu di parola. Armata di manuale di educazione cinofila, di salsicce puzzolenti e di un fischietto così acuto da farmi sobbalzare a ogni soffio, l'addestramento di Lupo - e di Sandro - iniziò sul serio. Ogni giorno, subito dopo la scuola. Dovevo sforzarmi per non sentirmi minacciata dalla facilità con cui lei riusciva a spronare Sandro, facendogli fare cose per cui, se gliele avessi chieste io, lui sarebbe corso a nascondersi chissà dove con le sue penne e i suoi fogli. O sarebbe rimasto impantanato nel solito status quo, che mi vedeva gironzolare di continuo intorno a Massimo, cucinargli il suo piatto preferito, gli spaghetti alle vongole, portargli le camicie in lavanderia, cambiare la biancheria da letto ogni due giorni, qualsiasi cosa che lo mantenesse di buon umore e distogliesse la sua attenzione da Sandro.

Maggie sembrava re Mida. La sua calma, il suo atteggiamento pratico, la sua fiducia nelle capacità di Sandro, la sua convinzione che « tutti devono imparare », che di certo avrebbe commesso qualche errore, ma che poi ce l'avrebbe fatta, sembravano trasmettersi anche a mio figlio. Dopo una serie di urla e scatti dietro la zia e Sam quando Lupo cominciava a correre verso di lui, Maggie lo aveva convinto a fischiare e a dar da mangiare al cane un boccone direttamente dal palmo della mano. Dopo due mesi passati ad assicurarmi che Lupo non potesse mai avvicinarsi a Sandro in mia assenza, dovetti sforzarmi per non fiondarmi fuori e gridare: « Attenzione! »

Ero proprio figlia di mio padre.

Il passo successivo fu spingere Sandro a dargli la cena. Invece di preparare io la ciotola e poi sgusciare via non appena Lupo piombava famelico nel ripostiglio, Maggie decise che il cane avrebbe imparato a mangiare solo dietro preciso comando impartito col fischietto.

Oltre al fischio, la nuova routine prevedeva il rispetto degli ordini: seduto, fermo, aspetta, mangia. Maggie permetteva a Sandro di lanciare la palla dieci volte, poi gliela faceva mettere via anche quando il cane voleva continuare a giocare. « Sei tu che comandi, Sandro. Sei tu che decidi quando e per quanto tempo il cane può giocare. » Poi se ne venne fuori con qualche regola buffa, tipo non permettere al cane di entrare o uscire dalla porta davanti a un qualsiasi essere umano.

Ma, stranamente, parve funzionare. Con l'incoraggiamento di Sam, che progettava di trasformare Lupo nella star di *Britain's Got Talent*, nel corso del mese successivo il regime di addestramento si trasformò pian piano da corso di sopravvivenza a hobby.

Nel frattempo, la perplessità di Maggie sul perché non avessi chiesto a Massimo di sbarazzarsi del cane che minacciava mio figlio pendeva su di noi come un velo d'organza. Un paio di volte, mentre guardava Sam e Sandro insegnare a Lupo a sdraiarsi, mi aveva fatto domande tendenziose come: « Massimo ha mai visto Lupo diventare aggressivo con Sandro? » « Hai detto a Massimo che Lupo ha intrappolato Sandro nella casa sull'albero? »

Aveva un'aria così onesta, così alla mano, che le avevo quasi detto la verità: che, se osavo contestare una qualsiasi scelta di Massimo, la nostra situazione sarebbe passata di colpo da quasi sostenibile a insopportabile. La mancanza di rispetto che avrebbe avvertito se mi fossi azzardata a esporre un'opinione diversa dalla sua avrebbe comportato delle conseguenze.

E non piacevoli.

Non era da escludere che decidesse che Sandro aveva bisogno di stare in compagnia di cani di tante razze diverse. Me lo immaginavo tornare a casa con una schiera di bastardi presi al rifugio. I volontari l'avrebbero descritto per sempre come il gentile e generoso Massimo che aveva « offerto una casa ad alcuni dei nostri cani più difficili », mentre in realtà lo scopo era punirci per la nostra paura, sgridarci per quanto eravamo patetici e obbligarci a riprendere il controllo di noi stessi.

Maggie non mi avrebbe creduto. Chi l'avrebbe fatto? L'uomo che anticipava i bisogni di tutti, che spostava sedie, apriva porte, notava le nuove acconciature e i risultati di diete efficaci, ricordava i nomi dei bambini, le mete delle vacanze, i genitori anziani... L'amorevole genero che pagava una fortuna perché il suocero ricevesse l'assistenza migliore... L'uomo che rifiutava modestamente qualsiasi elogio commentando: « È il minimo che possa fare. Qualsiasi cosa che possa rendere la vita più semplice a Lara... »

Mi avrebbero considerato una squilibrata e mi avrebbero fissato increduli dicendo: « Non riesco proprio a immaginarmi che lui si comporti così, e tu? Se lo starà inventando lei ».

Se non avessi vissuto sulla mia pelle ogni singolo, doloroso minuto di quella messinscena, sarei stata la prima a non crederci. Qualsiasi donna dotata d'intelletto sapeva che nessuna donna dotata d'intelletto sarebbe rimasta con un uomo del genere.

O almeno così la pensavo io prima di finire a fare quella vita.

Una volta, quando Maggie mi aveva chiesto se non sarebbe stato meglio comprare un altro gatto invece di un cane, mi era quasi sfuggito cos'era successo in realtà alla povera Misty. Gliel'avrei svelato anche solo per la soddisfazione di verificare se ciò che per me era solo sconcertante per qualcun altro era orribile e del tutto folle. Vivevo in quel modo da così tanto tempo che probabilmente il limite della normalità sul mio barometro esistenziale rappresentava per gli altri l'urgenza assoluta di un appuntamento con lo psicanalista.

Avevo sognato di vedere il viso di Maggie passare dallo sconcerto all'orrore raccontandole ciò che avevo scoperto lavando la macchina di Massimo, un giorno che era in ritardo per una visita a un cliente. « Non posso mica presentarmi da lui come un villano sul trattore. »

Mentre ero nel vialetto, intenta a pulire le gomme, avevo notato qualcosa sotto il copriruota. Qualcosa di grigio e morbido. L'avevo tirato fuori stringendolo tra il pollice e l'indice. Pelliccia. Avevo allungato il collo e avvicinato la testa. Sangue rappreso, color ruggine, all'interno della fascia di metallo cromato.

Ero caduta all'indietro sull'asfalto, senza curarmi dei jeans che assorbivano fango e acqua. Massimo aveva sempre saputo che Misty non sarebbe tornata a casa. Mi aveva fatto credere di essere preoccupato, di essere dispiaciuto per me.

Mi era balenata nella mente l'espressione sul suo volto quando Misty lo graffiava e gli soffiava contro.

Mi ero fiondata in casa, ero corsa su per le scale fino alla stanza dove stava mettendo in valigia le sue camicie, lisciando le maniche con precisione.

Sentivo la lingua legata, incapace di formare le parole che si sforzavano di uscire attraverso uno strato d'isolante, come se la mia mente si rifiutasse di permettere alla bocca di articolare un pensiero che non era ancora un'idea coerente all'interno del mio cervello. « Hai investito Misty, vero? Ho trovato la sua pelliccia sotto il copriruota. »

Mi aspettavo che Massimo scoppiasse a ridere, che smentisse recisamente. Ma lui mi aveva guardato dritto negli occhi. « Quella stupida gatta mi ha tagliato la strada proprio a due passi da casa. »

« Tu, bastardo. Stronzo bastardo. L'hai fatto apposta! Perché? Perché amava noi e odiava te, vero? E tu, tu non riuscivi a sopportarlo. »

Non avevo mai insultato Massimo. In qualsiasi tipo di scontro, avevo imparato che la strada migliore per uscirne era il silenzio.

Nell'arco di pochi secondi la sua espressione era passata da un blando divertimento nei confronti della sua mansueta mogliettina bisognosa d'approvazione e in vena di fare le bizze a una caricatura distorta e beffarda del bell'uomo pieno di contegno che si curava di presentare al mondo. Ma in quel momento non m'importava. Stavo per lasciarlo e portare via con me Sandro.

Lui aveva fatto un passo verso di me. « Come mi hai chiamato? »

« Bastardo, sei uno stronzo bastardo di merda. » Ma in quello stesso istante avevo sentito il coraggio sfumare dalle mie parole e il terrore riempire lo spazio dove fino a poco prima ribolliva la rabbia.

Massimo aveva continuato ad avvicinarsi. Mi ero sforzata di sostenere il suo sguardo, di tenere il mento sollevato. Le ginocchia mi stavano abbandonando, ma non potevo cedere. Quello era il mio momento. Pensavo a mio padre, a come camminava sempre all'esterno del marciapiedi quasi che da un istante all'altro una carrozza trainata dai cavalli potesse schizzarmi passando su una pozzanghera. Pensavo alla sua mano sulla schiena che mi guidava verso l'interno, un mondo di calore e affetto racchiuso in quel piccolo, minuscolo gesto di protezione. Pensavo alla luce esterna lasciata accesa per me e a lui che mi aspettava alzato, anche quando ormai avevo più di vent'anni, attardandosi alla finestra se per caso avevo qualche minuto di ritardo. Persino ora, nello stato confusionale in cui si trovava, mi carezzava la mano e mi chiedeva: « Ti prendi cura di te stessa, vero? »

Sarebbe rimasto sconvolto se avesse scoperto la verità.

Quello era il mio momento. Il momento in cui dovevo sfruttare la mia furia e accettare che Massimo non sarebbe mai stato l'uomo di cui avevo bisogno. Avevo pensato a Misty, schiacciata e insanguinata, in preda a spasmi di dolore sul bordo della strada e l'ira si era rimpadronita di me. « Hai lasciato che cercassimo Misty per tutto questo tempo quando sapevi che era morta? Dov'è adesso? Che ne hai fatto di lei? È morta sul colpo? »

« Sì, la ruota le è passata dritta sulla testa. L'ho buttata nel cassonetto in fondo alla strada. » L'aveva detto in modo noncurante, come se stesse semplicemente raccontando di aver schiacciato una scatola di Cornflakes e di aver combinato un pasticcio.

Avevo cominciato a tremare, con la gola ostruita dalle lacrime per la mia povera gatta. Le parole fatidiche, quelle cui avevo pensato così spesso, quelle che avevo tanto sognato, erano vibrate nell'aria. Tanto che non avevo neanche la certezza di averle pronunciate a voce alta. « Ti lascio. »

Massimo era scoppiato a ridere, un suono aspro che aveva graffiato la stanza, un suono cui occorreva un goccio d'olio per evitare di corrodersi.

Mi aveva abbracciato e spinto sul letto, tenendomi ferme le braccia dietro la testa. Io mi ero divincolata, scalciando, mentre la sua faccia si librava su di me, compiaciuta per la superiorità della sua forza, assaporando la mia frustrazione.

« Tu non mi lascerai. Mi ami troppo. » Mi aveva afferrato la mano destra e l'aveva premuta sui suoi genitali. Per un istante lo shock aveva prevalso sullo spirito combattivo. Aveva cominciato a slacciarmi i jeans con una mano e ad arrotolare – teneramente – una piccola ciocca di capelli con un dito dell'altra.

Avevo raccolto tutta la saliva possibile e gli avevo sputato in faccia, colpendolo alla guancia, e allo stesso tempo ero riuscita ad alzare la testa e a morsicargli il mento, conficcando i denti nella carne morbida. Si era allontanato di scatto da me, con un boato di rabbia. Mi ero tuffata verso la porta, ma non abbastanza in fretta. Massimo l'aveva chiusa di colpo e ci si era appoggiato contro.

Si era pulito il viso con la mano e toccato il mento, proprio nel punto in cui si scorgeva la piccola mezzaluna lasciata dai miei denti. « Brutta puttana. Tu non mi lascerai. Non ci pensare neanche. Provaci e io ti seguirò e ti troverò. Azzardati anche solo a tentarci, e porterò Sandro in Italia. La mia azienda muore dalla voglia di spedirmi a dirigere la filiale italiana. Mi basta una parola per ritrovarmi laggiù sistemato per bene. E ho nascosto il passaporto di Sandro dove non lo troverai mai. »

L'avevo fissato, cercando di ricordare se avevo visto il documento all'interno della cassaforte l'ultima volta in cui avevo riposto la collana di platino e diamanti, quella che Massimo insisteva che mettessi a tutte le feste aziendali: « Non vorrai mica sembrare la moglie del custode, vero? »

« Lui non verrà con te. Ti darò battaglia. Ti porterò in tribunale. Andrò da un avvocato », avevo replicato, pur avendo già la sensazione di arrampicarmi su una parete di cemento liscia e senza appigli.

Si era massaggiato di nuovo il mento. « Hai presente quant'è rapida la burocrazia italiana? 'Oh, sono spiacente, signor giudice, ho sbagliato giorno, sono desolato, mi occorre più tempo per presentare la documentazione.' Un buffetto all'avvocato, due chiacchiere col mio amico che lavora in tribunale, un ritardo, uno sciopero del personale giudiziario. 'Mi dispiace, ma la madre è una donna instabile, è stata sotto antidepressivi per anni dopo la nascita del bambino; mi ha aggredito, sarei preoccupato per la sicurezza del piccolo.' Sandro sarà già uscito di casa prima ancora che tu possa esporre le tue patetiche ragioni per ottenerne la custodia.»

Per un istante mi ero stupita che potesse essere così stronzo da usare la storia degli antidepressivi contro di me: era stato lui il primo a insistere che li prendessi, mi aveva portato dal medico e gli aveva detto che non ce la facevo a tirare avanti così. Ai tempi ero disposta ad accettare qualsiasi cosa purché Massimo la smettesse di essere tanto arrabbiato con me per la fatica che mi comportava la maternità. Col senno di poi, probabilmente mi serviva solo qualche notte di sonno ininterrotto.

Poi mi ero avventata contro di lui, nel tentativo disperato di correre alla cassaforte e controllare se era vero, se ci eravamo ridotti a farci la guerra per il passaporto di Sandro. Massimo mi aveva bloccato, tenendomi a distanza. Ma in quell'istante avevo visto una sfumatura nuova nei suoi occhi. Shock. Shock per il fatto che io avessi ancora tanta forza d'animo da contrappormi a lui, che non fossi ancora sfinita. Avevo cercato di concentrare i bordi affilati della mia energia in una freccia da conficcargli nel cuore. «Cosa penserebbe la tua famiglia se sapesse chi sei realmente? Anna non fa che vantarsi di te con la cassiera di Waitrose: 'Un uomo tutto casa e famiglia. Una vera roccia per me da quando mio marito è mancato. E un padre eccezionale per il bambino. Uno che non ha paura di rimboccarsi le maniche e dare una mano'. Cosa direbbe se sapesse che razza di prepotente sei? Pensi che Nico ti lascerebbe gironzolare intorno a Francesca per darle consigli sul nuoto se sapesse che sei così fuori di testa da tirare sotto i gatti che non ti piacciono?»

Sulla sua faccia si era dipinto un ghigno provocatorio che gli aveva serrato la mascella, sostituito subito, però, da un lampo di paura, un barlume d'insicurezza. «Non oseresti mai. E nessuno ti crederebbe. Non c'è niente di più forte dei legami di sangue a questo mondo, ricordatelo.» Poi aveva aperto la porta con un gesto enfatico. «Dopo di te. Vado a fotografarmi il mento, nel caso mi serva qualche prova per il tribunale.»

Chissà cosa avrebbe fatto Maggie se il suo uomo le avesse investito il gatto e avesse deciso di comprare un cane solo per terrorizzarla.

16

LARA

Era incredibile come arrivasse in fretta il giovedì, con la grossa e cupa nube di paura che portava con sé e che incombeva su Sandro e me. Di sicuro Maggie non aveva mai fatto il conto alla rovescia dei giorni, tremando già il martedì per l'inevitabile avvicinarsi del giovedì e delle temute lezioni di nuoto. Avrei tanto voluto essere più simile a lei. Intraprendente. Ottimista. Sicura di sé. Capace di spazzare via dal suo cammino qualsiasi ostacolo senza fare drammi.

Maggie aveva fatto grandi passi avanti nel rieducare Lupo. Continuava a venire diverse volte la settimana per dare una mano a Sandro a tenere a freno il cane quando ricominciava a essere un po' troppo turbolento. Non potevo correre ancora da lei in cerca d'aiuto. Aveva già il suo bel daffare: doveva adattarsi a quella ficcanaso di Anna, abituarsi ad avere un marito e una figliastra, mantenere al primo posto suo figlio e gestire la sua attività.

E, anche se avessi potuto contare su di lei per un consiglio, era difficile immaginare che esistesse qualcuno al mondo capace di trovare una soluzione per Sandro e la sua paura dell'acqua.

Il fatto che la camera degli ospiti fosse piena zeppa di coppe di nuoto, medaglie e foto di Massimo con le braccia alzate in segno di trionfo e i riccioli scuri ancora bagnati non facilitava certo le cose.

Sandro, invece, aveva cominciato a fare bizze tremende fin da piccolissimo, quando gli lavavo la faccia durante il bagnetto. Massimo mi accusava di trasmettergli le mie ansie. « È colpa tua se fa così, sei sempre tesa », diceva, convinto che, senza le mie vibrazioni negative, il bambino sarebbe stato un medaglia d'oro olimpica in erba.

Quando Sandro aveva tre anni, Massimo aveva deciso di assumere il controllo in prima persona, dando un taglio ai miei tentativi a singhiozzo d'insegnare al piccolo a nuotare. « Bisogna che impari prima che si perda d'animo del tutto. » E, come sempre, « l'uomo dei miracoli » sarebbe stato lui. Con un cenno della mano, tutto « ecco l'esperto nuotatore che si dirige in piscina per mettere in mostra le sue credenziali di buon padre di famiglia », Massimo aveva stabilito di dare lezioni a Sandro ogni sabato mattina. La prima volta avevo commesso l'errore di andare ad assistere. All'inizio avevo sentito un lieve fremito d'orgoglio nel vedere mio marito uscire dagli spogliatoi con nostro figlio, così abbronzato, muscoloso e attraente in costume da bagno, tutt'altra cosa rispetto agli altri uomini che sguazzavano nella piscina per adulti, panzuti e tatuati. Avevo visto le donne del corso dei piccoli sistemarsi il costume e tirare in dentro la pancia, allietate da quella novità, un uomo moderno che si aggiungeva alle loro file. Senza dubbio si stavano chiedendo chi fosse la moglie fortunata che ora stava sorseggiando latte macchiato con le amiche, mentre il marito si occupava d'insegnare a nuotare alla ranocchietta.

Ma il mio orgoglio si era subito tramutato in angoscia non appena Sandro aveva sfiorato l'acqua e cominciato a strillare. Massimo aveva fatto tutte le cose giuste, aveva cercato di trasformare la lezione in un gioco, facendogli cucù e canticchiando filastrocche. Ma, mentre gli altri bimbi sbattevano i piedini e qualcuno dei più coraggiosi si tuffava addirittura dal bordo, il sorriso di mio marito si faceva sempre più rigido via via che aumentavano i lamenti di Sandro.

Massimo continuava a guardarmi torvo, come se stessi inviando al bambino qualche malefica vibrazione per farlo gridare sempre più forte. Alla fine, con mio grande sollievo, l'istruttore di nuoto gli aveva suggerito di riprovare la settimana dopo e lui lo aveva portato via, salutando con un gran sorriso tutte le mamme e privandole di quel senso di vivacità che conoscevo bene: vedere Massimo tornare corrucciato alla vaschetta lavapiedi le derubava di un punto focale, lasciandole lì stordite come insetti che rivedono la luce dopo mesi passati dentro un vaso da fiori.

Massimo si era rifiutato di ammettere la sconfitta, anche se bastava infilare un asciugamano dentro una borsa che subito Sandro mi si attaccava alla gamba e supplicava: «No nuoto, mamma, no nuoto, casa con te, casa con te». Ciononostante il padre continuava a sfoderare un implacabile ottimismo, sicuro che presto il figlio avrebbe conquistato il premio paperella della piscina.

Dopo tre mesi e un atroce episodio di cacca galleggiante nell'acqua, l'affabilità da piscina di Massimo era finita giù per lo scarico del lavandino insieme coi capelli e coi cerotti per le verruche. Al loro posto mi era arrivata addosso l'accusa di aver rovinato il bambino e di avere la responsabilità di rimetterlo in riga. Negli anni seguenti avevo cercato di rabbonire mio marito con articoli pescati da Google su nuotatori olimpici che avevano cominciato a nuotare solo in età scolare. Avevo fatto un affare di Stato sul vincitore della medaglia d'oro inglese alle Olimpiadi di Rio, che da piccolo aveva talmente paura dell'acqua da fare il bagno in piedi. Ma, come Massimo era solito dirmi, i Farinelli non erano dei fifoni. Nei loro geni c'erano coraggio, determinazione e probabilmente una propensione a dominare il mondo. Quando Francesca gli mostrava i suoi ultimi trofei, Massimo non mancava di aggiungere ai complimenti che Sandro aveva il fisico da nuotatore, che appena fosse cresciuto un po' avrebbero formato una squadra formidabile.

Ora il bambino aveva sette anni e la pazienza di Massimo era esaurita.

Io, in ogni caso, non mi ero ancora abituata al trauma delle lezioni di nuoto del giovedì pomeriggio. Convincevo Sandro con dolcezza e lo trascinavo con me, ma vedevo la paura impadronirsi del suo viso man mano che ci avvicinavamo al centro sportivo. Se ce la faceva a immergersi nell'acqua, restava attaccato al bordo, rigido come un baccalà, mugolando di terrore, mentre l'istruttore gli gridava: «Muovi le gambe, muovi le gambe, muovi le gambe». Il più delle volte non entrava proprio nella vasca, si fermava sul bordo mentre lacrime silenziose gli rigavano il viso e io lo guardavo impotente dalla gradinata. Non so quante volte avrei voluto correre giù e dare un taglio a quella maledetta farsa, ma sapevo che il sollievo avrebbe avuto vita breve, se avessi fatto una cosa simile senza il beneplacito di mio marito.

E così, un giorno in cui Massimo stava affrontando il tema dell'annuale viaggio in Italia, avevo colto l'opportunità per suggerire di rinunciare alle lezioni di nuoto rimaste e di riprovare in agosto, in vacanza, quando Sandro sarebbe stato motivato a imparare per potersi unire a Sam e Francesca.

Il marito ciarliero che aveva appena proposto: « Quest'anno potremmo provare a prendere i biglietti per il Palio, che ne dici? » era svanito all'istante. Aveva sbattuto la mano sul tavolo. « Sai come ho imparato io a nuotare? Mio padre mi ha ficcato sott'acqua un paio di volte. E ho imparato presto che dovevo tenere la testa fuori, se non volevo bermi mezza piscina. E, fidati, sarà quello che farò quest'estate in Italia, se Sandro non si dà una mossa e non comincia a sforzarsi un po'. »

Come sempre, per cercare di essere di aiuto, avevo peggiorato le cose. Ora non solo avevo l'insormontabile problema di convincere Sandro a continuare le sue lezioni, ma anche un termine da rispettare per raggiungere il risultato.

E fu così che, quel giovedì pomeriggio, quando incontrammo Maggie per strada, Sandro se ne stava seduto sul marciapiedi davanti a casa, con la faccia affondata nel borsone posato sulle ginocchia e mi supplicava: « Ti prego, mamma, non obbligarmi ad andare, ti prego, ti prego, ti prego ».

Io ero inginocchiata accanto a lui, alla ricerca disperata di una formula magica che gli permettesse di trovare il coraggio per entrare in quella stramaledetta piscina. Se non insistevo per farlo andare, Massimo avrebbe escogitato un'orribile rappresaglia che avrebbe fatto sembrare un odioso pomeriggio al centro sportivo una gita al luna park: « Quel bambino deve imparare a fare ciò che gli viene detto! »

Maggie si avvicinò. « Lara? È tutto okay? »

Spolverai un sorriso. « Tutto bene. Sandro non ha molta voglia di andare in piscina oggi. Penso sia un po' stanco. »

Mio figlio non sapeva se appoggiarsi a me in cerca di conforto o se resistere, nel caso lo ingannassi e ne approfittassi per farlo alzare.

Maggie si accovacciò di fianco a lui. « Ehi, piccoletto. Sai andare in bici? »

Sandro annuì.

« Nuotare è un po' la stessa cosa. Prima d'imparare pensi che non ce la farai mai. E poi all'improvviso *tac!* Scatta qualcosa e parti. »

Sandro riaffondò la testa nel borsone. Mi sentii morire dentro. Maggie stava solo cercando di essere gentile, ma tutta la mia vita da genitore era stata costellata di persone che pensavano di avere la risposta, di avere la bacchetta magica per convincere Sandro a fare ciò che volevamo. Ciò che Massimo voleva. Tutti avevano una soluzione semplice su come farlo diventare più forte e coraggioso, su fargli fare amicizia e fargli piacere lo sport, su come smettere di aver paura degli insetti o di parlare o della vita. E se invece lui fosse stato semplicemente così? Se non fosse mai riuscito a essere nessuna delle cose che la società pretendeva che fosse per guadagnare la sua approvazione?

Guardai Maggie e mi sforzai di sorriderle. Cercai di allontanare il dubbio assillante di essere stata *io* a renderlo così, col mio vedere trappole ovunque, risultato di tutti quegli anni vissuti con un padre benintenzionato che mi ricopriva di raccomandazioni. Avevo continuato ad abitare con lui persino durante gli anni di università a Londra, facendo la pendolare, perché, a detta sua, non aveva senso riempirsi di debiti per finire a vivere in un tugurio. « E poi Londra non è un posto sicuro la sera. » Per l'ennesima volta, era io quella strana, quella diversa dagli altri, quella che andava a prendere il treno proprio quando stava per iniziare il divertimento.

Presi a tirare Sandro per farlo alzare, quando all'improvviso mi squillò il cellulare. Di certo era Massimo che si assicurava che fossimo andati al centro sportivo.

Invece era il numero della casa di riposo del papà. Balzai in piedi, col cuore in gola. Nessuna chiamata riguardante il papà aveva mai portato buone notizie.

« Mrs Farinelli? La chiamo perché suo padre è caduto e si è fatto male alla caviglia. Il medico lo sta visitando in questo momento. Non sappiamo ancora se se la sia fratturata, ma non è molto collaborativo e continua a chiedere di lei.»

«Oddio, oddio.» Sentii staccarsi qualcosa dentro di me, come se stessi esaurendo tutte le mie occasioni. C'erano così tante cose che dovevo dire al papà prima che il fantasma di ciò che era sparisse del tutto. Cercavo continuamente di costringere Massimo a fissare un giorno in cui accompagnarmi da lui, ma era sempre indaffarato. Ora, però, dovevo proprio andare. Valutai possibilità e aspetti pratici, tenuto conto che avevo solo dieci sterline nel portafogli. Lanciai un'occhiata a Maggie, che era ancora rannicchiata vicino a Sandro. Avrei dovuto chiederle di prestarmi dei soldi.

Lei alzò lo sguardo. «C'è qualche problema?»

«Devo prendere un autobus per andare dal papà. Potresti badare a Sandro per un paio d'ore?»

«Un autobus? Ma la casa di riposo non è in mezzo al nulla, vicino a Worthing? Ci metterai dei secoli.»

«Sì, ma non ho alternative, Massimo è a Londra oggi e non può accompagnarmi. Il bus andrà benissimo.» Non avevo idea di quali fossero gli orari del pomeriggio, né dove sarei arrivata con sole dieci sterline. Cercai d'inventarmi una scusa per giustificare di non possedere un bancomat. Non potevo dirle la verità: che, l'ultima volta che avevo preso un taxi per andare a trovare il papà, Massimo mi aveva tagliato tutte le carte di credito, poi col bordo affilato di una di esse mi aveva inciso la parola PUTTANA in fondo alla schiena fino a farmi sanguinare. Avevo deciso di lasciarlo quel giorno, ma poi Sandro aveva avuto un'infezione polmonare e Massimo si era preoccupato da morire, mi aveva aiutato con le cure, aveva comprato dei vaporizzatori per la sua camera e chiamato i medici, e io avevo perso l'attimo. Quando alla fine il bambino si era ripreso, ero così stremata che non avevo neanche l'energia per lottare contro la decisione di Massimo di darmi una paghetta giornaliera, una manciata di contanti lasciati sul tavolo dopo aver fatto colazione, figuriamoci per fare le valigie e andarmene.

Un turbinio di pensieri mi avvolgeva la mente. Avrei fatto finta di aver perso il portafogli. Dalla mia voce trapelava il panico, la paura che l'angoscia del papà aumentasse e si trasformasse in un vortice di disperazione all'idea che sua figlia potesse disinteressarsi di lui persino quando stava male.

Ma, prima ancora di poter accampare scuse, Maggie disse: «Ti accompagno io, se non t'importa di viaggiare su un vecchio macinino. Possiamo lasciare Sandro da mia mamma, poi lei passerà a prendere Sam all'allenamento e li riporterà tutti e due qui a casa».

«Oh, no, è troppo disturbo.»

Maggie mi prese per il braccio. «Non c'è nessun problema, dai, andiamo.»

Per Sandro la frattura alla caviglia del nonno si stava trasformando nel miglior regalo che avesse mai ricevuto.

Tesoro. Il nuoto.

Sapevo cosa avrebbe detto Massimo. Riuscivo già a sentire le sue mani sul braccio, i suoi indici conficcarmisi nel muscolo per lasciare lividi identici su entrambi i lati. Mi sarebbe venuto così vicino che avrei capito dal suo alito cosa aveva mangiato a pranzo. «Pensavi che vedere tuo padre, che non si ricorda neanche chi cazzo sei, fosse più importante d'insegnare a nostro figlio a non affogare?»

Io sarei stata zitta. E Sandro pure.

E il mattino seguente sarei corsa a cambiargli le lenzuola prima che Massimo le vedesse. E un altro piccolo frammento di vernice si sarebbe staccato per sempre dalla pallida patina di autostima di Sandro.

«Lara?» La voce di Maggie era dolce, ma perplessa. «Andiamo?»

«Non voglio causarti problemi. Magari posso portare Sandro in piscina come previsto e aspettare che Massimo torni a casa. Mi accompagnerà dal papà più tardi. Ci sono i medici con lui, è in buone mani».

«Ti ho detto che non è un problema! Tu faresti la stessa cosa per me.» Si voltò verso Sandro. «E tu non hai l'aria di essere così dispiaciuto di andare da Beryl a rimpinzarti di biscotti invece di allenarti a nuotare a cagnolino, o sbaglio?»

Ero stordita. Tutti volevano qualcosa da me. Sandro, che mi guardava con occhi da cerbiatto. Maggie, che si aspettava decisioni razionali quando la mia vita intera era quanto di più illogico potesse esistere. L'immagine terribile del papà che si ribellava agli infermieri, mentre i tentacoli confusi della sua mente si tendevano per aggrapparsi al ricordo di sua figlia, chiedendosi dove fosse.

Ma nessuno di loro riusciva a far presa su di me con la stessa forza esercitata dalla paura di Massimo e di ciò che avrebbe detto una volta scoperto che avevamo saltato la *lezione di nuoto.*

Maggie si passò le mani tra i capelli, scompigliandosi i riccioli come se si fosse appena ridestata da due notti trascorse sotto un ponte. Il suo sguardo rimbalzò tra me e Sandro. Io annuii e andai verso la macchina. Lei aiutò il bambino ad alzarsi. «Andiamo a prenderci un KitKat, ti va?»

La tensione nelle spalle di Sandro si sciolse di colpo.

Ora capivo perché Nico la amava tanto.

17

MAGGIE

Scoprire Lara in stato confusionale davanti a casa mia era proprio la distrazione che mi serviva. Nelle ultime settimane, Francesca aveva continuato a chiedermi di quel maledetto portagioie d'oro, come se il sesto senso le dicesse che stavo nascondendo qualcosa. Erano tornati il vecchio atteggiamento scontroso e le frecciatine spiacevoli. Finché una sera non mi aveva gridato contro: « Non so perché tu non ti sia ancora disturbata a cercarlo. Dimmi almeno dove pensi che sia e ci penso da sola. Non capisco quale sia problema ».

Il problema era che avrei preferito non averlo mai trovato, quel maledetto affare. Avevo passato mezzo pomeriggio a valutare cosa sarebbe stato peggio: modificare per sempre il suo ricordo della madre, consentirle di scoprire che il rapporto tra i suoi genitori non era ciò che sembrava e lasciare che chiedesse a Nico dell'incisione, vedendo così le certezze del suo primo matrimonio accartocciarsi e assottigliarsi, trasformando una storia felice in un imbroglio difettoso e distorto. Oppure buttare il portagioie e sperare che alla fine Francesca se ne dimenticasse e superasse la rabbia per la sua scomparsa. Avevo deciso di seguire il mio cuore. Quei due avevano sofferto abbastanza e, in fondo, avrei solo dovuto sopportare una ragazzina un po' incavolata.

Così quel pomeriggio avevo aspettato che la casa fosse vuota e avevo controllato dalla finestra in cima alle scale che la macchina di Anna non fosse nel vialetto. Non potevo permettermi che mia suocera sbucasse all'improvviso come un pagliaccio a molla da un pacchetto regalo. L'ultima cosa di cui avevo bisogno era che mi cogliesse in flagrante nel compiere un atto che, a tutti gli effetti, era rubare.

Anche se per ottime ragioni.

Avevo infilato il portagioie e il suo contenuto in un sacchetto di plastica e raggiunto a grandi passi il cassonetto dei rifiuti che sembrava aver preso residenza in fondo alla via in modo permanente. Mentre mi avvicinavo, mi sembrava che il cuore stesse per schizzare fuori dal petto, infilandosi negli interstizi delle costole, per finire a rimbalzare sulla strada. Non capivo proprio come facessero i ladri ad avere il coraggio d'introdursi nelle case altrui.

Mi ero fermata un istante e mi ero guardata intorno, furtiva, come un malvivente sul punto di nascondere una borsa di cocaina. Non avevo idea di quanto valesse quel portagioie, ma doveva avvicinarsi alle seicento o settecento sterline. Dio. Avrei potuto comprare a mia madre un frigo nuovo con quei soldi. E sostituire la sua TV con qualcosa che non considerasse l'alta definizione un concetto futuristico. Non avevo mai posseduto nulla di così costoso nella mia vita e ora stavo per gettarlo nell'immondizia. Tanto valeva prendere un mazzo di banconote da venti sterline e disperderlo in mare. Avevo addirittura pensato di portarlo in un negozio di articoli usati in città, ma avevo deciso che era meglio evitare, casomai Francesca lo avvistasse durante una delle sue maratone di shopping.

Esitavo, sbirciando oltre il coperchio di metallo i rifiuti sottostanti. Non c'era denaro al mondo in grado di ripagare la consolazione offerta dai bei ricordi. La famiglia felice cui Francesca si stava aggrappando valeva più di qualche centinaio di sterline. Alla fine mi ero convinta che gli anni e anni di psicoterapia che avrebbe dovuto affrontare se avesse scoperto com'era realmente sua madre le sarebbero costati molto più di quel maledetto portagioie.

E così, dopo una rapida occhiata, avevo ficcato la scatola tra un vecchio divano e un cavallo a dondolo rotto e avevo sentito risuonare per l'ultima volta i flauti e i violini, prima che il portagioie scivolasse giù e si schiantasse in uno spazio vuoto sul fondo. Subito dopo ero stata travolta dall'ansia e dal senso di colpa, in un vortice di «e se». Oltre che da pensieri Beryliani su ciò che avrei potuto comprare con quei soldi se l'avessi venduto su eBay.

Ma Lara, ferma sul marciapiedi davanti a casa mia, mi aveva salutato in modo così bizzarro che avevo avuto a malapena il tempo di soffermarmi sulla mia decisione, fantastica o fatale che fosse. Anch'io ero capace di comportamenti strambi e sorprendenti. Nico mi prendeva sempre in giro perché, mentre cucivo, mi sentiva parlare da sola: « Magari un lustrino argento vicino a quello rosso ». « Qui serve proprio una bella striscia di pizzo nero. » Ma Lara spingeva l'aggettivo « strambo » a tutt'altro livello.

A parte quella stronzata del « siamo pieni di soldi, ma non mi sono mai preoccupata d'imparare a guidare », sembrava titubante all'idea di andare da suo padre e tirava fuori quella sciocchezza della lezione di nuoto di Sandro, cui invece sembrava non importare un fico secco di perdere la piscina. Santo cielo, se avessi dato la priorità allo stile libero di Sam piuttosto che alla salute di mia madre e al rischio che finisse in sedia a rotelle per il resto della vita, l'ira di Beryl sarebbe stata tale e tanta da riscaldare la Scozia per un inverno intero.

Quando alla fine avevo convinto Lara a permettermi di accompagnarla da suo padre passando da casa della mamma, la sua reazione nel vedere il mio vecchio quartiere mi ricordò quella di Nico. La loro estrazione borghese spiccava come una salsiccia vegana in una trattoria d'infimo ordine. Il foulard blu scuro di Lara, drappeggiato intorno al collo a scopo decorativo più che per tenerla al caldo, il cardigan verde chiaro coi bottoncini a forma di cuore, i capelli lucenti profumati di shampoo costoso... Le mancava l'asprezza che caratterizzava la maggior parte degli abitanti di quella zona, gente abituata a stare sempre in guardia.

Ma le ero profondamente grata per lo sforzo che stava facendo nel non mostrarsi schifata dalle pozze di pipì, dai resti di biciclette incatenate alle ringhiere, dalle porte con la vernice scrostata. Un tale contrasto con le villette vittoriane in cui abitavamo ora, tinteggiate con tenui colori pastello, con le loro lampade crepuscolari impegnate a creare un accogliente bagliore.

« Hai vissuto qui per molto tempo? » chiese Lara mentre salivamo di corsa le scale per raggiungere l'appartamento della mamma.

« Finché non ho avuto Sam. Ci sono tornata tre anni prima di conoscere Nico, perché non potevo più permettermi l'affitto del posto in cui stavo. »

Mentre parlavo, mi resi conto che sembrava che avessi sposato Nico solo per i suoi soldi. Speravo che Lara ormai mi conoscesse abbastanza per sapere che non era così. Anche se, probabilmente, non mi avrebbe biasimato per voler portare via Sam dal quartiere: quando sulle scale passammo davanti a una coppia di adolescenti avvolti dall'inconfondibile odore della cannabis, strinse più forte la mano di Sandro.

Lara non avrebbe potuto essere più perle e twin-set di così, neanche se avesse indossato la borsetta di Margaret Thatcher. Aveva l'aria di una in procinto di partire per un'avventura da cui non era sicura di fare ritorno.

Prima di farla andare troppo oltre i suoi limiti, la spinsi verso la porta di casa di mia madre. In compenso, la promessa di un biscotto al cioccolato sembrava fare miracoli nell'infondere coraggio a Sandro, o forse era solo l'euforia per l'inaspettata fuga dai braccioli.

La mamma ci aprì la porta coi capelli avvolti nell'asciugamano a mo' di turbante, anche se le avevo mandato un messaggio per avvertirla che stavamo arrivando.

Lara sembrava voler prendere Sandro e tornarsene di corsa nella zona di Brighton in cui gli ospiti di solito venivano accolti con un vassoio di brownies di barbabietola rossa fatti in casa o di biscotti d'avena senza glutine.

La mamma trascinò dentro Sandro senza dare a Lara l'opportunità di tentennare o preoccuparsi o impartire istruzioni di qualche tipo. Se la conoscevo bene, al nostro ritorno avremmo ritrovato Sandro a saltare sul divano e mangiare patatine da un pezzo di carta da giornale. « Povero piccino. Ha tante di quelle regole da rispettare che mi chiedo come fa a non scoppiargli la testa. E tutte quelle chiacchiere su quando andrà all'università e quante pagine al giorno dovrà leggere. Signore, ce n'è abbastanza per spingerlo a mollare gli studi e diventare un tossico. »

Mi affrettai a portare via Lara prima che potesse cambiare idea. Ma, quand'eravamo ormai a metà strada per la casa di riposo, Lara sprigionava tanta tensione che sembrava fosse appesa a una gruccia. Continuava a controllare il cellulare. Non sapevo cosa la preoccupasse di più: aver lasciato Sandro con la mamma in un oscuro bugigattolo o trovare suo padre confuso e sofferente. Cercai di rassicurarla: « Non manca molto. Vedrai che nel frattempo si sarà calmato ».

« Oddio, lo spero. L'infermiera ha detto che stava diventando un po' aggressivo. È sempre stato un uomo gentilissimo. Forse sente solo molto male. » Scivolò di nuovo nel silenzio.

Non avevo mai notato i cigolii, i rumorini e gli scricchiolii della mia Fiesta, facevano parte del suo fascino antico, ma, zitte e mute com'eravamo, era impossibile ignorarli. Lara non aveva mai dato segno di voler discutere di qualcosa di più personale rispetto a ciò che aveva mangiato a colazione, perciò non mi sembrava il caso di cominciare a sparare domande a raffica, anche se alla fine il desiderio di coprire i fastidiosi scricchiolii della macchina ebbe la meglio sul tatto. « Da quanto tempo è malato tuo padre? »

« Non ricordo bene. » Guardò fuori dal finestrino. « Quando sono nata, aveva quarantatré anni, era molto più vecchio degli altri padri. Mia madre era più giovane di dodici anni. Da quando lei è morta in un incidente d'auto, il papà ha sempre avuto il terrore che mi capitasse qualcosa. E così ha sviluppato una serie di piccole, buffe manie: controllava due volte la pressione delle gomme prima di qualsiasi spostamento, avevamo un estintore in ogni stanza, rilevatori di monossido di carbonio sparsi ovunque e serrature assurde alle porte. Una specie di regolamento per la sicurezza portato agli estremi. »

Chissà cosa avrebbe fatto con una come la mamma, che accendeva le sigarette sul fornello e tappava le bocchette di ventilazione per tenere dentro il caldo.

Lara si agitò un poco sul sedile. Aspettai, pensando che, a meno che non mi fossi persa qualcosa, non aveva dato una vera risposta alla mia domanda. La gomma posteriore cominciò a emettere un nuovo ronzio. Lara si guardò intorno.

Cercai di sovrastare il rumore. « Quindi le sue fissazioni sono semplicemente peggiorate? »

Quando incrociammo un camion, Lara si aggrappò al sedile.

Era un bene che non sapesse guidare, altrimenti, tempo di superare Worthing, si sarebbe distrutta il piede destro.

« Ha cominciato a barricare le porte e, ogni volta che andavo a trovarlo, scoprivo un nuovo lucchetto o un catenaccio, non si riusciva neanche più ad aprire la porta completamente. E poi un giorno Massimo mi ha accompagnato a fargli visita e abbiamo dovuto chiamare i vigili del fuoco per riuscire a entrare. Dopo quell'episodio abbiamo concluso che non era più al sicuro a vivere da solo e l'abbiamo fatto spostare in una casa di riposo. »

Non riuscivo a immaginare di poter mettere la mamma in una struttura. Se fossimo arrivati a quel punto, speravo che Nico mi permettesse di farla venire a vivere con noi. « Vai spesso a trovarlo? »

« Non quanto vorrei. Il papà andava in ansia al solo pensiero di sapermi a bordo di una macchina, perciò non ha mai voluto che prendessi la patente. E così ora mi tocca farmi accompagnare da Massimo, ma lui è spesso fuori città e, anche quando c'è, è sempre impegnatissimo. Ora mi pento di non aver imparato a guidare. »

Le lanciai uno sguardo. « Massimo ha detto che non volevi imparare perché eri così rispettosa dell'ambiente da non voler inquinare l'atmosfera. »

Lei si accigliò, poi scoppiò a ridere. « Probabilmente lo imbarazza che io, alla veneranda età di trentacinque anni, non sappia guidare neanche un go-kart. Mi ci vedi a fare l'ambientalista? Ma dai! Non uso nemmeno il bidoncino dell'umido per paura di trovarci dentro i vermi. »

Mi piaceva quando Lara cedeva alla spontaneità. Il più delle volte sembrava avere così tanta paura di esprimere un'opinione non approvata dalla famiglia Farinelli, che ora mi elettrizzava scoprire che non era affatto la mammoletta che pensavo. « Non è mai troppo tardi per imparare. Così potresti venire a trovare tuo padre tutte le volte che vuoi senza coinvolgere Massimo. »

La saracinesca si chiuse di nuovo. « Probabilmente non sarei molto brava. A ogni modo, andare a piedi ovunque mi mantiene in forma, m'impedisce d'ingrassare troppo. »

Il barlume della Lara simpatica svanì. Non riuscivo a capire perché donne intelligenti come lei, donne con una laurea, in grado di sommare colonne di numeri e di far risparmiare un sacco di soldi sulle tasse, accettassero di essere così dipendenti da un uomo, di ridurre il loro ruolo nella vita all'essere magra e bella per il marito. Faceva tanto anni '50. Avevo visto Massimo tornare a casa all'ora di pranzo e Lara aprire la porta in grembiule, come se avesse trascorso l'intera mattinata a preparare il pasticcio di carne. Chissà se gli allungava le pantofole e il cardigan non appena lui varcava la soglia di casa. Forse Nico era segretamente deluso dal panino al prosciutto e dalla manciata di pomodori ciliegini che gli propinavo quando lavorava da casa.

Dopo una serie interminabile di stradine di campagna, finalmente arrivammo alla casa di riposo.

« Vuoi che ti aspetti in auto? »

Lara si rabbuiò. « Te la sentiresti di venire dentro con me, se non è ferito in modo grave? Credo che per il papà sia uno stimolo vedere facce nuove. E sarebbe bello se qualcuno restasse a chiacchierare con lui mentre sbrigo le pratiche amministrative. »

« Certo. »

Una delle assistenti della struttura, Pam, ci accompagnò lungo il corridoio e rassicurò Lara sul fatto che, secondo il medico, la caviglia era solo slogata, ma che l'avrebbero tenuta sotto controllo. Lara snocciolò una serie di domande sorprendente, Pam annuì e diede l'impressione di mettersi subito al lavoro per soddisfare le richieste. Io non avrei neanche lontanamente pensato d'informarmi sulla pressione sanguigna, né di chiedere scarpe speciali per sostenere la caviglia o vitamine per accelerare la guarigione.

Sebbene Nico mi avesse detto che Lara era molto in gamba, non ero mai riuscita a immaginarmela come una donna in carriera in giro per il mondo coi suoi raccoglitori, abituata alle sale d'aspetto degli aeroporti, ai ristoranti degli hotel, ai valletti dei parcheggi. Quell'asciutta energia e pacata autorevolezza rappresentavano un lato di Lara assai diverso, assolutamente in contrasto con quella parte che poco prima aveva chiesto, smarrita: « Come facciamo con la lezione di nuoto di Sandro? »

La casa di riposo stessa fu una sorpresa per me. Mi ero preparata a moquette marrone, tubi e carrelli, e a veder gironzolare pazienti in vestaglie che a malapena garantivano loro il decoro. Ma in realtà la struttura era più simile alla reception di un hotel di lusso, con vasi pieni di quei gigli che ti facevano cadere il polline sui vestiti e riviste raffinate con pubblicità di orologi preziosi. Eppure c'era sempre l'odore ripugnante della decadenza, per quanto deodorante per ambienti spruzzassero. Provai un rinnovato rispetto per la mamma, che non era affatto schifiltosa e aveva la straordinaria capacità di associare sempre una parola gentile a un messaggio pratico come « ora sistemiamo questi cuscini ».

Pam ci accompagnò in una stanza dove un ometto anziano era accoccolato in una poltrona con un piede fasciato appoggiato a uno sgabellino. La reazione del padre di Lara nel vedere la figlia fu una di quelle scene commoventi da video di YouTube. Alzò lo sguardo, la squadrò da capo a piedi, poi allungò il braccio e le scoccò un sorriso radioso. Quell'immagine mi ricordò i video che piacevano tanto a Sam, quelli dei cani che dopo aver girato per mezza Australia finalmente ritrovavano i padroni o dei neonati che si torcevano dalle risate alla vista della mamma.

Io rimasi in disparte, non volevo intromettermi.

Lara corse da lui. « Papà, che cos'hai fatto? Come sta il piede? » Si chinò e l'abbracciò.

Lui la strinse come se stesse assorbendo da lei l'energia da trasmettere al suo corpo vecchio e stanco. Le prese la mano e gridò verso di me: « Mia figlia! Mia figlia! Bella! Bella! L... L... » E intanto tamburellava con le dita sul bracciolo della poltrona, frustrato.

« Lara, papà. » Lara continuava a torcere le labbra, come se avesse tante cose da dire ma non fosse sicura di riuscire a esprimerle in un modo assimilabile dal padre. Aveva il viso chiazzato per le tante emozioni: tristezza, amore e tenerezza si muovevano come ombre nei suoi lineamenti. Mi fece cenno di avvicinarmi. « Questa è Maggie. La moglie di Nico. »

Il vecchio corrugò la fronte, perplesso. « Nico, Nico, Nico... »

Lara rimase in attesa. Sembrava che suo padre avesse avviato un faticoso processo mentale, come se stesse setacciando una pozzanghera fangosa nelle sue più oscure profondità, alla disperata ricerca di una moneta luccicante. «Sai, il fratello di mio marito.»

Lui scosse la testa. «Tuo marito. Sei sposata? Quando ti sei sposata? Perché non me l'hai detto?»

«Te l'ho detto, papà. C'eri anche tu al matrimonio. Ricordi? Ci siamo sposati al Majestic, sai, quel grande hotel nel centro di Brighton?»

Sarei voluta sgusciare via. Mi spiaceva che quell'adorabile vecchietto dal sorriso così simile a quello di Sandro venisse umiliato davanti a una sconosciuta, che i buchi di quel nido d'api che era la sua memoria restassero scoperti. E non volevo assistere ai tormenti privati di Lara.

«Ti ricordi di Massimo, vero, papà?» domandò lei, con tono sempre più angosciato.

L'uomo cominciò a strappare un fazzoletto di carta in tanti minuscoli pezzi. «Massimo, Massimo, Massimo...» Era come vedere la macchinetta acchiappapremi della sala giochi agitare il braccio meccanico a destra e sinistra, flettere le dita dell'artiglio, ma poi mancare l'iPod e restare con un pugno di mosche in mano. Poi, all'improvviso, il vecchio cercò di alzarsi e di afferrare il bastone di fianco alla poltrona. «Massimo! Massimo!» gridava, mentre Lara cercava di calmarlo.

Arrivò di corsa un'infermiera. «Mr Dalton, faccia attenzione, si calmi, ora, si sieda, cerchi di ricordare che si è fatto male al piede.»

Alla fine riuscirono a farlo riaccomodare sulla poltrona. Era così agitato che guardarlo era una sofferenza.

Lara gli sedeva accanto e gli carezzava la mano. «La prossima volta porto anche Massimo. È davvero un brav'uomo. Si prende cura di tutti noi.»

Suo padre si mise ad armeggiare coi gemelli.

L'infermiera mormorò: «Ancora qualche minuto poi basta, per oggi, ha bisogno di riposare».

Mi chinai verso Lara. «Vi lascio chiacchierare tranquilli. Aspetto fuori. Fai con calma.» Accennai un timido saluto.

« Io vado, Mr Dalton, spero di rivederla presto. Si prenda cura del piede. »

Lui mi guardò come se fossi appena sbucata da chissà dove. Poi mi fece un gran sorriso ed esclamò: « Arrivederci. E torni ancora a trovarmi. È un bene per la mia Shirley avere un po' di compagnia finché non torno a casa ».

Lara lasciò cadere la testa in avanti, affranta, e rifletté un secondo per cercare di spiegarmi di chi stesse parlando.

Io uscii per tornare alla macchina.

Lei arrivò una ventina di minuti dopo; era calma, ma aveva gli occhi rossi di pianto.

Mentre la Fiesta procedeva sferragliando, la lasciai sola coi suoi pensieri.

A metà strada mi disse: « Devo venire più spesso a trovare il papà. È peggiorato in fretta. Vorrei che Massimo si ritagliasse più tempo per accompagnarmi ».

Esisteva una soluzione ovvia al problema. Ordinai le parole in modo da eliminare qualsiasi sfumatura di giudizio dalla mia domanda: « Se t'insegnassi a guidare? »

18

LARA

Mentre ci allontanavamo dalla casa di riposo, avevo l'impressione che il mio cuore si stesse gradualmente sfaldando e trasformando in una noce avvizzita, capace di percepire solo le emozioni primarie. Nell'arco di pochi anni mio padre, l'uomo che dopo la morte della mamma mi aveva messo al centro del suo universo, avrebbe dimenticato chi ero.

La promessa di Massimo di portarmi a trovarlo subito dopo Pasqua non si era mai concretizzata. Con mia grande vergogna, avevo lasciato passare sei mesi dall'ultima volta in cui l'avevo visto, a Capodanno. Sei mesi senza sentire la sua mano grinzosa sulla mia, sei mesi senza veder diradare pian piano la nebbia che gli offuscava il cervello nel momento in cui riconosceva il mio viso.

Mi lasciai cadere sul sedile e cominciai a pensare a cosa potesse aver agitato tanto il papà nel parlare di Massimo. Forse era semplice frustrazione. Dio solo sa quanto dev'essere orrendo sbirciare nelle stanze buie della tua mente nella speranza di entrare in quella che contiene la risposta illuminante a dubbi così semplici come ricordare chi sono i tuoi figli.

Continuavo a voler credere che Massimo avesse scelto quella particolare casa di riposo per le ragioni giuste. Ai tempi, aveva scacciato via con un gesto della mano tutte le mie remore sui costi: « Se si trattasse di mia madre, vorrei per lei l'assistenza migliore. Non vedo perché per tuo padre dovrebbe essere diverso, visto che, fortunatamente, ce lo possiamo permettere ». Avevo provato tanta gratitudine nei suoi confronti quando aveva insistito per farlo visitare dai più esperti neurologi in circolazione e per farlo ricoverare nella migliore struttura possibile: « È un po' distante, ma non vorrai mica vederlo vegetare in qualche topaia gestita dalla Stato, dove lo piazzerebbero semplicemente davanti alla TV».

Avevo messo a tacere le mie riserve sulla lontananza credendo alle sue promesse: diceva che avremmo trovato il modo, che si sarebbe assicurato di farmelo vedere ogni volta che volevo. Ma in realtà «un po' distante» significava che ora dalla mia vita era sparita un'altra persona cara. Mi vergognavo a calcolare quante volte eravamo stati a trovarlo negli ultimi dodici mesi. Lo staff della casa di riposo doveva aver ricevuto l'ordine di accogliere con espressione calma e neutra i parenti che si facevano vedere solo quando c'era una crisi da risolvere, lasciando poi che fossero gli ospiti della struttura a giustificare perché i figli e le figlie non li andassero mai a trovare. Era meglio che la memoria del papà sbiadisse senza conoscere la verità.

Mentre Maggie guidava, così gentile da lasciarmi raccogliere in silenzio, nella mia mente continuavo a rivedere senza posa la stessa scena. Massimo che, dieci anni prima, mi accompagnava da Brighton a Oxford alle prime luci dell'alba ogni lunedì per le riunioni coi clienti. Io che gli dicevo che volevo imparare a guidare, che era assurdo che facesse la fatica di prendere l'autostrada e di fermarsi a lavorare nel bar di un hotel in attesa di riportarmi a casa. In attesa della patente avrei preso il treno.

Ma lui non ne voleva sapere. «Non ho intenzione di farti rischiare la vita su quelle autostrade trafficate. Con tutti quei camion che sfrecciano a destra e sinistra, sarei preoccupatissimo. Le strade sono diverse al giorno d'oggi. Quando ho imparato a guidare io, c'era molto meno traffico. Ora non è sicuro.»

Come mi sentivo lusingata dal fatto che quell'uomo affascinante, che avrebbe potuto scegliere una qualsiasi ragazza dell'ufficio, si alzasse alle cinque e mezzo del mattino per farmi da autista. «Sei proprio come mio padre, vuoi tenermi avvolta nell'ovatta.»

Lui si fingeva ferito. «Cosa c'è di male nel voler tenere al sicuro la donna che amo? E poi così abbiamo tempo per chiacchierare. Voglio stare con te, più che con chiunque altro al mondo. Ma, ovviamente, se preferisci gironzolare per le stazioni ferroviarie da sola col buio, dirò alla mia segretaria di farti i biglietti.»

Poi calava su di noi un silenzio denso di stizza, che mi faceva sentire in colpa, come se non apprezzassi il suo amore. E non riuscivo a sopportarlo. Il tormentone del papà quando da ragazzina andavo a casa di qualcuno era: «Sii sempre riconoscente: non dimenticarti di ringraziare». Era terrorizzato dall'idea che gli altri genitori mi trovassero maleducata, che venissi considerata la bimba strana senza mamma cui il padre non ha insegnato che bisogna dire «grazie» e «per favore».

E così, invece d'insistere per ottenere più indipendenza, mi ero convinta di essere fortunata ad avere qualcuno che si faceva in quattro per me, qualcuno disposto a adoperarsi per il mio bene. Metà delle donne con cui lavoravo passava la vita a correre stressata su e giù per l'autostrada o a rabbrividire sulle banchine delle stazioni. Immaginavo che prima o poi la novità di accompagnarmi si sarebbe esaurita e che alla fine avrei preso le agognate lezioni di guida.

Ma poi era nato Sandro e Massimo si era detto sicuro che le sue urla mi avrebbero distratto, facendomi rischiare un incidente. Poi era preoccupato per la mia salute. «Non fai più attività fisica come un tempo. Andare a piedi ti mantiene in forma e io ho bisogno che tu abbia una vita lunga e sana.» E mi stringeva la mano, mi assicurava che, ovunque mi occorresse andare, lui era ai miei comandi.

Non so come, gli anni erano passati in fretta e il momento giusto per imparare a guidare non era mai arrivato, permeato com'era di tensioni implicite, come se volere la patente insultasse in qualche modo l'abilità di Massimo di prendersi cura di me.

Ma era andata così. Ora mio padre stava scomparendo nell'oscurità e io ero appiedata, a chilometri di distanza, e dovevo confidare in un allineamento delle stelle, della luna e degli umori di Massimo per poter essere accompagnata a trovarlo.

Con la sgradita consapevolezza che tutto quel trasportarmi avanti e indietro, tutta quella preoccupazione per la mia sicurezza erano soltanto una forma di controllo, sotto falso nome.

Se gli avessi detto che intendevo imparare a guidare, Massimo me l'avrebbe impedito. Era troppo furbo per rivelare al mondo che in realtà me lo stava vietando. La colpa era della crisi economica che ci spingeva a ridurre le spese « non essenziali », un dramma che esigeva l'annullamento delle lezioni prenotate. E intanto una fleboclisi d'inadeguatezza mi s'instillava nelle vene: non avevo la coordinazione, la capacità di prevedere gli eventi, la reattività necessaria per superare l'esame di guida; e il tutto si concludeva con l'ammonimento: « Sappiamo cosa è successo a tua madre ». E così, nel tempo, mi ero ritrovata a essere talmente insicura da temere persino di usare il pelapatate.

Ma ora il papà aveva bisogno di me.

E così, quando Maggie si era offerta d'insegnarmi a guidare, avevo colto subito l'occasione, rifiutandomi per una volta di cadere nella solita trappola del dissuadermi da sola. I pensieri mi guizzavano veloci nella mente alla ricerca di una fune tesa tra gli ostacoli da superare. Non potevo dire a Massimo delle lezioni perché avrebbe inventato un modo per fermarmi. E non potevo chiedere a Maggie di mentirgli.

« M'insegneresti davvero? »

Maggie scoppiò a ridere di gusto, come fanno le persone che dal mondo si aspettano sempre il bene quando incontrano qualcuno che invece pensa sempre il peggio. « Ne sarei felicissima. Sarebbe una grande soddisfazione per me. La mamma non ha mai imparato a guidare perché eravamo troppo povere ed è davvero limitante per lei. E comunque, Lara, non vorrai restare sempre così vincolata alla possibilità di accompagnarti di Massimo, tenuto conto che è spesso fuori città?! In questo modo potresti fare un salto a trovare tuo padre ogni volta che vuoi. »

Mi sforzai di sembrare meno disperata di quanto fossi in realtà, puntando a commentare: « Sì, grande idea, sono pronta a buttarmi in quest'avventura », piuttosto che dare l'impressione di essere una appena caduta dal bordo del traghetto, che si aggrappa freneticamente a una scialuppa di salvataggio. Ma, con mio grande orrore, le parole rimasero soffocate in gola. Era passato talmente tanto tempo dall'ultima volta che qualcuno si era offerto di risolvermi un problema invece di aggiungermene altri! Ma vicino a Maggie mi sentivo sempre un po' stordita. Il suo ottimismo e il suo senso pratico erano contagiosi, come la sua consapevolezza che, sì, le cose potevano essere difficili, ma mettere a bollire l'acqua e calmarsi era già un buon punto di partenza. E sentivo che tutto sommato le piacevo ancora, sebbene ora fossi una Lara ben diversa da quella che Massimo aveva versato in uno stampo dieci anni prima.

Si fermò in una piazzola di sosta.

« Oh, tesoro, che Dio ti benedica. »

E, come fosse la cosa più naturale del mondo, slacciò le cinture e mi abbracciò forte. Non avevo più interazioni fisiche spontanee con nessuno ormai, e fu come se il mio cervello avesse bisogno di essere avvisato che il corpo non doveva rimanere in attesa, ma reagire. Ero sempre preparata agli assalti di Massimo, pronta a schizzare via dalla sua traiettoria o a prevenire che un moto d'affetto si trasformasse nel preludio a un'impegnativa maratona sessuale.

Mi tirai indietro per un istante, poi decisi di rilassarmi.

Mentre traboccavo di confusione e rabbia per aver permesso a me stessa di diventare così, Maggie mi lisciava i capelli. Era così in gamba, anche se ripeteva di continuo frasi tipo: « Cosa vuoi che ne sappia, io? Per vivere attacco chiusure lampo. Sei tu la cervellona, Lara. Mi piacerebbe tanto poter dire di essere laureata in Economia e sapere che la gente mi guarda e pensa: 'Uh, dev'essere proprio intelligente' ».

Come no, così intelligente da aver consentito a Massimo d'impedirmi di vedere mio padre.

Mi staccai dal calore e dal conforto che Maggie mi offriva. Se le avessi detto la verità, si sarebbe aspettata da me che corressi a casa, facessi le valigie e agissi. Ma cosa avrei mai potuto fare? Cosa avrebbe potuto *fare* una donna come me, senza mezzi, senza famiglia e, grazie a Massimo, senza amici? Dove avrei potuto portare Sandro, dove sarei potuta andare per non traumatizzarlo ancor più dell'atteggiamento irrazionale di suo padre?

Feci quello che facevo sempre. Ricacciai le emozioni dentro di me e setacciai la scorta di scuse che di solito usavo dopo aver reagito male o, che Dio me ne scampasse, dopo essermi difesa da Massimo: « Sono stanca », « È stata una giornata pesante con Sandro», «Mi dispiace, so che non volevi offendermi, sono un po' ipersensibile oggi». Qualsiasi cosa pur di mantenere la pace ed evitare che una discussione accesa degenerasse al punto di spingere Sandro a fuggire nella sua stanza tappandosi le orecchie con le mani o il cane ad abbaiare e aggirarsi intorno ringhiando, mentre Massimo lo incitava a cercare di azzannarmi.

Mi schiarii la voce. «Scusami, Maggie. La mia è una reazione esagerata. Ma è sconvolgente vedere il papà in queste condizioni. Mi ha scambiato per mia madre.»

Maggie chinò la testa di lato e mi strinse le spalle. «Non è una reazione esagerata. Tuo padre è confuso e ferito e tu sei turbata. Non c'è niente di strano. Santo cielo, Lara, datti tregua. Non sei un blocco di cemento. Vuoi che faccia uno squillo a Massimo e gli dica cos'è successo?»

Non avevo nessuna intenzione di dirgli che il papà stava peggiorando. «No, grazie. Non vorrei che si preoccupasse e tornasse di corsa a casa. Ha già il suo bel daffare in ufficio.»

E Maggie fece *quell'espressione*, l'espressione che avevo visto tante volte sulla faccia delle mie amiche – quando ancora ne avevo –, quella che diceva: *Non zerbinarti così*. E come loro sospirò, esasperata.

Ma avevo bisogno di quell'amicizia, di quel brandello di normalità nel mio mondo di follia. «Sarei felice se m'insegnassi a guidare. Potremmo fare lezione senza dirlo a nessuno? Mi piacerebbe fare una sorpresa a Massimo e un bel giorno presentarmi al volante.» Trattenni il fiato; chissà se l'avevo fatta franca, chissà se quel suggerimento apparentemente innocente sarebbe bastato a convincere Maggie a imbarcarsi in quell'impresa.

Lei annuì. «È sempre un bene sorprendere i mariti proprio quando pensano di conoscerci! Dovremo trovarci dietro l'angolo, perché scommetto che Anna ha piazzato delle telecamere di sorveglianza per controllare che non metta in vendita l'argenteria di famiglia.»

Sentii un brivido di eccitazione, un impeto di ribellione vibrare come un canto, come le battute di un inno che giunge da una festa lontana in cui tutti battono i piedi e agitano i pugni, come se le parole fossero state scritte solo per loro. Avrei escogitato un modo per fare la cresta sulla spesa e accumulare i soldi necessari per richiedere il foglio rosa, prima di cambiare idea. Se avessi dimostrato a Massimo che ero determinata a riprendere il controllo della mia vita, a tenergli testa, mi avrebbe portato più rispetto.

Ne ero sicura.

19

MAGGIE

Nel corso della settimana successiva tentennai, indecisa se dire a Nico che avrei insegnato a guidare a Lara, non appena lei avesse ottenuto il foglio rosa. Non volevo che gli sfuggisse e rovinasse la sorpresa a Massimo, ma alla fine ebbi l'impressione di averlo già deluso a sufficienza con la storia di quel maledetto portagioie.

Alla notizia, Nico scoppiò a ridere. « Che Dio ci aiuti. Penserà che stare appiccicati al paraurti della macchina davanti sia del tutto normale. »

Lo colpii col giornale. « Voi Farinelli siete un branco di maschilisti del cazzo. Povera Lara, le farà bene fare qualcosa per se stessa, invece di star sempre a correre dietro a Massimo e Sandro. E così potrà vedere suo padre più spesso. »

Nico mi prese la mano. « Credo sia fantastico e tu sei gentilissima a darle una mano. E, non preoccuparti, terrò la bocca chiusa. Massimo ne sarà felice, così non sarà più costretto ad accompagnarla al supermercato tutti i sabati. »

« Sì, è un po' strano in effetti. Roba d'altri tempi. » Mi guardai in fondo al cuore per controllare di non essere solo un po' gelosa del fatto che Massimo amasse fare con sua moglie anche banali commissioni. E fosse davvero *disponibile* a fare con lei banali commissioni piuttosto che sparire ogni sabato per portare Francesca a qualche gara di nuoto.

Cacciai via i pensieri contrastanti: perché da un lato non volevo che Nico mi stesse sempre intorno, mentre dall'altro mi sarebbe piaciuto che lui *avesse voglia* di starmi sempre intorno. Evidentemente il matrimonio mi stava facendo rincretinire.

Nico sporse il labbro inferiore. « Non ti piacerebbe se venissi a comprare mirtilli e lamponi con te? »

« No, tesoro, perdonami. Forse sono stata da sola per troppo tempo, ma non ho bisogno che un uomo mi aiuti a scegliere che tipo di lattuga comprare. Quel fare tutto insieme come fossimo incollati con l'Attack come Massimo e Lara è davvero un po' esagerato.»

«Ricordati che Dawn l'ha lasciato e lui ne è rimasto sconvolto. Sta solo cercando di non commettere gli stessi errori. S'impegna molto di più con Lara. E lei ha bisogno di molto sostegno per Sandro, credo sia un bambino difficile da gestire.»

Incrociai le braccia. «So che a tua madre piace far passare Lara per un'inetta che non riesce a far nulla da sola, ma è davvero così? L'ho vista prendere in mano la situazione alla casa di riposo e penso sia molto più in gamba di quanto voi crediate.»

«Cos'è oggi, la giornata anti-Farinelli? Ti sei già stancata di noi?»

«Scusami, non volevo dire questo, ma fare la madre è difficile. Sono tutti pronti a puntarti il dito contro e a dire la loro se tuo figlio non mangia i piselli, non riesce a dividere in sillabe la parola 'aiuola' o, come nel caso di Sandro, non sa nuotare. Penso che Lara abbia bisogno di una tregua. Nessuno critica Massimo, né lo accusa di essere un padre di merda. Chissà come, però, è colpa di Lara se Sandro non gareggia nella squadra di nuoto della contea come Francesca o se detesta i cani.»

Nico cominciò a sparecchiare. Sentii l'inaspettato desiderio di attaccar briga. Mi sembrava ingiusto che Lara dovesse sempre faticare tanto per compiacere tutti e che nessuno si accorgesse mai di quanto aveva da offrire.

Ma Nico, adorabile com'era, stava davvero ascoltando le mie parole. «Sì, forse hai ragione. Lara fa l'impossibile per essere una madre perfetta. Comunque, sono sicuro che se la caveranno. E noi abbiamo i nostri figli cui pensare.»

Lo amavo quando si riferiva ai ragazzi dicendo i «nostri» figli. Mi aveva accompagnato al ricevimento genitori la settimana prima e avevo faticato a concentrarmi su Sam e i suoi progressi con le metafore e le similitudini, perché ero ridicolmente orgogliosa di avere Nico accanto a me e lo esibivo come una coccarda della vittoria. Per la prima volta avevo l'impressione che gli insegnanti di Sam non imputassero più le sue lacune al fatto di avere una madre single: senza padre, vive in quel quartiere di merda, cosa ci si può aspettare? Anche se, in fondo al cuore, sapevo che per me e la mamma Sam provava molto più affetto di quanto ne provasse la metà dei bambini nei confronti di padri sempre incollati allo schermo dell'iPhone, convinti che stirare fosse ancora un'attività stabilita dal genere sessuale. Ma per una volta era bello che altre orecchie sentissero che Sam stava sviluppando le competenze necessarie per frequentare il liceo, avere qualcuno vicino che non ritenesse l'istruzione superiore un optional, una persona che – a differenza della mamma – non considerasse i libri semplici sostegni per le gambe rotte del divano.

Ma il pensiero di Lara continuava a tormentarmi. Mi ero chiesta se scambiare due parole tranquille con Massimo, per metterlo al corrente di quanto fosse turbata per le condizioni del padre. Lei però era fissata con quella stronzata del non disturbarlo. Personalmente, speravo che Nico volesse sapere se ero sconvolta per qualche motivo. Avrei accompagnato Lara a trovare suo padre ogni volta che potevo, ma una volta che la sua caviglia fosse guarita forse avrebbe potuto portarlo a casa sua per un giorno, se la mamma ci avesse dato una mano. Ero sicura che sarebbe stata felice di essere coinvolta.

Ma tutti quei pensieri furono spazzati via quando salii al piano di sopra per andare a letto e vidi la scaletta del mio atelier tirata giù. La rimettevo sempre a posto dopo aver finito. C'era la luce accesa. Esitai in fondo ai gradini, figurandomi ladri in passamontagna sbucare dal portello armati di mitragliatrici. Gridai a Nico: « C'è qualcuno nel mio atelier ». Sentii un gran fracasso e il rumore di qualcosa che si sparpagliava sul pavimento. « Nico! »

Lui, il mio cavaliere senza macchia e senza paura in accappatoio a righe, si precipitò fuori dal bagno e corse su per la scala.

Non credo lo avessi mai sentito alzare la voce prima d'allora: « Francesca! Che cavolo è successo quassù? »

Non riuscii a sentire la risposta, ma solo un brontolio rabbioso, seguito dalle parole brusche, poi sempre più dolci di mio marito. Cominciai a salire i gradini, però Nico fece capolino dal portello. « È meglio che non entri per ora. Ci penso io a sistemare le cose con Francesca. Credo ci sia stato un problemino di comunicazione. Lei pensa che tu abbia buttato via il portagioie di sua madre. Dice che te l'ha chiesto un sacco di volte, ma che continui a ignorarla e, siccome domani ha la mostra dei gioielli realizzati nell'ora di design, è venuta su a cercarlo. »

Sentii un tuffo al cuore. Mi balzò alla mente l'immagine di me che mi guardavo intorno per assicurarmi che nessuno mi stesse osservando prima di gettare la scatola nel cassonetto dei rifiuti. Come potevo ammettere ciò che avevo fatto senza trasformarmi in un apriscatole gigante pronto a scoperchiare un barattolo di schifosissimi vermi?

Forse potevo sfangarla con un: « Ho cercato ovunque e temo sia finito in una delle borse che ho portato nei negozi di articoli usati, da vendere per beneficenza. Mi dispiace. Te ne comprerò uno nuovo ». Mi venne male al pensiero di quanto avrei dovuto lavorare per potermi permettere un oggetto simile.

Ma non avevo mantenuto le promesse e ora stava a me porre rimedio. La mattina in cui avevamo cominciato a sgombrare la soffitta, avevo giurato che non avrei buttato via niente senza l'autorizzazione di Francesca. Avevo insistito che non doveva sentirsi in imbarazzo nel circondarsi di cose di sua madre. Eccetto Lara, nessuno di noi sapeva cosa significasse perdere la mamma in età precoce ed era solo lei ad avere diritto di affrontare l'argomento nel modo che preferiva. Ma di certo non mi ero aspettata di scoprire una bomba inesplosa tra i beni di Caitlin, una bomba col potere di ridurre in briciole i ricordi che Francesca aveva della madre.

Sentii lo scricchiolio dei piedi di Nico e di sua figlia sul pavimento di legno che avevo riverniciato di bianco e smaltato con prodotti nautici. M'interrogai su quel rumore sconosciuto. Poi capii. Francesca aveva rovesciato il casellario con tutti i piccoli scompartimenti che contenevano le mie perline, le paillettes e le gemme, quelle che andavo a pescare nei mercatini, che compravo all'asta su eBay, per le quali mettevo a soqquadro i negozi di articoli usati. Il mio piccolo rifugio di perle, strass e gioielli disseminati ovunque e calpestati. In quel momento la odiai. Ero stufa di essere l'adulta, di accettare pessimi comportamenti, di mordermi la lingua e lasciare che fosse Nico a gestire le cose. Sì, certo, mi dispiaceva che sua madre fosse morta, mi dispiaceva non poterla rimpiazzare, in quell'istante mi dispiaceva persino aver posato gli occhi sulla famiglia Farinelli. Ma era arrivato il momento di mettere dei paletti a quella tredicenne che mandava in fumo la mia attività, quando in fondo stavo solo cercando di proteggerla dalla verità su sua madre e sulle sue mutandine scivolose.

Avrei voluto salire i gradini e mettermi a sbraitare contro mio marito, che era stato talmente cieco da non accorgersi che, ogni volta che sua moglie usciva portandosi appresso quel suo stupido binocolo da teatro, in realtà andava a spassarsela con qualche riccone, beveva tè e mangiava tramezzini coi cetrioli drizzando il mignolino sprezzante, mentre Nico scompariva nel vivaio senza altri pensieri se non ridurre il prezzo dei gerani prima che finisse la stagione.

Ma, nonostante la collera che m'infiammava, sapevo che non avrei mai usato il comportamento di merda di Caitlin come arma. Per quanto il padre di Sam mi avesse deluso, avevo sempre saputo che genere d'uomo avevo davanti sin dall'inizio: un giocatore, uno scansafatiche e un donnaiolo irresponsabile. Probabilmente pensava che la parola « fedeltà » fosse una di quelle stranezze che si tirano fuori solo una volta l'anno, per i canti di Natale. Eppure avevo pianto lo stesso, aggrappata al cuscino, sola e disperata, avevo preso in braccio il mio bambino appena nato e mi ero chiesta come sarebbe stato il nostro futuro.

Dio solo sa come poteva essere doloroso sovrapporre quelle sensazioni all'immagine perfetta di una donna che aveva un cassetto pieno di spazzole per vestiti, calzascarpe e graffette. Eppure quel pensiero non bastò a farmi calmare. Soprattutto nel momento in cui Nico sbucò dalla soffitta con un'espressione quasi soddisfatta sul viso.

Mi disse sottovoce: « Francesca è molto dispiaciuta per il disordine, ma stiamo facendo dei progressi. Finalmente si sente pronta ad andare al cimitero. Pensa che le sarebbe di aiuto ».

Lo fissai come se di colpo gli fossero spuntate due teste con indosso un berretto da cacciatore. Il mio atelier, il posto in cui mi guadagnavo da vivere, era completamente distrutto e Nico mi presentava la cosa come un cazzo di trionfo. Dovetti aggrapparmi a ogni fibra di maturità del mio corpo e resistere alla tentazione di trasformarmi io stessa in una bambina. Avrei voluto fiondarmi nella camera di Francesca in fondo al corridoio, strapparle tutti quei maledetti poster dalle pareti e buttarle per terra tutte le boccette di smalto fino a far sembrare la sua stanza un gigantesco quadro astratto e, per sicurezza, farci esplodere dentro anche qualche cuscino di piuma.

Quando avevo provato a pronunciare la parola « matrigna » prima di sposarmi, arrotolandola sulla lingua per sentire come suonava, mi ero immaginata tranquilla e amichevole. Avevo sperato che Francesca dicesse alle amiche: « La mia matrigna è davvero fantastica, sono proprio fortunata ». Avrei voluto essere di quelle che organizzano picnic e giornate sulla spiaggia passate a buttarsi tutti tra le onde tenendosi per mano, una di quelle che fanno volare gli aquiloni al parco, ridendo nel vento. Francesca non avrebbe mai dimenticato Caitlin, era ovvio, ma desideravo che sentisse di avere una vita più ricca insieme con me.

E invece ero lì a ingoiare un'enorme matassa infuocata di rabbia – che probabilmente mi avrebbe intaccato un'arteria o due sprigionando qualche sostanza tossica che mi avrebbe ucciso in giovane età – e, serrando i denti come se avessi intrappolato un girino in bocca, mi sforzai di dire: « Ottimo. Sistemeremo tutto domattina ».

Naturalmente m'illudevo ancora di essere nel mondo delle principesse Disney.

20

MAGGIE

La mattina seguente, a colazione, l'unico con un po' di brio era Sam, che voleva sapere dove poter organizzare una festa per il suo undicesimo compleanno.

« Massimo si è offerto di aiutarci, mamma. Ha detto che conosce un sacco di giochi con la palla e che avrebbe pensato a tutto lui, se tu non volevi. »

Non sapevo se irritarmi per il fatto che Massimo aveva caricato Sam di aspettative o se essere grata che, nella situazione di merda in cui ci trovavamo con Francesca, qualcuno si stesse occupando di mio figlio. Sam non si lamentava mai, ma era da un sacco di tempo che non mi sedevo un po' con lui e non gli dedicavo la mia attenzione al cento per cento. Quando abitavamo dalla mamma, sembrava che avessimo molto più tempo per chiacchierare, per guardare la TV insieme, per stare vicini e basta. Ora ero così impegnata a cercare di fare progressi con Francesca, che sembrava mi ricordassi solo di dargli una pacca sulla schiena di tanto in tanto dicendo: « Tutto okay, amore? » quando gli passavo accanto, senza neanche fermarmi a sufficienza per sentire la risposta. Ma forse era un bene per lui staccarsi un po' da me, stringere relazioni con altre persone che potessero mostrargli un altro mondo, al di là dei miei orizzonti ristretti.

Ma, quand'anche Sam avesse notato che non ero concentrata su di lui come un tempo, la sua fiducia in se stesso non pareva esserne stata scalfita. Era straordinariamente tenace. « Allora, posso avere una festa a tema calcio? Eh, mamma? »

Data l'atmosfera generale che si respirava quella mattina, non mi sembrava proprio il caso di discutere dell'organizzazione di una festa di compleanno che prevedeva giochi potenzialmente rischiosi per le preziose piante di Nico, da lui ripulite e curate con tanto amore. «Possiamo parlarne in un altro momento, tesoro? Ho un sacco di cose cui pensare oggi.»

Per esempio come cavarmela con una famiglia che somigliava a quelle imprevedibili fontane che zampillavano secondo una sequenza casuale, talvolta gocciolando, talvolta spruzzando veri e propri getti d'acqua, buttandomi a terra proprio quando pensavo di aver cominciato a raccapezzarmi.

Francesca non si era scusata e Nico non l'aveva spinta a farlo. Ero così sconvolta la sera prima che eravamo semplicemente andati a letto, Nico mi aveva coccolato e detto che ne saremmo usciti, che avremmo trovato una soluzione e forse, ora che sua figlia era pronta ad andare al cimitero, avrebbe accettato con più facilità il fatto che lui si era risposato. Ma, quella mattina, con perfetto tempismo maschile, mentre mi sforzavo di tirare su la cerniera dei jeans, Nico mi aveva chiesto con una sfumatura di sospetto nella voce cosa fosse «davvero» successo al portagioie d'oro, come se l'avessi fatto scivolare fuori dalla finestra del bagno per farlo finire dritto nelle mani di qualche losco criminale. Benché l'avessi preso io, mi offendeva che *lui* considerasse anche solo la possibilità. Mi aveva chiesto con aria perplessa: «Ricordo che era sul tuo tavolo da lavoro, poi non mi pare di averlo più visto. È salito qualcun altro in soffitta che potrebbe averlo spostato?»

Non riuscivo a capire se stesse insinuando che l'avevano rubato Sam o la mamma o se sospettasse di me, o se stesse banalmente cercando di eliminare qualsiasi potenziale scenario. Concedergli il beneficio del dubbio non era in cima alla mia lista. Ero davvero risentita che quella stronza di Caitlin avesse causato tutto quel casino e che ora toccasse a me coprirla. «Per la miseria, non lo so dov'è. L'ho messo da parte, ma poi dev'essere finito per sbaglio in una delle borse che abbiamo buttato. Perché tutto ciò che a Francesca non va bene dev'essere per forza colpa mia?»

Ci fu una breve pausa mentre entrambi metabolizzavamo il fatto che fino a quel momento, quale che fosse la provocazione subita, non mi ero mai mostrata apertamente ostile nei confronti di Francesca; avevo sempre seguito la linea della persona adulta, quella del «poverina, deve affrontare una cosa enorme», anche quand'era così dispettosa e viziata che era difficile riuscire a ignorarla e andare oltre. Ma all'improvviso mi era sembrato che, se non avessi continuato a correre davanti ai Farinelli levigando il ghiaccio come lo *sweeper* in una partita di curling, ben presto saremmo finiti tutti in un groviglio inestricabile di rancori, ognuno coi propri fini che uscivano dai loro nascondigli e si palesavano alla luce del sole.

Nico non disse nulla e continuò ad annodarsi la cravatta, con aria avvilita ed esausta.

Io scesi di sotto, troppo arrabbiata per fregarmene di ciò che pensava mio marito. Ero tentata di correre in fondo alla strada e cominciare a frugare nel cassonetto. Accarezzai l'idea di mostrargli il portagioie con gli ingressi all'opera, i bigliettini d'amore e i menu - le prove della vita segreta di Caitlin - e di buttargli tutto addosso gridando: «Ecco qua, in fin dei conti non era poi la madre e moglie modello che credevate».

Ma volevo pensare di essere migliore di così.

Speravo di esserlo.

Francesca uscì per andare a scuola, sbattendo la porta e tuffandosi sotto un temporale estivo senza l'impermeabile. Sam mi abbracciò e se ne andò saltellando, concentrato solo sul fatto che Massimo gli aveva promesso una maglietta della nazionale come regalo di compleanno. Grazie al cielo c'era qualcuno in famiglia cui noi Parker piacevamo. Nico si comportò in modo un po' strano, salutandomi prima di andare al lavoro con un pacato: «Stasera torno verso le sei, così ti aiuto a riordinare in soffitta».

Posai la testa sul tavolo e cercai di capire quale fosse la cosa giusta da fare. L'unico pensiero che mi girava per la mente era: bel casino. Proprio quando stavo per farmi coraggio e salire in soffitta a verificare se il caos lassù era davvero tremendo come mi era parso di vedere dal quinto piolo della scala, suonò il campanello. Attraverso il vetro smerigliato intravidi un impermeabile che sembrava un piccolo tendone turchese.

Spalancai la porta. «Mamma! Va tutto bene?»

«Ho solo pensato di fare un salto a trovarti, mentre tornavo a casa. Ho appena finito il turno del mattino con Daphne.»

La guardai confusa. «Daphne?»

«Sì, la vecchietta che sta perdendo la testa, quella che pensa che stiano arrivando i tedeschi.»

«Oh, certo. Vieni dentro. Hai mancato Sam per un pelo. È già uscito per andare a scuola.»

«Lui lo vedo già abbastanza, è di te che mi servirebbe una fotografia per ricordarmi come sei fatta.»

Mi sentii pervadere dal senso di colpa. «Mi dispiace. È stato un periodo un po'...» Mi fermai. Non potevo rivelarle la gravità della situazione, anche se talvolta mi mancavano i giorni in cui noi tre sedevamo stretti sul divano del suo appartamento a guardare *Affari tuoi*, le gambe di Sam stese sulle nostre ginocchia, a immaginarci a turno cosa avremmo fatto coi soldi della vincita.

La mamma diceva sempre la stessa cosa: «Io non voglio niente, ma vorrei vedere te e Sam in una casa tutta vostra. Solo per avere la certezza di sapervi sistemati, quando tirerò le cuoia. Ecco, sì, una casa per te e magari un fidanzato».

E poi la prendevamo in giro per quel suo modo di parlare, come se avesse già un piede nella fossa quando, invece, doveva ancora compiere sessant'anni. Lei faceva il solletico a Sam e, anche se sentivamo Mr Emerson strascicare i piedi al piano di sopra e i teppistelli prendere a calci i bidoni della spazzatura per la strada, ero felice. Quella era casa mia.

E così non potevo dirle che ora che avevo realizzato il suo sogno, anche senza l'aiuto di un programma TV, in fondo non era tutto 'sto granché. Facevo fatica a guardarla negli occhi. La mamma aveva perfezionato il suo sguardo: *Non hai possibilità di nasconderti.*

«Si può avere una tazza di tè?» Non si tolse l'impermeabile né si fiondò in cucina a metter su l'acqua come faceva di solito.

«Vuoi tenerti addosso l'impermeabile?»

«Non volevo toglierlo per non sporcarti in giro.»

«Non dire sciocchezze. Dammi qua.» Presi l'impermeabile e la spinsi verso la cucina.

Lei si guardò intorno, fissandosi poi sulla nuova macchinetta del caffè nell'angolo, un mostro cromato multifunzione che macinava addirittura i chicchi. L'aveva comprata Nico, dicendo: «Questa settimana ho venduto un paio di casette da giardino extralusso e due trattorini tosaerba, e questo è un piccolo modo per festeggiare ». Sapevo che quell'affare era costato quasi come un mese di affitto dell'appartamento della mamma. E, anche se lei non conosceva i prezzi di quegli aggeggi progettati apposta per « fare il caffè come lo fanno gli italiani », non era una stupida.

Mi sforzai di sorridere. « Sì, è il nuovo giocattolino di Nico. Sai com'è pignolo in fatto di caffè. Ne vuoi uno? »

« Se hai tempo. »

« Ho sempre tempo per te, mamma. » Cominciarono a bruciarmi gli occhi. Beryl di solito arrivava come un uragano, piena di storie da raccontare sulle persone cui prestava assistenza, ma quel giorno sembrava fuori fase. Con quella strage di ganci e occhielli al piano di sopra e Nico che mi parlava a malapena, per non dire di Francesca, vedere la mamma in affanno poteva essere il colpo finale per me. « Mi spiace non essermi fatta vedere ultimamente. Ho avuto un gran daffare qui, con l'allestimento dell'atelier, l'inizio dell'attività e la sua gestione. »

La mamma s'illuminò. « È finito? Posso vederlo? »

Accesi il macinacaffè per concedermi un secondo per pensare. « È quasi pronto. T'inviterò quando farò l'inaugurazione vera e propria. »

La mamma avrebbe saputo come conquistare Francesca, nonostante la saga del portagioie scomparso. Lei trovava sempre la parola giusta per tutti. Anche i tipi più tosti del vecchio quartiere indietreggiavano per lasciarla passare, si davano di gomito per avvisarsi di levarsi di mezzo e tenevano a freno la lingua quando la mamma sfilava loro accanto salutandoli con un allegro: « Ciao, miei cari », come se fossero lupetti in uniforme da scout pronti a raccogliere rifiuti e lavare le auto.

Ma, in qualità di sua unica figlia e, pertanto, unico contenitore dei suoi modesti sogni e ambizioni, non riuscivo a pronunciare le parole: « Questo scherzetto del matrimonio non fa esattamente sbellicare dalle risate ».

Non volevo neanche ammettere con me stessa che Francesca mi odiava tanto da aver distrutto deliberatamente una cosa che per me era davvero preziosa.

Finii di preparare il caffè e vidi la mamma resistere alla tentazione di guardare il fondo della tazza per vedere di che marca fosse. Sorrisi. « Hai fatto qualche mercatino all'aperto negli ultimi tempi? »

Lei batté le mani. « Sì, sai quel buffo sgabellino nell'angolo della serra, quello con sopra la pianta? Un tizio l'ha comprato per quindici sterline sabato scorso. Ne ho date metà a Sam per comprarsi un nuovo paio di guanti da portiere. »

« Non dovevi, mamma. Dovresti comprare qualcosa per te. »

Mi guardò da sopra la tazza. « Io *voglio* fargli un regalo. Resta sempre mio nipote, sai? »

Non l'avevo mai vista così suscettibile. « Nessuno dice il contrario, mamma. Ho fatto qualcosa che ti ha dato fastidio, per caso? »

E con ciò il suo viso, che aveva sempre l'aria di voler cogliere un filo di divertimento anche nei momenti più tristi, si raggrinzì e si coprì di lacrime. Non vedevo piangere la mamma da quando avevano soppresso il nostro vecchio ed energico Jack Russell, dieci anni prima. Detestavo il pensiero che adesso lo facesse per me e Sam. Frugò nella manica in cerca di un fazzoletto, che riconobbi subito come parte del bottino di tovaglioli racimolato ogni volta che portava Sam da McDonald's. « Scusami, scusami, Mags. Non voglio venire qui a piagnucolare. Sono felice per te, davvero. È solo che mi mancate. Mi sento un po' sola senza te e Sam. »

Mi aspettavo che fosse felice di riavere indietro il suo appartamento, di avere più spazio in cui muoversi. Ma ora me l'immaginavo seduta sul divano senza nessuno con cui discutere delle disastrose meringhe dei concorrenti di *Bake Off*.

La mamma si massaggiò le piccole chiazze di pelle secca sulle nocche, ponderando se la nostra relazione fosse in grado di sopportare ciò che stava per dirmi. Tirò su col naso. « Penso che ti vergogni di me, ora che sei sposata con un Farinelli, che fai parte della sua famiglia e che ti sei 'migliorata'. È per questo che non vuoi che passi di qui. »

« Io non ti ho mai impedito di passare di qui! » Mi preparai a un'altra critica, chiedendomi cos'altro avessi sbagliato, quale altra mancanza avessi commesso, quale altro buchetto avessi scordato di riempire.

« Quand'è stata l'ultima volta che mi hai telefonato per invitarmi da te? »

« Tu sei un membro della famiglia. Non occorre che t'inviti. Puoi venire ogni volta che vuoi. »

Stava diventando uno schema ricorrente. L'ultima volta che ero uscita con le ragazze a bere qualcosa, mi avevano punzecchiato, chiedendomi se avessi cancellato il loro numero di telefono dal cellulare. E mi ero un po' offesa, anche se sapevo che non uscivo più tanto spesso quanto prima. Ma non succedeva così a tutte le donne che si sposavano? Altrimenti, tanto valeva restare single.

La mamma scosse la testa e io sentii un nodo allo stomaco. Ci eravamo irritate a vicenda ogni tanto, ma non avevamo mai litigato nel vero senso della parola. E non volevo iniziare ora che sembrava che la nostra vita dovesse migliorare.

« Potrai anche dire che sono la benvenuta ma, ogni volta che capito qui, è come se mi mettessi sotto esame: 'Appendi il soprabito, appoggia la tazza sul sottobicchiere, lavati le mani prima di aiutarmi a cucinare, sta' attenta a non rovesciare quel calice'... come se fossi una bambina di cinque anni che non riesce a bere senza versare acqua ovunque. »

Sospirai, mentre il senso di fastidio diminuiva. Da dove iniziare? Come potevo anche solo cominciare a spiegare il fardello che sentivo addosso nel dover prendermi cura di tutto ciò che era appartenuto a Caitlin, così che Francesca non avesse mai l'occasione di dire: « Adoravo quel tavolo/quel bicchiere/quella ciotola/quel cazzo di cucchiaino da tè, ma la famiglia di Maggie l'ha rovinato »? Come dirle che avevo paura che Anna entrasse da un momento all'altro e che notasse la valanga di scarpe e scarpette di Sam, le borse della spesa non ancora svuotate, le penne senza tappo sparpagliate sul tavolo della cucina, in poche parole la sciatta, trasandata seconda moglie? Come raccontarle che passavo la vita a spazzare dietro me e Sam, ma che non riuscivo mai a riordinare abbastanza bene da togliermi di dosso la sensazione di essere un fastidioso peluzzo nell'immacolato ritratto della famiglia Farinelli?

Non era la mamma a essere fuori posto.

Ero io.

Le presi la mano. « Mi dispiace averti fatto sentire così. È un periodo di adattamento un po' per tutti, no? Siamo stati una piccola unità di tre persone per così tanto tempo che ora mi sento un po' intrappolata nel mezzo e mi sforzo di compiacere tutti. »

Una descrizione più precisa si sarebbe allungata come una corda elastica sfilacciata sul punto di spezzarsi e schizzare nell'occhio di qualcuno.

Il viso della mamma si rilassò. « Sai quella Daphne che sto accudendo? Suo figlio la porta in vacanza le prime due settimane d'agosto, così avrò un po' di tempo libero. Ho tenuto da parte i soldi ricavati coi mercatini. Ne ho a sufficienza per noleggiare una roulotte in Cornovaglia. Pensi che Nico vi lascerebbe venire con me? »

« Certo. Sarebbe contento se trascorressimo del tempo con te. E, in ogni caso, la questione non è che lui ci 'lasci' venire o no... Abbiamo un rapporto alla pari, in questo senso. »

Persino la mamma era caduta nella trappola di pensare che io dovessi inginocchiarmi a terra, grata di aver trovato un marito. Chissà se *qualcuno* pensava che fosse Nico quello fortunato ad avere me. Ma la mamma era così emozionata all'idea della nostra avventura in Cornovaglia che non si accorse del mio commento acidognolo.

« Possiamo andare all'Eden Project – credo di poter scambiare i miei buoni Tesco coi biglietti d'entrata alle biosfere – e ho visto in TV che si può fare surf da quelle parti, forse Sam può provare, ci sono delle spiagge carinissime, con tanto sole, sarà bello come andare all'estero. »

La parola « estero » mi risvegliò. Dio. La Toscana. Le prime due settimane di agosto.

La mamma stava ancora decantando le virtù del tradizionale *cream tea* e valutando di affittare un frangivento, in caso di necessità. Non potevo dirle che non saremmo andati. Non ora. Non adesso che si sentiva già squadrata dall'alto in basso.

Ma non potevo neanche permetterle di far progetti e poi deluderla all'ultimo. Stavo seduta lì col viso e col cuore in fiamme. Dovevo tirar fuori le parole. « A dire il vero, mamma, mi spiace tanto, ma mi sono appena resa conto che in quel periodo io e Sam saremo in Toscana.»

Mi guardò come se le avessi detto che saremmo partiti per l'America su un jet privato. «In Toscana?»

Annuii, sperando di non dover anche aggiungere: «Alloggeremo in un castello».

Sul suo viso balenò una strana espressione, come se io e Sam ci stessimo allontanando tanto da andare ben oltre la sua portata. Avrei voluto remare per tornare da lei e caricarla sulla barca con noi, non abbandonarla lì, spettatrice riluttante di una vita che non poteva condividere.

Fu quello, con ogni probabilità, a indurmi a pronunciare la frase che uscì subito dopo dalla mia bocca, un'idea folle formulata da una mente squilibrata, un suggerimento con la parola «disastro» scritta sopra, che lampeggiava come una luce stroboscopica nella cucina. «Perché non vieni in Italia con noi?»

21

LARA

Il foglio rosa arrivò cinque giorni dopo. Guardai il mio viso spaurito sulla fototessera, atterrita. Non so come, avevo pensato che ci sarebbero voluti un mese o due. Ero riuscita a scucire i soldi a Massimo inventandomi una gita scolastica. Piena di sensi di colpa, avevo istruito Sandro perché mi reggesse il gioco. Era inevitabile. Il papà doveva venire al primo posto, ora.

Prima di perdermi d'animo, andai in città e comprai alcune targhe da principiante magnetiche, poi le infilai nella borsa come se avessi acquistato un tanga di pelle di leopardo che non volevo far vedere a nessuno. Andai dritta a casa di Maggie, tremando di paura all'idea che avesse cambiato idea. Mi aprì la porta con l'aria di una che non dorme da una settimana.

«Tutto okay?»

E stavolta fu lei a scoppiare in lacrime.

«Cosa succede?» Avrei voluto abbracciarla, invece entrai strascicando nell'atrio ed esitai, imbarazzata. Ero così fuori allenamento quanto ad amicizia e magagne varie. Quando lavoravo, le rotture coi fidanzati, le sfuriate del capo e i fallimenti della fecondazione assistita erano motivi di discussione quotidiani nei bagni aziendali. Adesso ero così impegnata a tenere la mia vita rinchiusa dentro un vaso che mi ero cullata nell'idea che tutti gli altri fossero tanto felici da ballare davanti allo specchio ogni mattina.

Maggie cominciò ad aggiornarmi su ciò che era successo la sera prima.

«Oddio. E Nico cos'ha detto? Era furioso?» domandai.

«Non credo che si renda conto di quanto è importante per me continuare a lavorare. Non guadagno neanche lontanamente quanto guadagna lui, perciò forse sembra che stia solo attaccando qualche bottone per gioco. Ma io voglio potermi mantenere. Tutti pensano che abbia sposato Nico solo per i suoi soldi.» Singhiozzò.

Provai un moto di vergogna per essere caduta anch'io nel giochetto di potere di Anna. «Nessuno lo pensa.»

Maggie si allontanò. «Grazie di cuore, Lara, ma potrei nominare almeno una persona che di sicuro ne è convinta. Tu e Massimo, però, mi avete fatto sentire davvero la benvenuta.»

Grazie al cielo non aveva sentito il commento di Massimo quando Sandro si era lasciato sfuggire di essere stato a casa di Beryl la settimana prima invece di andare in piscina. Aveva fatto uno dei suoi sproloqui, parlando di quella «chiattona ignorante che se n'era uscita con la bella trovata di portare nostro figlio in un tugurio pieno di drogati, mentre noialtre due perdevamo tempo per andare da un vecchio rincoglionito che non sapeva neppure che giorno fosse».

«Posso aiutarti a riordinare?»

«Non so ancora quanto sia grave la situazione. Ieri sera non me la sono sentita di andare a vedere. Stavo giusto per salire.»

«Forza, andiamo, allora. Prima sistemiamo, prima passerà la rabbia.»

Maggie mi dedicò l'ombra di un sorriso. «Grazie. E, appena finito, andiamo fuori città e cerchiamo un posticino tranquillo dove trasformarti in Lewis Hamilton.»

Dio solo sa come doveva sentirsi Maggie, perché io trattenni a stento un urlo quando vidi in che stato si trovava l'atelier. Ma, al contrario di me, lei era una tosta. Chiuse gli occhi, fece un profondo respiro e mi allungò uno dei casellari. «Potresti raccogliere le perline blu e verdi e tutti gli strass?»

Lavorammo in silenzio per un po', finché non riuscii più a resistere. «È stato un motivo particolare a scatenare una reazione del genere? Quando ti ho visto con Francesca, qualche settimana fa, ho avuto l'impressione che le cose andassero benone tra voi, non è così?»

Ricordavo di aver visto la zazzera riccioluta di Maggie vicino alla chioma scura e liscia di Francesca mentre riflettevano insieme sulla fantasia da scegliere per una maglietta estiva richiesta da mia nipote. Avevo avvertito una piccola fitta d'invidia per la naturale affinità di Maggie coi bambini. Per me era difficile essere spontanea e rilassata con Sandro, il mio istinto materno era imprigionato nella camicia di forza delle opinioni di Massimo, il mio affetto era diluito dalla paura.

Un insieme di emozioni chiazzò il viso di Maggie, come foglie stagliate contro la luce del sole estivo. « Abbiamo avuto una piccola discussione su un portagioie che apparteneva a sua madre. Lei ha pensato che io l'avessi buttato via. Ci sono rimasta molto male. »

« Era un oggetto speciale? »

« Sì, era bellissimo. Tutto d'oro, tempestato di pietre rosse a forma di cuore. Sarà costato sei-settecento sterline. »

Mi sentii formicolare la pelle, mentre una paura incontrollabile scalfiva ancora una volta il mio già fragile universo. Le voci insidiose del sospetto soffocate nel corso degli anni reclamavano ora di essere ascoltate. « E cosa gli è successo? »

Maggie esitò. Capii subito che, a differenza mia, il suo cammino nella vita non era levigato dall'olio della menzogna. Le bugie la facevano incespicare e bloccare di colpo, perché non era abituata alla necessità d'inventarne di continuo. Quando rispose, lo fece con voce acuta e flebile: « Non lo so di preciso. Non riusciamo a trovarlo da nessuna parte, perciò penso di averlo buttato - per sbaglio, ovviamente - mentre portavo via altri sacchi di roba. Era un oggetto buffo, quando lo aprivi, suonava una musica d'opera ».

« Opera? »

« Sì. A quanto pare Caitlin l'adorava, ma non penso che a Nico faccia impazzire. O, se è così, non me l'ha mai detto. Probabilmente non vuole farmi sentire una stupida. »

Pietre rosse a forma di cuore. Musica d'opera quando l'aprivi. La scatola che avevo trovato in fondo al cassetto di Massimo, nascosta sotto i pullover.

Il regalo che mi aspettavo di ricevere per Natale. Cinque anni prima.

22

MAGGIE

Finito di sistemare l'atelier, Lara non sarebbe potuta scappare via più in fretta, accampando la scusa di « dover portare a spasso Lupo ». Forse si era persa d'animo all'idea d'imparare a guidare, perché all'improvviso il cane che detestava era diventato un'attrattiva più allettante di capire la differenza tra frizione e acceleratore.

Un tempo piacevo a tutti. I clienti del negozio si fermavano a chiacchierare a lungo dopo avermi espresso le loro richieste in fatto di orli, cerniere e scollature. Ricevevo bigliettini di ringraziamento da parte di donne cui avevo salvato la giornata garantendo loro il vestito giusto per un'occasione speciale, e mazzi di fiori da parte di uomini che avevano strappato l'unico completo decente che avevano nell'armadio.

E ora tutti quelli che conoscevo mi rifuggivano come se trascorrere quindici minuti in più in mia compagnia li facesse riempire di pustole violacee da capo a piedi.

Nico mi aveva telefonato un paio di volte per sapere se era tutto okay, supplicandomi di perdonare Francesca, assicurandomi che, se fossimo riusciti a superare quel periodaccio, un giorno ne avremmo riso insieme. Ma in quel momento mi sembrava altamente improbabile di finire a trovare divertente l'aver passato un intero pomeriggio a riparare la cucitura di un abito che Francesca aveva strappato nella sua furia.

Avrei voluto trovare il modo di tornare indietro, alle settimane prima della saga del portagioie, quando talvolta lei rideva alle mie battute o si schierava addirittura dalla mia parte se Nico mi prendeva in giro per il mio disordine. Quando finalmente non avevo più bisogno di farmi coraggio prima di entrare nella stanza in cui si trovava. E, se davvero volevo tornare indietro, dovevo trovare il modo di farlo prima che non me ne importasse più nulla, prima che un minimo d'istinto di autoconservazione subentrasse e attivasse il gene del « non me ne frega un cazzo di cercare di piacere a tutti i costi a una persona che mi odia ». Certo, Francesca era ancora una bambina. E forse anch'io ero immatura. E il povero Nico era lì, intrappolato nel mezzo. Ma le mie conversazioni con lui ormai finivano sempre più spesso col lasciarmi l'amaro in bocca.

Andai a scuola a prendere Sam, solo per uscire di casa, anche se lui preferiva tornare a piedi per conto suo. Mentre aspettavo davanti al cancello, mi si avvicinò una mamma, una di quelle che indossavano vestiti anni '50 con le ballerine e i cardigan scaldacuore. « Sei la matrigna di Francesca, vero? »

Pronunciai un « sì » carico di sospetto, come se avessi appena risposto al telefono e dall'altra parte avessero chiesto: « Lei è la padrona di casa? »

« Volevo solo dirti che Francesca nuota in modo incredibile. L'ho vista alle selezioni lo scorso fine settimana. Una farfalla eccezionale. Ed è una ragazza deliziosa, sempre educata. »

Costrinsi il mio cervello a soffocare uno spontaneo: « Mi stai prendendo in giro, vero? » che era lì bell'e pronto, talmente sulla punta della lingua che, da fuori, dovevo sembrare un serpente intento a esplorare i dintorni. « Grazie. »

Evidentemente non mi ero mostrata abbastanza interessata e sul viso della donna balenò un'espressione offesa.

Mi ripresi e dissi: « Non vedo proprio l'ora di vederla nuotare ».

« Si è qualificata per i regionali, perciò forse ci rincontreremo lì », replicò lei, prima di salutarmi con un cenno, quando Sam si trascinò da me e mi lanciò uno zaino enorme. In tutta onestà, non sarei rimasta sorpresa se la nuova generazione fosse risultata più bassa di quella dei genitori, bloccata nella crescita dal peso spropositato dei libri sulle spalle.

Tornammo a casa a piedi, con Sam che raccontava che uomo fantastico fosse Massimo: « Lo sapevi che teneva la contabilità di una delle squadre di calcio più forti del Nord? Non può dirmi quale, ma conosce tutti i giocatori. Comunque... Possiamo andare da lui stasera per organizzare insieme la mia festa di compleanno? »

« Oh, per la miseria! Piantala d'insistere con questa storia della festa. È un periodo difficile di suo, e mi spiace dirlo ma il tuo compleanno non è la più urgente delle priorità. »

Sam accelerò il passo e mi distaccò, ferito e carico di delusione.

Gli corsi dietro, in preda ai sensi di colpa. « Sam! Sam! »

Ma lui proseguì a passi pesanti.

Quando finalmente lo raggiunsi, si stava asciugando le lacrime con la manica della giacca. « Sam, mi dispiace. Ho avuto una giornata tremenda e me la sono presa con te. Certo che ti organizzeremo una festa. Stasera ne parlo con Nico. »

Lui mi lanciò uno sguardo che mi trafisse il cuore. « È la prima volta che abbiamo un giardino in cui fare una festa. Lo sto dicendo a tutti. Ho invitato tutta la classe. Stamattina hai detto che andava bene. »

Un esempio perfetto di come a casa nostra ognuno sentisse solo ciò che voleva sentire. « Tutta la classe? E in quanti siete? »

« Trentacinque, più o meno. »

Preferii tacere, perché rischiavo di mettermi di nuovo a urlare.

« Va bene, no? Non potevo non invitarli. Nessuno crede che abbia una bella casa ora. Matt Reynolds ha detto che stavo mentendo, che vivevo ancora nel vecchio quartiere di drogati. E poi ha fatto finta d'iniettarsi dell'eroina nel braccio e si è buttato a terra. »

Non sapevo chi fosse Matt Reynolds, ma se mai fosse venuto a casa mia avrei passato il panino sul bordo del water prima di servirgli il suo hamburger con un bel sorriso. « Lascia che me ne occupi io, tesoro. Vedrò cosa posso fare. »

Arrivati a casa, mi misi subito a cercare su Google palloni da calcio morbidi che non rovinassero le piante di Nico e trascorsi le ore prima del suo ritorno a riflettere su come affrontare l'argomento dell'invasione del giardino da parte di trenta e rotti bambini di lì a due settimane. Proprio quando l'amata echinacea di Nico sarebbe stata all'apice della fioritura. Potevamo rischiare un'apocalisse di peonie e lupini dopo tutte le ore che mio marito aveva trascorso lì fuori ad affondare nel terreno compost di funghi e spargere ovunque il suo orrido miscuglio di pesce, ossa e sangue? Forse potevamo mettere delle protezioni di qualche tipo. Oppure potevamo arruolare un gruppo di genitori da usare come sentinelle davanti alle malvarose.

Stavo passeggiando per il giardino, cercando di capire se ci fosse davvero qualche possibilità di far giocare a calcio un esercito di bambini per due ore in quello spazio senza provocare un infarto floreale a Nico, quando Massimo sbucò dalla portafinestra, seguito da Sam e dalla sua espressione soddisfatta alla: *Ho sfoderato le armi pesanti.*

Massimo si avvicinò, tenendo una mano nella tasca dei pantaloni. «Dovresti essere molto orgogliosa di tuo figlio. È uno che farà della strada nella vita. Ha già imparato la lezione più importante: come ottenere ciò che si vuole.» Scompigliò i capelli di Sam e si chinò per baciarmi su entrambe le guance, all'italiana. Quello era un ambito in cui avrei potuto prendere un bel dieci e lode, tanto ero migliorata. Era passato un po' di tempo dall'ultima volta in cui mi ero ingarbugliata, girando il viso dalla parte sbagliata e facendo la figura della proletaria che non aveva mai messo piede fuori dall'Inghilterra. Ma ora avevo imparato, bastava un pizzico di concentrazione.

Guardai mio figlio. «Non dirmi che sei andato a disturbare Massimo per parlargli della festa.»

Sam non sembrava minimamente imbarazzato.

Con un cenno della mano molto teatrale, Massimo disse: «Permettimi di dire che tuo figlio è uno con le idee chiare e che sa come metterle in pratica».

Speravo che Massimo mi aiutasse a smorzare con gentilezza le aspettative di Sam, invece dava l'impressione di alimentare le sue speranze.

«Non possiamo deludere il nostro Sam, soprattutto dopo che le ignobili creature che si spacciano per suoi compagni di classe hanno *osato* prendersi gioco di lui. Piccole pezze da piedi. Organizzeremo la festa delle feste e gli faremo vedere di cosa sono capaci i Farinelli.»

Sam saltellava su e giù per l'entusiasmo.

Io guardavo le rose di Nico e m'immaginavo i grossi capolini rosa penzolare moribondi, i petali sparsi a terra a formare un tappeto profumato. «Sono un po' preoccupata per i possibili danni al giardino.»

Massimo mi diede una pacca sulla schiena. «Questo, mia cara Maggie, è il motivo per cui sarai grata di aver sposato un membro della famiglia Farinelli. Non possiamo permettere che il mio caro fratello perda anni di vita vedendo maltrattare le sue ortensie. Perciò v'invitiamo a organizzare la festa nel nostro giardino, dove Sandro e Lupo hanno già distrutto il distruggibile.»

«E Massimo ha già trovato delle idee per i giochi da fare sul tappeto elastico», aggiunse Sam.

«È molto gentile da parte tua, ma cosa ne pensa Lara? Non vorrà ritrovarsi una marea di bambini che imperversa per tutta casa. Hai idea dell'impresa in cui ti stai imbarcando? Sandro ha mai avuto una festa di compleanno?»

Un lampo di esasperazione gli balenò sul viso. «Sandro non l'ha mai voluta, una festa.»

Ci fu un breve istante di silenzio, in cui mi parve quasi di aver detto qualcosa di scortese, pur senza averne l'intenzione.

Massimo proseguì, come un rullo compressore: «Per Lara non sarà un problema: non siamo così preoccupati di rovinare il giardino come lo è Nico. Ci ha già pensato Lupo». Alzò gli occhi al cielo. «Quando c'era Caitlin, osavamo a malapena calpestare l'erba. Uno dei motivi per cui lei non voleva un cane era perché temeva le chiazze gialle sul prato.»

L'avrei abbracciato. Finalmente qualcuno che aveva trovato un minuscolo difetto in santa Caitlin. Era come trovare una banconota da venti sterline sul marciapiedi. Non ti cambiava la vita, ma ti metteva di buon umore per un po'. «Sei sicuro? E Lara sarà d'accordo?» Soffrivo ancora per la sua improvvisa fuga della mattina. Non volevo aggiungere ai miei peccati una «festa per bambini chiassosi».

«Sarà d'accordissimo.»

Lara aveva molte qualità, ma essere rilassata e pronta al divertimento non erano esattamente nella lista. Tuttavia Massimo si stava mostrando così generoso ed entusiasta che qualsiasi argomento adducessi mi avrebbe fatto passare per la persona più ingrata di Brighton.

« Facciamo tra due settimane, domenica? Così avrò tutto il sabato per preparare. Diciamo dalle tre alle cinque? I genitori possono fermarsi a bere qualcosa quando tornano a recuperare i bambini. Io mi occuperò dei giochi... Ho un mucchio d'idee. »

Se Sandro non aveva mai avuto una festa, temevo che Massimo cadesse nella tipica trappola maschile di dare per scontato di arrivare il giorno dell'evento senza preoccuparsi dei dettagli organizzativi precedenti. Lara avrebbe di certo pulito casa secondo i suoi soliti standard, così da permettere ai genitori dei bambini di scegliere il loro vol-au-vent direttamente dal pavimento, se necessario, mentre Massimo avrebbe dato spettacolo facendosi girare un pallone da calcio su un dito.

Non potevo permettergli di porre Lara davanti al fatto compiuto. Non volevo che si sentisse sfruttata. Tentai di nuovo: « Perché non facciamo un salto da te adesso e non ne discutiamo con Lara prima di spingerci troppo avanti coi preparativi? Non vorrei passare alla storia come il membro più impopolare della famiglia ».

Massimo mi sorprese. Mi cinse con le braccia e mi fece volteggiare. « Tu, mia cara Maggie, sei la cosa migliore che potesse capitare a mio fratello, sei una meravigliosa boccata d'aria fresca nella sua vita inamidata. Tu parla con Nico, a Lara ci penso io. » Si voltò verso Sam. « Sarà la festa più bella che tu abbia mai avuto, ragazzo, ne parleranno per settimane a scuola. »

Sam sprizzava gioia. Ma, nascosta in mezzo al timore d'invadere una casa altrui, sentivo anche una fitta di dolore, causata dal fatto che non fosse Nico a impegnarsi tanto per Sam. La mia speranza di diventare una grande famiglia felice, in cui i nostri figli ci considerassero « mamma e papà » indipendentemente dai nuclei d'origine, sembrava affievolirsi sempre più.

Grazie a Dio, avrei potuto ripagare la generosità dei miei cognati insegnando a Lara a guidare, sempre che riuscissi a farle mettere il sedere su un'auto prima o poi. Non vedevo l'ora di assaporare il piacere della sorpresa sul volto di Massimo nel vederla girare l'angolo a bordo di una macchina, sventolando la patente. Sarebbe stato di certo un sollievo per lui non doverla più scarrozzare ovunque. Finalmente avrei avuto anch'io il mio piccolo ruolo nella famiglia e avrei sorriso con modestia quando Massimo avrebbe raccontato a tutti la storia di quando Maggie, quella piccola sfacciatella di sua cognata, aveva aiutato Lara a superare l'esame di guida a sua insaputa.

23

LARA

Da quand'ero rientrata da casa di Maggie, all'ora di pranzo, sentivo un vuoto allo stomaco così profondo che ingerire anche una sola nocciolina avrebbe provocato un'eco spaventosa. Come mai Massimo aveva regalato a Caitlin quel portagioie? Cosa voleva dire? Che avevano una relazione? O semplicemente che le aveva fatto un dono di cui non mi aveva detto nulla? Ero davvero stata così cieca da non vedere che cosa succedeva sotto il mio naso o Massimo stava facendo il suo solito giochetto di presentarsi come un uomo premuroso che aveva trovato un pensiero perfetto per la cognata?

Setacciai i miei ricordi in cerca d'indizi rilevanti, di quelli che fanno esclamare: « Ah-ah! » ma riuscii a trovare solo una manciata di dubbi, possibile prodotto di quella che Massimo avrebbe descritto come la mia tendenza a « ingigantire qualunque cosa ». Che nel lungo periodo della malattia Massimo leggesse per lei a voce alta era una mossa sospetta o una gentilezza? Accompagnarla all'opera - che lui amava e Nico detestava - era un abile sotterfugio o semplice praticità? Guidare la mano di Caitlin mentre lei aggiungeva un tocco di tartufo al risotto coi funghi che le aveva insegnato a cucinare nella nostra ultima vacanza italiana tutti insieme era un palese tradimento o un gesto spontaneo, frutto della sua indole calorosa?

Mi preparai una tazza di tè e cercai di ragionare. Cinque anni prima, quando a pochi giorni da Natale avevo scoperto il portagioie d'oro nel cassetto, Sandro aveva due anni e mezzo. In tutta onestà, io e Massimo non andavamo esattamente d'amore e d'accordo, anche se non avevo mai immaginato che ciò potesse spingerlo a saltare oltre la staccionata del giardino e ad affidarsi a Caitlin per trovare una soluzione al classico « mia moglie non mi capisce ».

Quel Natale era coinciso con una fase in cui la messa a letto di Sandro – o meglio, la sua ribellione alla messa a letto – era diventata l'argomento principale di tutte le riunioni di famiglia. Anna conduceva la campagna: « Se non va a letto entro le sette è una calamità naturale », ignorando la mia controargomentazione che sottolineava come in Italia i bambini facessero le ore piccole. Lei tirava su col naso e sentenziava: « Ma Sandro vive in Inghilterra, Lara ».

Caitlin si lanciava nei suoi soliti sermoni: « Gli studi dicono che... » E io mi ritrovavo isolata nell'angolino dei genitori inutili, criticata severamente da Massimo perché Sandro si addormentava solo se mi sdraiavo accanto a lui.

Ma nel periodo prenatalizio mio marito aveva deciso che, siccome aveva un paio di settimane di vacanza, « avrebbe preso in mano quella stupidaggine del sonno ».

Sorseggiai il mio tè, mentre riordinavo i ricordi di quelle particolari « festività », per poi pentirmene e cercare di cancellarli. Non volevo richiamare alla mente i passi di Massimo sul pianerottolo, le sue dita che si stringevano intorno al mio polso mentre accarezzavo la fronte di Sandro, con le orecchie tese per distinguere il respiro profondo e regolare che indicava che finalmente si era addormentato.

« Non te ne starai seduta qui tutta la notte. »

« Sstt. È cotto ormai, solo un minuto. »

Ed ecco che ricominciava la solita solfa. Sandro, disturbato dai toni aspri di Massimo, spalancava gli occhi. « Mamma, mamma, no via, no via. »

A quel punto Massimo mi scansava. « È ora di dormire, Sandro. »

E il bimbo alzava il mento. « No dormire, papà. » E cercava di sgusciare fuori dal piumone coi dinosauri, pronto a evadere dal letto e a buttarsi tra le mie braccia.

E allora ritentavo: « Lo calmo un attimo, poi scendo, te lo prometto ».

Però Massimo lo ricacciava giù, aumentando il suo nervosismo, e lo sgridava, cercando di zittirlo col suo vocione. Mi spingeva fuori dalla stanza tra urla sempre più forti, sbatteva la porta e ci si piazzava davanti. « Va' giù. »

Se cercavo di ragionare, supplicandolo di farmi rientrare a tranquillizzare il bambino, Massimo minacciava di entrare al posto mio e di picchiarlo. « Lo farò tacere. Gli dimostrerò chi è che comanda. »

Vedevo la maniglia della porta alzarsi e abbassarsi, mentre lui la teneva chiusa dall'esterno, e sentivo ogni singola fibra del mio corpo desiderare ardentemente fiondarsi dentro e dire a Sandro che era al sicuro, che non doveva avere paura, che la mamma era lì, appena fuori dalla stanza. Alla fine mi ritrovavo in cucina a canticchiare sommessamente per mascherare le grida, ma non così forte da non sentire mio marito entrare nella camera del bambino. Massimo non aveva mai alzato le mani su di lui, però era sempre molto teso, come se si trattenesse: una minaccia incombente che un giorno si sarebbe potuta avverare.

Ogni sera era la stessa storia. Avevo cominciato ad andare in ansia per la messa a letto appena finita la colazione. Ma, dopo due settimane, Massimo si era dichiarato trionfante, euforico per aver ottenuto che Sandro andasse a dormire senza fare capricci, vantandosi del fatto che il figlio avesse solo bisogno di un « polso fermo ».

Non gli avevo rivelato che il bambino aveva ricominciato a bagnare il letto, dopo due mesi buoni di lenzuola asciutte. Quel problema, l'avrei risolto io. Con calma.

Ma il fatto che Massimo avesse gestito la faccenda del sonno con piglio autoritario non significava che fosse un marito infedele. Non ricordavo sue assenze ingiustificate. Rammentavo bene, invece, come si respirava a pieni polmoni quando lui non c'era, quando non dovevo preoccuparmi se ero troppo morbida o « non mostravo a Sandro chi era il capo », quando potevo semplicemente godermi un po' di tempo col mio bimbo di due anni e seguire il mio istinto invece di filtrarlo usando come setaccio la valanga di aspettative di Massimo.

Ma di sicuro mi sarei accorta se avesse avuto un'amante. O no? Forse ero così sollevata di non dover monitorare il comportamento di Sandro perché Massimo lo approvasse che le sue assenze mi sembravano sempre troppo brevi.

Posai la tazza nel lavandino e tirai fuori i prodotti per pulire i vetri. Alcune donne per tirarsi su di morale cantavano e ballavano, io invece lavavo le finestre. Trovavo consolazione nel rimuovere lo sporco, le ditate, tutto ciò che veniva prima, e nel lasciare una vista scintillante sul mondo esterno e un fresco profumo di pulito.

Cominciai dalla camera degli ospiti. Era incredibile che ci fossero i vetri sporchi, considerato che erano passati diversi anni dall'ultima volta in cui era stata usata, dal papà, prima che si trasferisse nella casa di riposo. Mentre spruzzavo il detergente e sfregavo con lo straccio, presi a fissare la casa di Nico e Maggie, ad ammirare le clematidi che incorniciavano la finestra della loro camera da letto. Nico aveva davvero il pollice verde.

Continuai a strofinare gli angoli delle finestre, analizzando la possibilità che Massimo avesse avuto una relazione con Caitlin. Non avrebbe mai fatto una cosa simile a suo fratello. Si prendeva sempre cura di lui. Una spiegazione molto più plausibile era che all'epoca Massimo mi avesse parlato del regalo e che io me ne fossi dimenticata. A quei tempi non faceva che ripetermi che era ora di smetterla con la « distrazione da gravidanza », di prestare attenzione affinché non dimenticassi le cose.

Mi biasimai per la mia stupidità. Non c'era da meravigliarsi se Massimo s'irritava: mi agitavo sempre troppo, incline com'ero a pensare sempre al peggio. Ma, dopo anni e anni trascorsi a sentire il papà ripetere cose come: « La paura ti tiene al sicuro, tesoro, perché, come sappiamo, le cose brutte capitano », la mia era un'abitudine difficile da scardinare.

Avrei dovuto prendere lezioni da Maggie. Lei si aspettava sempre il meglio da tutti e se ne infischiava se le persone la deludevano.

Ora, all'età di trentacinque anni e mezzo, avevo intenzione di costruirmi la mia felicità. Avrei cominciato con l'invitare il papà a passare una giornata da noi, forse anche a fermarsi la notte, se fosse stato possibile. Ci saremmo dovuti organizzare un po' ma, con l'aiuto di Beryl, ero sicura che saremmo riusciti a badare a lui senza problemi. Se avessi organizzato nei giorni in cui era via per lavoro, Massimo non avrebbe potuto avanzare obiezioni. A modo suo, anche lui voleva il meglio per il papà, trovava solo un filo disgustosa la questione del moccio al naso e dei piccoli « incidenti ». Eppure non erano molti gli uomini disposti a sborsare una fortuna per un parente acquisito. Al momento opportuno, avrei valutato altre opzioni per la sua assistenza. Un posto più vicino, che magari non costasse così tanto. Il papà non aveva bisogno di avere sempre gigli freschi nell'atrio, ma dell'affetto della sua famiglia.

Finii il lavoro con un'allegra passata di straccio sul davanzale, felice di avere un piano chiaro e ben congegnato. Pulire le finestre, far visita al papà, cercare una nuova casa di riposo, prendere lezioni di guida, scacciare dalla mente la ridicola ipotesi che mio marito avesse avuto una relazione con mia cognata... Lara « cogli l'attimo » Farinelli.

Trotterellai giù dalle scale proprio mentre Massimo entrava in casa. In un'ondata di ritrovata fiducia in me stessa, lo abbracciai e lo baciai.

« A cosa devo il piacere? » Mi tirò a sé, carezzandomi la schiena. « Dov'è Sandro? » sussurrò.

« A cena da tua madre. »

« Andiamo su, allora, Mrs Farinelli. »

Eccola, la prova che mi amava ancora. Dovevo smetterla di dubitare di lui. Con tutti i suoi difetti, Massimo mi aveva sempre desiderato. Anche nei nostri periodi peggiori, non avevamo mai smesso di fare sesso.

Non me l'avrebbe permesso.

24

MAGGIE

Prima ancora di avere l'occasione di discutere della festa con Lara, lei passò da me piena d'idee per un menu tutto « finger food ». Immaginavo che intendesse « panini al prosciutto e formaggio ». Avevo solo la lieve tentazione di prenderla un po' in giro, suggerendole di preparare quei tramezzini col pâté di pesce che la mamma tanto adorava.

« Massimo ha già organizzato tutto: faranno una partita di calcio in acqua, perciò può darsi che alla fine si ritrovino un po' sporchi e infangati; alcuni bimbi potranno giocare a dodgeball sul tappeto elastico; altri, invece, potranno fare il percorso di guerra. Ha comprato anche qualche canestro da basket e degli hula hoop... non so bene cosa se ne farà, ma di certo ha in mente qualcosa. »

« Sei sicura di essere d'accordo? È così generoso da parte vostra... » Mi mordicchiai il labbro.

« Massì, certo. Massimo è eccezionale coi bambini, sembra il pifferaio magico. Noi dobbiamo occuparci solo del cibo. »

Cercai a tentoni carta e penna per scrivere un elenco. « Naturalmente penserò io alla spesa. »

« Non è necessario. Massimo ha già ordinato tutto al Cash & Carry. » Lara scoppiava d'orgoglio, fiera di quel pilastro di efficienza che era suo marito.

Il guizzo di dispiacere che sentivo era la riprova che invece io avevo un animo gretto e meschino. Sam non aveva mai avuto una vera e propria festa – non avevamo mai avuto abbastanza spazio – e non vedevo l'ora di scegliere il cibo con lui, di stargli accanto quando si fosse trovato davanti al cruciale dilemma tra Monster Munch e Pringles, pizza margherita o pizza ai peperoni.

Lara sembrava delusa. « Va bene per te? »

« Sì, sì, certo, grazie. Sono solo in imbarazzo perché vi state dando tanto disturbo e invece io sto facendo così poco. » Presi ad agitarmi, impacciata, chiedendomi se allungarle un mazzo di biglietti da dieci sterline o farle domande dirette su una cosa volgare come i soldi contravvenisse a qualche altra regola familiare che ancora non conoscevo. Decisi che avrei lasciato a Nico l'onere di occuparsi dell'aspetto economico.

Il giorno della festa, Sam si svegliò all'alba supplicandomi di poter andare subito a casa degli zii. Anche se Francesca mi riservava ancora il calore di un fioco barlume di candela, c'erano momenti in cui non riusciva a resistere all'entusiasmo del fratellastro. Fortunatamente era riuscito a costringerla a giocare a un complicato gioco con la palla in un'area del patio da cui Nico aveva tolto le piante proprio per consentir loro di sfogarsi. Sebbene le loro sparate fossero politicamente scorrette, almeno così Sam si sarebbe tenuto occupato: « Potrei far meglio di te anche con la gamba legata dietro la schiena », « Sei una femmina, sai solo sguazzare un po' in piscina ».

Alle due del pomeriggio non fui più in grado di trattenerlo e andammo da Lara per aiutarla col buffet. La mamma non avrebbe potuto essere un'eco più fedele dei miei pensieri. « Urca! Non avevo mica capito che si trattava di un tè per la regina! »

Mentre Lara guardava dentro il frigorifero, Sam cominciò a gesticolare e mimare con la bocca la domanda: *Dove sono le patatine?*

Lo cacciai fuori in giardino a lanciare la palla a Lupo prima che le sue rimostranze prendessero voce.

Zittii la mamma con un: « È fantastico, Lara », pensando che tutti quei complicati vol-au-vent e le gallette spalmate di... Cosa cavolo era quella? *Tapenade* di olive? Pasta d'acciughe? In ogni caso, non avrebbero placato a lungo un branco di decenni famelici. Così come dubitavo che le tartine con pomodori secchi e formaggio di capra facessero furore. Nella mia esperienza, più i tramezzini erano grossi, meglio era.

Malauguratamente la mamma non intercettò i miei segnali. « Penso sia il caso di preparare degli spiedini di ananas e formaggio e dei panini veri e propri: gli verrà una fame da lupi a furia di correre avanti e indietro.»

Mentre lei finiva di parlare, Massimo entrò in cucina, con l'aria sportiva e abbronzata di un allenatore di calcio giovanile. Lanciò uno sguardo al buffet. «Sono d'accordo con te, Beryl; questa roba va bene per stuzzicare l'appetito, ma i ragazzini di dieci anni sono come locuste.»

Lara arrossì e balbettò: «Avevo capito che non volessi panini, hamburger e salsicce...»

Massimo indietreggiò con gesto teatrale. «No, ho detto che *dovevamo* farli. Ma questi antipasti ricercati andranno benissimo per gli adulti.» Le scompigliò i capelli. «In tutta sincerità, mogliettina mia, ho l'impressione che tu sia sempre più svanita ogni giorno che passa. Meno male che ti amo tanto.»

Lara corse ad aprire il freezer e cominciò a scongelare le salsicce nel microonde. Si strofinava di continuo le mani sui jeans e aveva un'aria così seccata che avrei avuto voglia di annullare tutto e portare i bimbi al parco per una semplice partitella, come avevamo fatto gli altri anni.

Massimo sembrava non essersi accorto dello stress di Lara e aumentò di colpo anche il mio, chiedendomi dove fosse Nico.

«Ha portato Francesca a un'altra gara di nuoto. Dovrebbe rientrare poco dopo l'inizio della festa.»

Massimo si accigliò. «Di domenica? Ma non ci era già andato ieri? Non sarebbe morto nessuno se oggi l'avesse fatta accompagnare da qualche altro genitore.»

Avrei voluto dire: «Udite udite!» e raccontargli che quella mattina io e Nico avevamo bisticciato perché, per l'ennesima volta, pur avendo un marito, dovevo ricorrere a mia madre per farmi dare una mano. Ma evidentemente ero molto più casalinga anni '50 di quanto non pensassi, perché, anche se non indossavo il grembiule, ero una compagna leale che non si sarebbe mai lasciata sfuggire una parola cattiva contro l'uomo di casa. «Lo so, ma Francesca è ancora molto turbata e deve avere la priorità.» Immaginai che mi spuntasse sotto il sedere un enorme e cupo calderone pieno d'olio bollente che friggesse tutta la mia ipocrisia.

Mi aspettavo quasi che Massimo cominciasse a intonare una

canzone di *Tutti insieme appassionatamente* per onorare il mio ormai conclamato status di santa, invece si schiarì rumorosamente la gola e cominciò a impartire ordini.

Spedì la mamma in garage a prendere i bicchieri di carta e fece segno a Lara di accendere il forno, poi mi condusse in giardino per mostrarmi tutti i giochi che aveva preparato. Avevo una gran voglia di tornare dentro ad aiutare Lara, ma mi dimenticai completamente di lei per un secondo quando mi resi conto dell'impresa eccezionale che aveva realizzato Massimo. Dovetti trattenermi per non scoppiare a piangere e abbracciarlo. Aveva attaccato i canestri sul lato della casa, riempito un bidone di palloni da calcio, allestito una corsa a ostacoli con barriere, travi e secchi, e in fondo c'era un paio di porte da calcio nuove di zecca. Le mie aspettative si erano limitate a palloni da due soldi e a qualche cono da dribblare.

«Dev'esserti costato una fortuna, Massimo. Fammi sapere quanto ti devo», dissi, cercando di non sembrare sconvolta all'idea di affrontare una spesa esorbitante per una sola giornata. Doveva aver sganciato centinaia di sterline. Cominciai a fare qualche calcolo veloce su quanto avrei dovuto guadagnare coi miei lavoretti di sartoria nelle settimane successive, sforzandomi di pensare a che festa meravigliosa avrebbe avuto Sam piuttosto che a quanto tempo mi ci sarebbe voluto per pagarla.

Massimo rise. «Scordatelo. Sam è un ragazzino fantastico e io voglio solo che abbia un compleanno da favola.»

«Grazie. Non so cosa dire.»

Mi prese i polsi e mi guardò fisso negli occhi, con la testa inclinata. «Non devi dire nulla. Sam è un bambino fortunato e mio fratello è un uomo molto fortunato.»

Doveva essere una necessità tutta italiana, quella d'ingigantire le emozioni, di dissezionare, commentare e analizzare al microscopio le relazioni di tutti. Stavo cominciando ad apprezzare la mamma e il suo orrore per le dimostrazioni pubbliche di affetto. Nel nostro vecchio quartiere gli uomini potevano darti una birra, ma non diventavano mielosi a meno che più tardi tu non gli avessi dato qualcos'altro.

La nostra non era una famiglia avara di coccole, ma non stavamo neanche a saltarci addosso di continuo come fossimo zainetti. Toccare qualsiasi altro uomo che non fosse mio marito mi dava l'impressione di fare qualcosa di sbagliato.

Aspettai un attimo prima di liberarmi dalla sua presa e in quello stesso istante notai che Lara ci stava fissando dalla finestra.

25

LARA

Era colpa mia. Che sciocca. Avrei dovuto sapere che una manciata di stupidi vol-au-vent non sarebbe stata sufficiente. Forse stavo perdendo il senno, come il papà. Non c'era da meravigliarsi che Massimo preferisse stare in giardino con Maggie piuttosto che preparare gli hamburger con me.

Cercai di non permettere al seme del risentimento di attecchire. Maggie non stava facendo niente di male. Era stato mio marito a sfoderare come al solito tutto il suo fascino, una cascata di charme che lasciava fuori solo me. Sarei voluta tornare indietro nel tempo, ai favolosi quattordici mesi prima del nostro fidanzamento, quando Massimo non riusciva a sopportare neanche una parola stizzosa tra noi. Quando si dava da fare per conquistare la mia fiducia e per convincermi che lui, un uomo più vecchio di dieci anni, dotato di autorevolezza, soldi e carisma, non riusciva a vivere senza una creaturina grigia e insignificante come me. Quando il più lieve disaccordo provocava una cascata di messaggi per tutto il giorno e l'approdo di mazzi di fiori sulla mia scrivania, con grande invidia delle mie colleghe, per verificare che « fosse tutto a posto », che non mi fossi stufata di lui. L'anno dopo, una volta accettata la sua proposta di matrimonio, avevo cominciato a notare piccoli guizzi d'ira, esplosioni di rabbia, che lui imputava allo stress per l'organizzazione delle nozze: « Voglio solo che tutto sia perfetto, per te ». Mi ero convinta che dopo il matrimonio si sarebbe calmato. Ma ora sapevo che la parola « calma » applicata a Massimo andava a braccetto con l'espressione « prima della tempesta ».

Fortunatamente quel giorno Beryl stava distraendo tutti con un monologo su una donna che era inciampata su un cesto di meloni all'entrata del discount, facendoli rotolare giù. « Sembrava di giocare a bowling coi meloni, con le persone che si scansavano come birilli.» E aveva cominciato a ridacchiare, contagiando sia me sia Sandro, che si era infilato zitto zitto in cucina e si era seduto su uno sgabello ad ascoltare. Con Beryl non sembrava timido come con Anna. E, proprio nell'istante in cui formulai quel pensiero, come una regina della famiglia Medici, Anna fece il suo ingresso solenne. M'irritava che usasse la sua chiave anche quando io ero in casa. Non aveva ancora appoggiato la borsetta, che già aveva iniziato a lamentarsi: «Non capisco proprio perché Massimo abbia deciso di darsi tanta pena. Non stava a voi organizzare una festa per Sam. Abbiamo già abbastanza da fare coi compleanni della nostra famiglia».

Chissà se si era accorta che Beryl - la *nonna* di Sam - era nella stanza o se la presunzione l'accecava al punto di non notare la presenza di altri essere umani.

Stavo per intervenire in difesa di Sam, quando Beryl prese l'espressione di una mucca che era stata infastidita mentre si faceva gli affari suoi nel prato. Cominciò ad agitare un coltello sporco di burro in direzione di Anna. «La sai una cosa, mia cara? Ho una notizia per te. Sam fa parte della *tua* famiglia ora, povero piccino. Perciò abituati, supera la cosa e smettila di tirartela come se la tua merda non puzzasse. Dovresti incoraggiare i tuoi figli a sostenersi a vicenda, non fare del tuo meglio per mettere zizzania tra le loro famiglie.»

Sembrava che ad Anna si fosse piantata una patatina nella gola: aveva la bocca aperta e gli occhi sbarrati, ma non riusciva a emettere suono. Non avevo mai visto nessuno tenerle testa prima d'allora - non nel vero senso della parola - e dovetti chiudere la mia, di bocca, per non lasciarmi sfuggire un grido di giubilo. Mi aspettavo che mia suocera ribattesse sbraitando, invece fece ricorso alla Maggie Smith che era in lei, si sistemò i braccialetti d'oro sul polso e disse: «Nessuno sostiene i figli e le loro famiglie quanto me, Beryl, ma semplicemente non trovo giusto permettere ad altri di assorbire energie che andrebbero dedicate ai propri bambini. Nico si deve concentrare su Francesca e Massimo ha già il suo bel daffare con Sandro».

Trasalii nel sentire Anna insinuare che il mio fosse un bambino così « problematico » da rappresentare un lavoro a tempo pieno per Massimo, mentre il mio contributo di genitore era quasi d'intralcio. Mi alzai con un panino in mano, in attesa di sentire quale altra sferzata fosse in arrivo. Invece Beryl doveva essere più allenata a scambiarsi insulti con persone che dovevano combattere la loro natura piccolo borghese, premettendo a ogni frase un: « Non vorrei essere scortese... » e un: « Non te la prendere... », ma non avevo dubbi che Anna sarebbe stata più sgradevole.

Beryl sbatté il coltello sul piatto, si pulì le mani sul pullover e si avvicinò ad Anna, che sembrava la caricatura di un pioppo. « Ascoltami, capisco che Nico e Massimo abbiano delle responsabilità nei confronti dei loro figli, nessuno dice il contrario. Ma non ho intenzione di stare qui a sentir parlare del mio Sam come se fosse solo una scarpa vecchia da gettare in un ripostiglio fino a quando non avrà compiuto diciott'anni e ce se ne potrà sbarazzare. Siete tutti uguali, voi ricchi. L'amore e la gentilezza non sono forniti in dosi limitate, sapete? Essere carini con Sam non significa dare di meno agli altri. »

Anna fece un passo indietro, come se Beryl fosse un fastidioso cucciolo di rinoceronte che cercava d'incornarla. Ma non riuscì a ribattere perché Massimo e Maggie apparvero sulla soglia.

Maggie si accorse subito dello scontro. « Mamma? È tutto okay? »

Adoravo l'indole impavida di Beryl. Si mise le mani sui fianchi, fissò Anna dritta negli occhi e disse: « A quanto pare, Anna pensa che Lara e Massimo non dovrebbero impegnarsi tanto, perché Sam non fa veramente parte della famiglia. E io le stavo solo dando una mano a capire come stanno le cose, esprimendo la mia opinione ».

Maggie la guardò attonita, però Massimo intervenne prima che potesse aprire bocca: « Ehi, ehi, signore. Stiamo tutti dalla stessa parte, qui ». Cinse le spalle di Beryl con un braccio. « Tu sei la mia suocera per procura preferita. E naturalmente consideriamo Sam e Maggie parte della famiglia. Credo che la mamma sia solo preoccupata per Lara, perché va in ansia per qualsiasi cosa. I suoi timori nascono dall'amore, non è così, mamma? »

Anna sembrava un cobra che, all'ultimo secondo, rinuncia a colpire e si riavvolge nelle sue spire a prendere il sole. « Certo. Forse Beryl ha mal interpretato le mie premure. Forse, ora che la cara Caitlin non c'è più e tutti *sono andati avanti,* mi sento in dovere di ricordare ciò che lei avrebbe voluto. »

Guardai Massimo. Non avevo neanche più osato menzionare Caitlin per non lasciarmi sfuggire – o trovare confermati – i miei sospetti.

Lui si scostò da Beryl e prese il braccio della madre. « So che senti la sua mancanza, mamma, ma nessuno si è dimenticato di lei. Era una donna molto speciale, ma lo è anche Maggie. Così come Beryl. »

Non riuscivo a capirlo, quell'uomo dalle mille facce. Con l'aggettivo « speciale » intendeva « l'amavo e senza di lei mi sento sperduto » o stava solo sottolineando che era un membro importante della famiglia?

Anna scoppiò a piangere rumorosamente, affondò la testa nel petto di Massimo e, tra gemiti di dolore, singhiozzò: « Non riesco ancora a credere che se ne sia andata, era una moglie e una madre così amorevole, è talmente ingiusto ».

L'avevo sempre vista piangere in modo regale, lacrime delicate rimosse da un fazzoletto raffinato. Lanciai uno sguardo a Maggie e a sua madre.

Beryl borbottò: « Santo cielo, sono qui solo per imburrare panini. Non mi ero resa conto di essere venuta ad assistere a un dramma in piena regola ».

Maggie aveva le labbra contratte in una smorfia, ma riuscì a sibilarle di tacere.

Massimo condusse Anna in giardino, mentre noialtre restammo a guardarci in silenzio per un minuto finché Beryl, la meravigliosa, irrispettosa, la Beryl di' pane al pane e vino al vino non sbottò: « Quante stronzate. Ad Anna, Caitlin nemmeno piaceva. Il più delle volte era il tuo adorabile Massimo a stare al suo capezzale quand'era malata. Lui sì che è un uomo che sa cosa vuol dire la parola 'famiglia'. Lui sì che è un uomo perbene ».

Sentii il coltello scivolarmi dalla mano. O ero una pazza diffidente che interpretava nel modo sbagliato qualsiasi cosa Massimo facesse, o lui era così furbo che nessun altro riusciva a vedere la verità.

Dopo tanti anni non ero sicura di conoscere la risposta.

26

MAGGIE

All'arrivo di Nico, venti minuti dopo l'inizio della festa, ero già stremata. Stare in compagnia dei Farinelli al completo, soprattutto in presenza della mamma, col suo modo personalissimo di risolvere i problemi, mi faceva venire una testa così. E Anna che si aggrappava ostinatamente al cliché della buon'anima di Caitlin mi faceva venire voglia di farla sedere, togliere la sicura alla bomba che avevo trovato in soffitta e farla scoppiare sotto il suo culetto ossuto.

E, anche se un giorno fossi caduta in tentazione, con quell'esercito di bambini che imperversava e se ne strafotteva della mia regola del « tre alla volta » per il tappeto elastico, non era certo quello il momento giusto.

Ogni volta che giravo le spalle, sentivo le molle cigolare sotto il peso di un gruppo di ranocchie saltellanti che rendevano l'ipotesi di un collare cervico-dorsale sempre più certa. A meno che quel maledetto coso non si sfondasse improvvisamente, provocando una montagna di ossa rotte. Un altro gruppo tirava pallonate contro la porta del capanno con implacabile regolarità, mentre un bambino era caduto nel bidone pieno d'acqua, facendola traboccare e trasformando il prato in una colata di fango, con gran piacere dei ragazzi. Due bambine, che avevano ignorato il suggerimento di « indossare abiti vecchi » scritto sull'invito, adesso erano in lacrime vicino alla siepe di ligustro, dopo essere scivolate. Sandro gironzolava con l'aria di uno che avrebbe preferito essere in biblioteca a leggere un libro sui fossili.

Nico mi salutò con un grande abbraccio e un: « Cosa posso fare per aiutarti? »

Già solo spedirlo a vigilare sul tappeto elastico e sapere che non se ne sarebbe andato dopo due minuti perché era troppo noioso rispetto, per esempio, ad azzuffarsi con gli amici migliorò il mio umore. Mi ricordai di chiedergli com'era andata la gara di Francesca. M'informò, raggiante d'orgoglio, che era arrivata prima nello stile libero, categoria junior. Mi si strinse il cuore. Ero contenta che Nico fosse stato lì con lei a incoraggiarla. Se Sam avesse parato il rigore decisivo nel corso di una partita importante, avrei detestato venirlo a sapere da altri.

Quando mi passò accanto, mi congratulai con lei: « Bravissima, Francesca! Il papà mi ha detto che li hai polverizzati tutti! »

« Sì », disse, senza neanche prendersi il disturbo di fermarsi mentre correva da Sam, che le tirò una pallonata in testa. Lei si chinò e gli afferrò le caviglie, poi lo tirò sull'erba e lo obbligò a fare la carriola. Se fosse stata alle elementari, probabilmente avrebbe disegnato se stessa, Nico e Sam che si tenevano per mano davanti a una casa, mentre io sarei stata in un angolino, da sola, vicino a un albero. Ma ero così contenta che Sam avesse stabilito un legame con la sorellastra, che sarei stata felice di starmene per conto mio sotto un lecca-lecca verde per tutto il giorno.

Proprio mentre gli altri ragazzini si univano a loro a fare la carriola, in un garbuglio caotico di urla e gambette, Massimo avanzò in giardino vestito con una vera e propria divisa da portiere, battendo le mani e gridando un autoritario: « Ragazzi, tutti qui! »

Nell'ultima mezz'ora avevo cercato di attirare la loro attenzione in tutti i modi, ma niente da fare. Il mondo era ancora in mano agli uomini. Anche se in quel momento ero lieta che quell'uomo in particolare, con le sue abilità di domatore di bambini, fosse lì.

Elencò rapidamente le regole del gioco che voleva fare, che prevedeva il trasferimento dell'acqua da un bidone all'altro prima di tirare a rete. « Facciamo due squadre: tu, Nico, sarai il portiere di una, io dell'altra. »

L'approccio: « Pronti, partenza, via, divertitevi » non era da Massimo. Oh, no. Soffiò nel fischietto e si lanciò in una sfilza di sfrenate urla d'incoraggiamento, come se stesse incitando un maratoneta olimpico a varcare la linea del traguardo più che dei bambini di dieci anni a trasportare un secchio d'acqua: « In fila, passo indietro, corri, NON col piede sinistro, mira oltre la testa, cerca l'angolo della rete... »

E non c'era nessuna possibilità che si lasciasse fare un gol. Più che una partitella in giardino sembrava la selezione per un posto in nazionale ai prossimi Mondiali. Nico, al contrario, non faceva che cadere, mancando deliberatamente i palloni che rotolavano fiacchi verso la sua porta, che scivolavano dalle dita delle bambine vestite a festa, coi sandali luccicosi. « Bel tiro, Chloe! Mi hai fregato », « Josh! Se vai avanti così, diventerai una stella del Manchester United! »

Alla fine, Massimo fece un rapido calcolo: « Squadra di Nico: tre. Squadra di Massimo: ventisette! Che punizione vogliamo dare a Nico, ragazzi? »

Seguì una raffica di suggerimenti, tra cui un: « Uccidilo! » di qualche adorabile creatura. Ma, prima che Nico potesse fare anche un solo movimento, Massimo gli svuotò il bidone d'acqua in testa. I bambini erano molto divertiti, tuttavia non ero sicura che Nico avesse gradito il gesto. Massimo fischiò e i bambini gli si radunarono tutti intorno, gareggiando per vedere chi riusciva a fare il fischio più acuto, trasformando quell'elegante giardino di Brighton in una sorta di cantiere edile.

Aspettai che il trambusto si placasse, poi mi avvicinai timidamente a Nico. « Vuoi che faccia un salto a casa a prenderti qualche vestito asciutto? »

Lui annuì. « Tipico di Massimo, deve sempre esagerare. »

Avrei odiato essere inzuppata in quel modo, eppure avrei voluto essere sposata con un uomo capace di considerarlo solo un piccolo divertimento, uno capace di stare agli scherzi e che bilanciasse la mia indole suscettibile. Perciò, anche se ero irritata con Massimo, m'infastidiva che Nico non vedesse il lato buffo della cosa.

Andai un attimo a casa a prendere dei vestiti, resistendo alla tentazione di sedermi in salotto per dieci minuti di pace e tranquillità. Mentre Nico si cambiava, io rimasi in cucina con la mamma e Anna, che stavano riuscendo nell'impresa di far soffiare un vento artico in un'assolata domenica di luglio. Lara faceva del suo meglio per intrattenere la mamma, chiedendole della vecchietta con la demenza senile per cui lavorava e consigli per gestire suo padre. A ogni buon conto, la mamma ne stava approfittando per lanciare frecciatine ad Anna: « Mi piace prendermi cura di persone al termine della loro vita, che hanno solo bisogno di un po' di conforto. Ti stupiresti di quanto possano essere senza cuore certi parenti, soprattutto quando si tratta di lavare e pulire ».

Anna aveva le narici dilatate, come un cavallo infastidito da una vespa particolarmente petulante. Il mio lampo di genio d'invitare la mamma in Toscana con noi sembrava a dir poco una follia.

Incrociai lo sguardo di Lara e fui sollevata nel vedere che anche lei coglieva il lato umoristico di quella guerra verbale italo-britannica. Avevo l'impressione che tifasse silenziosamente per Beryl.

All'ennesimo fischio, uscii a scattare qualche foto della corsa a ostacoli. Massimo elencò velocemente le regole: prima che ciascuna squadra potesse segnare un punto, doveva buttare giù Massimo o Nico dalla trave con una manona di gommapiuma. E fu allora che scoprii che Nico possedeva un'abilità segreta: un senso dell'equilibrio strabiliante. Al contrario, bastava un colpetto leggero della manona per far sì che Massimo si sbilanciasse e cadesse, sebbene si sforzasse con tutto se stesso, con la linguetta all'angolo della bocca e gli occhi fissi su un punto in lontananza.

Nico lo punzecchiò: « Hai bisogno di un po' di palestra, superuomo, devi lavorare sugli addominali interni, i quarantacinque anni ti hanno proprio abbattuto. Tra poco non riuscirai neanche più a toccarti le dita dei piedi ». Continuò a prenderlo in giro e a resistere, in piedi su una gamba sola, all'assalto furioso dei bambini che saltavano su e giù dalla trave, cercando di farlo precipitare. Lui li istigò facendo delle piccole, buffe piroette, ruotando il piede davanti al fratello senza vacillare e, al contempo, spazzando via col pugno i palloni che arrivavano nella sua direzione.

Quando la squadra di Nico festeggiò il ventesimo gol, con l'ennesimo capitombolo di Massimo, i bambini vittoriosi cominciarono a cantilenare: « Avete perso! Avete perso! Avete perso! »

Guardavo Sam, che rideva e alzava i pugni in aria. Ero combattuta tra il senso di gioia nel vedere come si divertiva e un lieve disagio per quello spiacevole tifo da hooligan. Dubitavo che i valori insegnati nella scuola elementare di Sam, fedele al motto « nelle giornate dello sport vincono tutti », fossero esattamente in linea con « gli obiettivi educativi » di quella festa di compleanno.

Poi, con la coda dell'occhio, vidi Massimo scivolare dalla trave, finendo contro Nico e facendolo volare all'indietro con un tonfo sordo. Cadendo, Nico sbatté la testa contro il bordo del giardino giapponese, poi atterrò con un gemito di dolore, come un soffietto che emette il suo ultimo fiato.

Mi precipitai da lui, in preda al panico, coi piedi che slittavano nel fango.

Massimo si alzò di scatto e gli porse la mano. « Mi dispiace, mi è scivolato il piede. È tutto okay? »

Nico lo ignorò, limitandosi a lamentarsi.

I bambini si zittirono. Una ragazzina si mise a ridacchiare. Nico si toccò dietro la testa, poi si guardò le dita: erano coperte di sangue.

Mentre Lara correva da noi con un canovaccio bagnato, m'inginocchiai accanto a lui. Anna ci raggiunse in fretta e furia, strillando ai bambini di allontanarsi, con urla da strega che un giorno un buon psicoterapeuta avrebbe individuato come causa primigenia di un'inspiegabile calciofobia.

Massimo si affrettò a dare una spiegazione: « Mi sono sbilanciato e gli sono finito addosso. Lui è caduto e ha battuto la testa. Un sfortuna nera ».

Nonostante le grida di Anna, i bambini si avvicinarono pian piano, affascinati e impauriti a un tempo, emettendo una vasta gamma di: « Puah! » e: « Bleah! », a parte un piccoletto che se ne uscì con un allegro: « Fico! »

Tamponai la ferita di Nico. Era pallido. Lo guardai attentamente negli occhi, che per fortuna sembravano vigili. « Stai bene? Pensi sia un trauma cranico? Dobbiamo portarti in ospedale? »

Nico scosse la testa, poi fece una smorfia. « No, credo sia tutto okay. Ho solo bisogno di un attimo per riprendermi. »

Ero intrappolata tra la paura che potesse essersi fatto male sul serio e la ricerca disperata di un modo per portarlo al pronto soccorso, tenuto conto di quella cosuccia da poco che erano trentacinque bambini da tenere sotto controllo per un'altra ora.

Francesca girava intorno al padre senza posa, come se stesse trattenendo le lacrime. Mi sforzai di sorridere per rassicurarla. « Il papà starà bene, tesoro. Va' a chiamarmi Beryl, per favore. Credo sia in garage ad aggiungere altra carta per giocare a 'Scarta il pacchetto'. »

Pochi istanti dopo, nel giardino risuonarono i passi pesanti della mamma. Mentre Lara radunava dentro casa i bambini per la merenda, noi aiutammo Nico a sedersi. Era fantastico che per il novantacinque per cento dei presenti un panino con la salsiccia fosse molto più interessante che scoprire se Nico sarebbe sopravvissuto.

Massimo si sedette accanto a lui, continuando a ripetere sempre le stesse parole: « Va tutto bene, fratello. Mi dispiace. Mi è scivolato il piede. Quando ti riprendi, sei autorizzato a rendermi pan per focaccia ».

Anna lo confortava dandogli piccole pacche sulla schiena. « È stato un incidente, *amore* ».* Poi si voltò verso di me. « Povero Massimo, si sentirà talmente in colpa. Nico fa sempre tante storie. »

Alzai gli occhi su di lei, esterrefatta, poi guardai Nico, che digrignava i denti dal dolore.

Prima che potessi ribattere, la mamma l'apostrofò: « Insomma, lascialo in pace, povero figliolo. Guarda che brutto taglio che ha. Ti ho vista fare più storie per esserti scottata la lingua col caffè. Ma credo non ci sia nulla di rotto. Ora lo porto a casa e vediamo che aspetto ha la ferita dopo averla pulita un po'. Mags, tu resta qui con Sam ».

Mi sarei messa a piangere di gratitudine per quello che stava facendo per me, rendendo tutto più facile. Strinsi la mano di

* In italiano nel testo. (*N.d.T.*)

Nico. « Ti va bene andare con la mamma? O vuoi che venga con te? »

Prima che potesse rispondere, Massimo disse: « Ti rimetterai, vero, fratello? Non rovinare la festa a Sam e Maggie. Tu vai pure a casa, ci penso io a loro ».

In fondo allo stomaco avvertii una sorta di disagio, l'impressione che qualcosa non quadrasse, una sensazione indistinta che faticavo a definire. E che volò via, danzando e vorticando come una banconota da cinque sterline strappata di mano da un soffio di vento, finché non fui costretta ad ammettere che mi era sfuggita.

27

LARA

Beryl se ne andò con Nico, e Maggie restò a sorvegliare Sam. La vedevo combattuta tra il desiderio di precipitarsi a casa a controllare come stesse il marito e lo scrupolo di non volerci lasciare la responsabilità dei bambini, così cercai di convincerla ad andare da lui. Però Massimo s'intromise: « Nico non vorrebbe che tu ti perdessi la festa. Un po' di riposo e tornerà come nuovo ».

Maggie era troppo educata per dissentire ma, non appena la maggior parte dei genitori passò a recuperare i figli, lei si dileguò. « Mi dispiace lasciarvi con questo disordine. Tornerò a darvi una mano, quando mi sarò accertata che Nico sta bene. Grazie di cuore per tutto, davvero. »

Massimo la congedò con un cenno della mano. « Non c'è bisogno che torni. La colpa è mia e della mia goffaggine. Il minimo che possa fare è sistemare. »

« È stato un incidente. Sono sicura che si rimetterà. »

« Mi chiami per aggiornarmi? Mi raccomando, se gli viene la nausea, portalo subito in ospedale. »

Maggie annuì e corse via, gridando l'ennesimo « grazie ».

Alcuni genitori si attardarono, sorseggiando il vino che Massimo aveva imposto loro nonostante le proteste: « Solo un goccio, devo guidare ». Rimase un gruppetto di mamme che ridacchiavano ascoltando i suoi racconti, palesemente invidiose di me per quel marito che non solo partecipava ai compleanni dei bambini, ma faceva la spesa e preparava i giochi. « Dovresti farlo per mestiere, l'animatore nelle feste. »

« Se dicessi a Tony che deve occuparsi lui dell'undicesimo compleanno di Louis, lo vedrei scomparire alla velocità della luce! »

Una delle donne si chinò verso Sandro e disse: « Non ti senti fortunato ad avere un papà così eccezionale? »

Lui si ritrasse dallo sguardo indagatore di quella piccola folla raccolta in cucina e non rispose. Poco dopo, sgusciò via senza farsi notare. Sentii un tuffo al cuore. Ci sarebbe stato un prezzo da pagare per l'eccessiva timidezza e per aver fatto « credere a tutti che tu abbia il papà peggiore del mondo! »

Cominciai a spazzare, mentre Massimo stava al centro della stanza come un direttore del circo, spiegando: « Vi chiedo scusa se Lara intanto ha iniziato a rassettare, è un po' ossessivo-compulsiva. Non riesce a sopportare di avere la casa sottosopra. Vieni a sederti e a bere un bicchiere di champagne, tesoro. Ti sei data tanto da fare oggi, hai fatto un ottimo lavoro. Più tardi ti aiuterò io a pulire ». E batté il palmo della mano sullo sgabello accanto a sé.

Quando Massimo stappò un'altra bottiglia, divagando sulle annate e sul voler solo il meglio del meglio per la sua « meravigliosa moglie », ci fu un sospiro collettivo, denso d'ammirazione. Massimo teneva corte, chiamando le mamme per nome e complimentandosi per « l'ottimo controllo di palla » dei loro figli.

Osservai quei volti dall'espressione estatica. Quale di quelle donne coi bottoncini di diamanti alle orecchie e le sopracciglia depilate avrebbe mai creduto che Massimo avesse causato deliberatamente l'infortunio del fratello?

Mi stavo lavando le mani in cucina, e la tensione mi aveva stretto un nodo allo stomaco quando avevo sentito il coro di: « Avete perso! Avete perso! Avete perso! » Massimo era il classico primogenito competitivo. Non accettava di perdere con Sandro una partita a Scale e Serpenti, figuriamoci una corsa a ostacoli con Nico. E di certo non davanti a una folla che potesse testimoniare la vittoria schiacciante del fratello meno sportivo. Avevo visto il suo viso farsi sempre più tirato, le labbra arricciarsi, il vigore crescente nel colpire i palloni che gli arrivavano addosso, la furia ogni volta che perdeva l'equilibrio e cadeva dalla trave. Quando si era gettato addosso a Nico, non mi aveva sconvolto più di tanto. Ero solo rassegnata al fatto che gli eventi si fossero susseguiti come mi ero aspettata. E, non appena Nico era tornato barcollando a casa sua e i bambini avevano ricominciato a venerare Massimo come un eroe, lui era tornato il solito giovialone al centro della scena.

Finalmente anche gli ultimi bambini e le loro frivole mamme dai sorrisi leziosi se ne andarono. Il mio sollievo era attenuato dalla consapevolezza che il vero dramma stava per cominciare. Nell'istante in cui Massimo smise di salutare gli ospiti dalla soglia di casa, disse: «Smettila di tenermi il broncio».

«Non sto facendo il broncio. Sono solo stanca. È stata una giornata lunga.»

«Te lo leggo in faccia. Dai la colpa a me per quello che è successo a Nico. È stato un incidente. Tipico da parte tua, pensare che io l'abbia fatto apposta, tu cerchi sempre il peggio nelle persone.»

Sapevo di non doverlo contraddire. Continuai a buttare nel bidone della spazzatura piatti di carta e tovaglioli. «Dovremmo fare un salto da lui e assicurarci che sia tutto a posto.»

«Vai pure. Io resto qui e metto a letto Sandro. Mi sento già abbastanza male per quello che è successo senza che stiate a puntarmi tutti il dito contro.»

Come no, era così distrutto che nelle ultime due ore aveva riso e scherzato col piccolo harem di mamme. Stava aspettando che facessi ciò che facevo sempre: passare l'intera serata a cercare di farlo scongelare. «Una tazza di tè?», «Ecco il giornale», «Scegli tu quello che vuoi guardare», fino a quando non mi avrebbe ricompensata con un commento che non fosse sbraitato o borbottato.

Ma per quel giorno avevo esaurito le mie energie pacificatrici. E l'indomani non sarei semplicemente uscita a guidare con Maggie, avrei fissato la data per l'esame.

28

MAGGIE

La mattina dopo la festa, già solo gettare le gambe fuori dal letto al suono della sveglia mi fece sentire come se avessi esaurito la riserva di energia quotidiana. Era incredibile che, prima di sposarmi, non me ne fosse mai importato un'acca di andare a letto tardi, preoccupata com'ero di perdermi qualche risata extra con gli amici o una pagliacciata assurda che sarebbe stata raccontata per settimane più che di sentirmi esausta il giorno successivo. Ma ora mi ero abituata al ritmo di vita di Nico, che non andava mai a dormire dopo le dieci e mezzo. La sera prima, però, ce n'eravamo stati accoccolati a guardare film fino a tardi per assicurarci che non avesse un trauma cranico. Stentavo a credere che essermi coricata dopo mezzanotte mi avesse lasciato così spossata. Potevo attribuire tanta stanchezza solo allo sforzo di avere avuto a che fare con la famiglia Farinelli al gran completo, con tutta la sua malizia manifesta, senza contare le sue misteriose correnti sotterranee.

E così, una volta spediti i ragazzi a scuola e dopo aver cercato invano di convincere Nico a stare a casa a riposare, speravo di trascorrere una mattinata tranquilla in soffitta, a completare gli ultimi vestiti prima di partire per le vacanze.

Ma Anna aveva altri piani. Entrò con le sue chiavi e si mise a gridare nell'atrio: « Ehilà? C'è nessuno? »

Ero stata tentata di tirar su il portello e nascondermi in atelier con la giacca da uomo che stavo faticosamente sistemando, ma alla fine scesi. E rimpiansi subito di averlo fatto. Anna cominciò a sgridarmi per aver « lasciato andare a lavorare Nico ».

« Ma come posso proibire qualcosa a un uomo di quarant'anni che si è messo in testa di andare al lavoro? Credo anch'io che si sarebbe dovuto prendere un giorno, ma sai com'è fatto. La ferita gli dava un po' fastidio, però stava abbastanza bene. »

Lei tirò su col naso e arricciò le labbra. «Massimo era preoccupatissimo per suo fratello. Ha passato la notte in bianco.»

Non sapevo se dicesse cose del genere solo per darmi sui nervi ma, quando l'avevo visto uscire di casa, quella mattina, Massimo fischiettava allegro, come se si fosse fatto otto ore filate di sonno e, al suo risveglio, avesse fatto colazione con caffè bollente e croissant. E, a parte un messaggio che diceva ALLORA, HAI SMESSO DI VEDERCI DOPPIO? non si era esattamente premurato di venire a trovare il fratello portandogli scatole di cioccolatini. Nutrivo lo strisciante sospetto che Massimo, maschio alfa supersportivo, pensasse che Nico avesse fatto un dramma per una cosuccia da nulla.

Ero appena riuscita a far sloggiare Anna e a riprendere l'ago in mano, quando suonò il campanello. Fui tentata d'ignorarlo, ma poi pensai che era meglio verificare che non fosse Nico in fin di vita, strisciato carponi fino alla porta di casa. Sbirciai dalla finestra in cima alle scale e intravidi il prendisole beige di Lara.

Sospirai. Era passata di sicuro per vedere come stava Nico. Era apprensiva, a dir poco. Non potevo permetterle di andarsene tutta agitata, così corsi giù e la invitai a entrare.

Si sedette per bere un caffè e, nonostante l'aria stanca, emanava un vigore, un'energia che non le avevo visto molto spesso, dei modi spicci alla «su, facciamo quel che va fatto».

Primo punto della lista: Nico. «Tutto bene? Ieri pomeriggio non aveva una bella cera. Stanotte mi sono alzata non so quante volte per controllare dalla finestra se c'erano tutt'e due le vostre macchine. Temevo avessi dovuto portarlo in ospedale.» Tacque un istante. «Massimo voleva fare un salto stamattina, ma poi ha pensato che foste troppo occupati a far preparare i ragazzi per la scuola.»

Personalmente, pensavo che in quell'occasione Massimo non si fosse coperto di gloria, ma la sincera preoccupazione di Lara compensava le sue mancanze. Per farla ridere, le raccontai che Anna mi aveva rimproverato per non aver chiuso a chiave Nico in camera da letto.

Anche se non lavorava, sembrava che Lara avesse sempre qualcosa di urgente da fare, cose che non sarebbero mai rientrate nella mia lista, tipo cercare di cucinare qualche piatto ricercato che Massimo aveva mangiato durante uno dei suoi viaggi. Perciò mi aspettavo che schizzasse via dopo un quarto d'ora per andare a sbrigare qualche commissione assurda, come comprare salmone selvaggio dell'Alaska, o carne di manzo biologica o qualche altra squisitezza impossibile da reperire in un normale supermercato. Invece cominciò a frugare nella borsa e tirò fuori un pezzo di carta. Abbassò lo sguardo. « Mi chiedevo... Ti farebbe ancora piacere insegnarmi a guidare? So che non ho mostrato molto entusiasmo ma... » Mi porse il biglietto. « Ho fissato la data dell'esame di teoria per il prossimo mese e spero di poter dare la pratica entro ottobre. »

« Oddio! È fantastico! Faremo meglio a metterti subito dietro un volante, allora. » Anche a costo di dover cucire tutte le sere fino al giorno della partenza per l'Italia, dovevo assolutamente farla salire in auto, prima che si tirasse indietro.

Lara sorrideva come una bambina la vigilia di Natale, come se fosse una cosa che pensava e pianificava da anni. Proprio quando ormai mi ero convinta che non le interessasse! Era davvero una donna piena di sorprese. Avevo sempre desiderato essere così, misteriosa ed enigmatica, una donna che gli uomini fossero interessati a decifrare, a comprendere. Invece ero lo sfondo semplice su cui si stagliavano le complessità e le astuzie altrui. Forse non ero abbastanza sveglia per mettere in pratica la strategia del « vedo/non vedo », del « conoscimi per capire chi sono ».

Ogni volta che dicevo a Nico di essere preoccupata che alla lunga, dopo aver sentito tutte le mie storie, mi trovasse noiosa, lui scoppiava a ridere e diceva: « Non voglio fare giochetti, Maggie. *Adoro* che tu sia esattamente come appari. Smettila di dubitare di te. E di me ». E in quel momento mi sentivo appagata e decidevo di smetterla di aspettarmi che tutto finisse a gambe all'aria. Sensazione che, di solito, durava una buona mezz'ora prima che Anna se ne uscisse con uno dei suoi commenti sull'intelligenza sopraffina di Caitlin o Francesca si affrettasse a giocherellare col telefono quando cercavo di legare con lei, raccontandole un episodio della mia adolescenza.

E così l'idea di accompagnare Lara in quelle brevi sortite segrete in auto mi dava un assurdo senso di soddisfazione, come se, in qualche modo, io non fossi la prevedibile « brava ragazza » che tutti pensavano.

E quello fu l'inizio del nostro astuto piano. Nelle ultime due settimane di luglio, ogni mattina, sbrigata la questione scuola, Lara sgattaiolava fuori di casa dal retro. Io la recuperavo all'angolo, per poi inoltrarci insieme nella campagna come due fuggitive, con la radio a tutto volume.

Non appena trovavamo uno spazio aperto e tranquillo, ci scambiavamo di posto. E ancora una volta Lara mi aveva sorpreso. Mi ero aspettata che si scoraggiasse facilmente, che mettesse in mostra il suo disfattismo con frasi stile: « Sapevo che avrei fatto schifo, ti avevo detto che non ne sarei stata capace ». E invece si era rivelata una fucina di determinazione. Anche quando schiacciava il pedale sbagliato e, mentre io mi sforzavo di non urlare, per poco non ci faceva finire dritte in un fosso, non andava mai in panico. Spegneva la macchina e analizzava ogni passaggio in modo logico, prima di fare un altro tentativo. I clacson e i gestacci degli altri guidatori non la turbavano. Reagiva con una risata e, talvolta, persino con qualche parolaccia. Fu una rivelazione scoprirla meno rigida di quanto pensassi. Le sue occasionali imprecazioni spalancarono le porte a un turpiloquio di cui in seguito mi vergognavo, chiedendomi quante volte avessi mostrato il dito medio alle persone che avevano osato suonarci. Ma sembrava che a Lara non importasse. Aveva un non so che di spensierato in quei momenti, come se il nostro segreto la stesse liberando di un peso che non riuscivo a identificare.

29

LARA

Avevamo l'aereo per l'Italia il primo agosto. Avevo rimandato fino all'ultimo pomeriggio la preparazione dei bagagli e me ne stavo seduta sul tappeto, intenta a graffiarne il tessuto, cercando di trovare la forza per aprire la porta della soffitta e andare a prendere le valigie. Sarebbe bastato il *clic* di una fibbia a richiamare alla mente una miriade di ricordi di vacanze precedenti, una valanga di aspettative ingenue trasformatesi in accuse velenose.

La vacanza sarebbe senza dubbio partita col piede sbagliato se Massimo, tornando a casa, avesse scoperto che non ero neanche lontanamente pronta, cosa che avrebbe condotto a uno dei suoi sproloqui del tipo: « Hai una vaga idea di quanto io lavori sodo per consentirti di tenere quel tuo culo pigro nel lusso? » Aveva già tirato fuori il passaporto di Sandro dicendo: « Non farti venire strane idee ».

Ma ora, con in testa un groviglio di pensieri disorganizzati come un gruppo di conigli messi in fuga da un colpo di pistola, era difficile non farsele venire. Era davvero dura non chiedersi come avrebbe potuto essere la vita senza Massimo e i suoi umori, mutevoli quanto un termostato inaffidabile. Invece, come centinaia di volte prima di allora, posi fine a quel filo di pensieri e mi concentrai sulla previsione di ogni singola esigenza vacanziera. Sapevo che qualunque svista, ogni crema solare, cappello o adattatore dimenticato sarebbe semplicemente andato a ribadire l'evidenza della mia « innata stupidità ».

Con un sospiro, mi convinsi a entrare nella nostra polverosa soffitta. Non appena posai le mani su quegli innocui trolley blu, mi balenò in testa una serie di orribili immagini delle precedenti vacanze. Zanzare che banchettavano su Sandro, colpa mia naturalmente, che avevo contaminato i geni italiani dei

Farinelli con la mia pelle inglese. Io che trovavo delle scuse per non spogliarmi dopo che Massimo mi aveva deriso vedendomi in costume da bagno. Anna che stravolgeva l'abitudine di Sandro di andare a letto alle sette, abitudine che *lei stessa* gli aveva dato, insistendo perché stesse in piedi fino a tardi – « Siamo in Italia adesso » – e lasciandomi sola a gestirne le conseguenze il giorno successivo. Massimo che andava su tutte le furie perché Sandro era troppo timido per chiedere un gelato alla fragola in italiano. Caitlin che giocava a Scarabeo, la chioma umida raccolta con un incantevole fermaglio e la pelle dorata, mentre a me si spellava il naso e si arricciavano i capelli. Francesca che nuotava a farfalla su e giù per la piscina, mentre Sandro gridava che voleva uscire persino quand'era nel punto meno profondo. Massimo che si rifiutava di mangiare anche solo una forchettata di pasta quand'era il mio turno di cucinare, dicendo a tutti che non stava molto bene, per poi prendersela più tardi con me per la mia « disgustosa sbobba inglese senza sale ».

Tra i ricordi erano anche sparse qua e là briciole di affetto, granellini di approvazione cui mi ero aggrappata. Massimo che mi sollevava il mento, mi guardava negli occhi e mi diceva, in italiano: « *Sei bellissima* ». Che m'indicava le stelle nel cielo toscano. Che mi spalmava delicatamente la crema solare sulle spalle, terminando con un gesto teatrale e un bacio. Che raccoglieva qualche fiore di bougainvillea e me lo infilava dietro l'orecchio. Ma questi bruscolini di felicità erano inghiottiti, spazzati via dalle imprevedibili maree dell'umore di mio marito.

Avevo appena trascinato tutto fuori dalla soffitta quando Maggie bussò alla porta. Non era sorridente come al solito, ma piuttosto tirata. Ero sorpresa che non stesse affrontando la partenza preoccupata soltanto dalla scelta dell'accappatoio. « Posso entrare un minuto? »

Indietreggiai e le feci cenno di accomodarsi, anche se in realtà avrei voluto impedirglielo, per sbrigarmi a finire le valigie prima del ritorno di Massimo.

Aveva i capelli ancora più scompigliati del solito e portava una casacca di cotone che aveva l'aria di essere stata ripescata dal fondo del cesto dei panni sporchi. Continuava ad arrotolarsi un ricciolo intorno a un dito, come se intendesse dire qualcosa che forse non avevo voglia di sentire. Passai mentalmente in rassegna le occasioni in cui potevo aver abbassato la guardia. Piccole verità che poteva avere messo insieme mentre io guidavo titubante, indecisa se infilare la quarta. Era davvero difficile non confidarsi con Maggie: possedeva una naturale cordialità e dava l'impressione di capirti perfettamente, senza mostrare la minima traccia di arroganza o l'impressione che, se fosse stata al mio posto, avrebbe gestito le cose molto meglio. Le sue opinioni non s'insinuavano in ogni crepa delle mie insicurezze nella speranza di trovare terreno fertile in cui attecchire. Al contrario dei Farinelli, che davano per scontato che chiunque avesse un punto di vista diverso dal loro non doveva avere ascoltato con sufficiente attenzione i loro persuasivi argomenti.

Gli occhi di Maggie sbirciavano irrequieti il mio viso, mentre la lingua tormentava un angolo della bocca. Volevo fermarla prima che avesse la possibilità di farmi *quella* domanda. Se qualcuno, chiunque, mi avesse chiesto ad alta voce perché sopportavo Massimo, perché non lo lasciavo, e avesse magari alluso di essere a conoscenza del fatto che lui stava progressivamente erodendo il mio essere fino a lasciarmi soltanto con una manciata di riposte pavloviane del tipo sì/no/scusa, non sapevo se sarei riuscita a continuare a simulare armonia e felicità coniugali. E cosa sarebbe successo se non fossi più stata in grado di fingere? Le conseguenze erano troppo spaventose da considerare.

Mi si strinse il cuore al pensiero di noi due che litigavamo per Sandro. Massimo avrebbe fatto di tutto per avere la meglio. Cosa sarebbe successo se avessi davvero dovuto lasciare lì mio figlio, se lui mi avesse visto andare via, sentendosi abbandonato dall'unica persona che poteva proteggerlo, eppure trattenendo il respiro per non piangere. Non potevo permettere che succedesse.

Cominciai a preparare il terreno per sbarazzarmi in fretta di Maggie, prima che attaccasse a parlare costringendomi ad affrontare l'insensatezza della mia vita: «Sto ancora facendo le valigie, sai com'è, continuo a pensare a cose da portare 'nel caso in cui' ma, se non mi concentro e non lo faccio in pace e tranquillità quando gli altri sono fuori, finirò per dimenticare qualcosa ».

Lei annuì. « Ci metto un attimo, mi domandavo solo se potevo chiederti una cosa. »

Desideravo con tutta me stessa tapparmi le orecchie per non sentire ciò che stava per dire. Ma non potevo essere sgarbata, visto che lei era stata così gentile con me. La feci accomodare in cucina, riluttante e dolorosamente consapevole di quanto fossero inospitali quelle pareti spoglie e quelle superfici vuote. Dopo il matrimonio con Nico, Maggie aveva trasformato la cucina di Caitlin in un luogo in cui s'indugiava volentieri. Piante, cuscini pelosi e ciotole di ceramica variopinte acquistati da Beryl in qualche bottega di rigattiere incoraggiavano i pensieri nascosti ad affiorare in superficie, in quel confortevole antro dove la conversazione rischiava di fermentare, priva di filtri e non esposta a giudizi.

Maggie era appollaiata su uno dei nostri sgabelli e si torceva il bordo della casacca. « Posso dirti una cosa, una cosa che non devi raccontare a nessuno? »

Non dissi nulla, ma mi preparai a rispondere alla domanda fatidica. Rispolverai le mie battute, le mie allegre smentite, una disinvolta alzata di spalle del tipo « ma non è niente d'importante » affinate nel corso degli anni. Avrei potuto scegliere un: « È solo il suo senso dell'umorismo, non c'erano allusioni ». Oppure, chessò: « È il suo sangue italiano, la passionalità mediterranea. I Farinelli hanno tutti un po' di fuoco in corpo, ma gli passerà in fretta ». O uno sguardo inespressivo e un: « Non me ne sono proprio accorta. Temo di non capire di cosa tu stia parlando ».

Maggie si stropicciò gli occhi. « Mi dispiace scaricarti addosso questa cosa, Lara, ma sono stressatissima per via della vacanza. Nell'ultimo mese Francesca è stata davvero sgarbata con me. È già abbastanza brutto quando siamo a casa, ma ogni volta che immagino di essere trattata come un pezzo di merda di fronte ad Anna mi viene voglia di piangere come una bambina. E poi mia madre non sopporterà le sue bizze e la sua insolenza, finirà per intromettersi e io mi ritroverò tra l'incudine e il martello. Non ho neanche voglia di partire.» E con quelle parole scoppiò in lacrime, non uno dei miei tipici pianti sommessi, ma un pianto in piena regola, con tanto di singhiozzi.

Tutta l'adrenalina che avevo accumulato, pronta a essere liberata sotto forma di divertita indignazione, si sprigionò facendomi tremare le gambe. Mi sedetti su uno sgabello, incredula che Maggie, per natura così allegra, potesse rimuginare su ciò che pensava Anna.

Ero talmente abituata a contenere le mie emozioni, impacchettandole per poterle offrire agli altri in forme accettabili, che mi ci volle qualche istante per accettare l'idea che qualcuno come Maggie potesse avere i propri demoni.

Dovevo sembrare davvero sbalordita, perché lei riprese, incerta: «Scusa, forse non avrei dovuto parlartene, è che a Nico non posso dire niente, perché è già molto in ansia per Francesca. So quanto è dura per lei, ma mi detesta, c'è poco da fare».

A quel punto, il pezzettino del mio cervello che funzionava senza lambiccarsi su «cosa direbbe Massimo se lo sapesse» si mise in moto. «Oh, santo cielo. Non avevo idea che ti sentissi così. Ti ammiro moltissimo. Sei stata davvero carina con Sandro – lui ti adora – e hai l'aria di saper prendere tutti nel modo migliore. Sinceramente, è davvero difficile entrare in una famiglia unita come questa: io ci ho messo un secolo a sentirmi a mio agio con tutti. Ma Nico ti adora, e Massimo ti trova meravigliosa.» Mi sforzai di non lasciar trapelare tensione dalla voce. Mi costrinsi a una risata. «Quanto ad Anna... Be', è da pazzi sperare che qualcuno possa essere all'altezza dei suoi ragazzi.»

Maggie rilassò un po' le spalle. «Sul serio? Non voglio sembrare un'ingrata, davvero, so quanto sono fortunata, ma mi sento come se fossi costantemente sotto esame. All'inizio le cose con Francesca andavano bene, ma poi c'è stato tutto quel casino col portagioie...»

Mi sentivo come se stessi strizzando tra le mani un palloncino pieno d'acqua, cercando di capire quale parte sarebbe esplosa per prima. «Non starà mica andando avanti con quella storia? Come fai a sapere che fine ha fatto? Potresti anche non essere stata tu a buttarlo via.»

Maggie si morse il labbro. «Ma sono stata io.»

« Davvero? Perché? » Non appena pronunciate quelle parole, desiderai fuggire. Non volevo scoprire che l'unica persona che ero sicura stesse dalla mia parte era una ladra.

« Non posso dirtelo. Però l'ho fatto per un buon motivo. »

Volevo essere io a deciderlo, volevo essere sicura che, dopo dieci anni con Massimo, la mia capacità di giudizio non fosse così distorta, così danneggiata da non riuscire più a riconoscere una persona perbene in un viscido, putrido barile di mele marce. La bilancia adesso pendeva dalla mia parte. Avevo sempre guardato con ammirazione a Maggie, impressionata dalla sua gioia di vivere, dalla sua capacità di recupero, dalla sua cordialità. Ma adesso era lei che si rivolgeva a me in cerca di rassicurazioni. Glielo dovevo. La sua generosità - mi aveva dato lezioni di guida, aveva trovato aspetti da amare in Sandro, risolto le cose con Lupo - aveva a poco a poco reso la mia vita un posto meno solitario.

« Perché non puoi dirmelo? »

Maggie si avvolse un ricciolo intorno a un dito. « Farebbe soffrire Nico. L'ho fatto per proteggerlo, e per proteggere Francesca. »

Avvertii un improvviso bruciore di stomaco. Evidentemente Maggie aveva capito che il portagioie era una specie di pegno d'amore che non proveniva da Nico. Mi sentii come se stessi avanzando tentoni sul ponte di un traghetto durante una traversata particolarmente sgradevole, divisa tra la possibilità di ottenere le prove che Massimo aveva avuto una relazione con Caitlin e il desiderio di nascondere la testa sotto la sabbia.

La fissai, cercando d'intuire se fosse consapevole che Massimo era coinvolto. Tutto inutile. Non potevo lasciarla andare senza scoprire cosa sapeva. « Cosa intendi? »

Maggie prese a giochicchiare con la fede nuziale. « Non avrei dovuto dire niente. È che ho scoperto delle cose nel portagioie che... be', che probabilmente a Nico non farebbero piacere. » Scese dallo sgabello. « Scusami, Lara, non avrei dovuto coinvolgerti in questa cosa. Dimenticatela, non è importante. »

Dovetti trattenermi per non prenderla per un braccio e gridare: « Sai se mio marito ha avuto una relazione con Caitlin? »

Non potevo lasciarla scomparire nella casa accanto e trascorrere la serata a farmi domande, fissando Massimo alla ricerca d'indizi, finché lui non se la fosse presa con me.

Con un bruciante senso di vergogna, mi alzai per accompagnarla alla porta e le dissi: « Mi dispiace che tu non te la senta di confidarti con me. Credevo fossimo amiche ».

Maggie arrossì. « Oh, Lara, ma noi siamo amiche. Non è questo. Non voglio caricarti del peso di un segreto che poi saresti costretta a mantenere. E *non* ci sono alternative. Se venisse fuori sarebbe assolutamente devastante. Io ho rischiato d'impazzire perché non sapevo cosa fare. »

Feci un profondo respiro e la pungolai con un: « Pensavo che ti fidassi di me ». Mi detestavo per quello che stavo facendo.

Lei tremava, ma non sapevo se fosse perché non voleva turbarmi o perché aveva il disperato bisogno di sgravarsi di quel fardello. Avrei voluto scuoterla e gridarle: « Dimmelo! Dimmelo! »

Lei scosse il capo.

Tornai alla carica. « Non devi temere che lo dica a Massimo. Non gli parlo mai di niente che abbia a che fare con la sua famiglia. Nessuno di loro vede di buon occhio l'intromissione degli estranei. »

Da come la sua espressione si ammorbidì, capii di avercela fatta: presentarci come una squadra era stata una mossa vincente.

Con un filo di voce, come se non credesse sino in fondo a ciò che aveva visto, disse: « Credo che Caitlin avesse una relazione ».

Anche se sapevo già cosa stava per dire, mi sentii comunque percorrere da una scossa. Cercai di apparire il più possibile sorpresa, ma usai un tono che alle mie orecchie suonò solo fastidioso. « Caitlin? Con chi? »

« Non lo so. C'era un'incisione nel portagioie: 'Tuo per sempre, P'. E un sacco di note e biglietti. »

« P? Chi è P? » chiesi. Non era la M che mi aspettavo. Mi resi conto troppo tardi che sembravo più sorpresa da quell'iniziale che dalla rivelazione in sé.

Dentro di me si accese un barlume di speranza, che però si spense subito quando Maggie iniziò a elencarmi il contenuto del portagioie. Tutti quei commenti sulle serate all'opera a Londra, sui pranzi in alberghi di lusso, su un concerto all'O2 mi fecero sentire stupida e ingenua, come la ragazzina idiota che alla festa se ne sta impalata con in mano il bicchiere del suo fidanzato, mentre lui bacia un'altra nel parcheggio. Io avevo lavorato con Massimo. Sapevo che viaggiava molto per affari, anche se i viaggi si erano intensificati dopo la nascita di Sandro. Ma non avevo mai notato una correlazione tra le sue assenze e i ritiri di yoga o i corsi intensivi di pilates di Caitlin. E, a quanto pareva, non l'aveva notata nemmeno Nico. Ma quale mente perversa avrebbe ipotizzato che sua moglie e mio marito avessero una tresca?

E il mio dolore s'intrecciava all'assoluto ribrezzo per ciò che mio marito aveva fatto a suo fratello. In quel caso nemmeno Massimo sarebbe riuscito a scaricare la colpa su qualcun altro, a insinuare il suo punto di vista sino a farci sentire tutti dispiaciuti per lui o a comprendere le sue ragioni.

« Lo dirai a Nico? » Cercai di assumere un tono premuroso e neutro, ma la mia voce era ansiosa, come se stessi per esplodere in un: « Dai! Sputa il rospo! »

Maggie si mordicchiò il pollice e sviò lo sguardo. Le si riempirono gli occhi di lacrime. « No. Non possiamo neanche accennare al portagioie senza litigare. Adesso, ogni volta che tiro fuori l'argomento, lui mi dice solo di 'cambiare discorso'. Secondo me, crede che me ne sia sbarazzata in un attacco di gelosia, pensando che fosse un suo regalo. Invece stavo cercando di proteggerli, lui e Francesca. O magari pensa che lo abbia rivenduto per farci due soldi. In ogni caso ora non ho più nessuna prova del tradimento. »

Le passai un fazzoletto di carta e la adorai, perché si soffiava il naso rumorosamente, in totale contrasto con Anna, che pensava che funzioni corporee involontarie come starnuti o colpi di tosse indicassero una mancanza di disciplina. Sandro, che quand'era nervoso tirava su col naso, doveva averle fatto perdere cinque anni di vita.

Mi sentivo come in cima a un monte, fissavo la massa di rocce sotto di me, cercando di resistere all'irrazionale impulso di lanciarmi nel vuoto. Volevo incoraggiarla a parlarne con Nico.

Prenderle la mano e insistere che era assolutamente giusto, perché così sarebbe stata solo questione di tempo prima che emergesse il ruolo di Massimo in tutta quella sordida faccenda, senza dover essere io a coinvolgerlo. Avrei potuto essere libera.

Accarezzai per un istante l'immagine di me e Sandro in un appartamentino con la vista sul mare in lontananza. Alle pareti i quadri che piacevano a me. Nessun bisogno di ricontrollare che anche l'ultimo pezzettino di Lego fosse stato rimesso a posto prima che Massimo rientrasse. Sandro che poteva disegnare per tutto il tempo che voleva, senza essere costretto ad andare a judo o a rugby. Io che non sarei più entrata in una stanza coi nervi a fior di pelle, alla ricerca d'indizi, valutando la temperatura dell'umore di Massimo.

Ma, come sempre, l'allettante idea di poter vivere una vita diversa, quella ventata di energia scomparvero. La mera forza delle smentite di Massimo e la loro inesorabilità sarebbero riuscite a erodere le mie ragioni. Si sarebbe sottratto a ogni accusa e avrebbe sfogato le sue rimostranze su di me – « Anche se avessi avuto una relazione, con una moglie grassa/sciatta/priva di fascino come te, chi potrebbe farmene una colpa? » – finché la parte malata, cancrenosa della mia anima non si sarebbe convinta che ero fortunata ad avere un uomo come lui. E poi sarebbe tornato il sereno e mi avrebbe nuovamente fatto sentire come la donna più sexy e più interessante che avesse mai avuto la fortuna d'incontrare.

Fino alla volta successiva.

Maggie diede un'ultima soffiata di naso. « Scusa, non ero venuta a vomitarti addosso tutte le mie ansie. In realtà ero passata per chiederti se, quando saremo in Italia, io e mia madre ogni tanto possiamo portare fuori Sandro insieme con Sam, per allontanarci un po' dagli altri. Non voglio che Anna pensi che siamo delle ingrate, ma la mamma è molto schietta, per usare un eufemismo, e volevo trovare una scusa per stare un po' per conto nostro, se la situazione si fa troppo pesante. »

Annuii e vidi un senso di sollievo illuminare il suo viso.

« A Massimo starà bene, vero? »

« Sì, ne sono certa. Gli stai molto simpatica. » Mi vergognavo della lieve fitta di gelosia che avevo provato quando, alla festa, avevo visto Massimo mettere le mani sulle braccia di Maggie.

Lei sorrise. «Grazie, Lara. Non voglio pestargli i piedi; mi diceva proprio l'altro giorno che non vede l'ora di passare del tempo con Sandro. È evidente che vuole solo il meglio per voi due. Anzi, per tutta la famiglia. È stato davvero gentile con me.»

Maggie aveva ragione: senza prove, chi le avrebbe mai creduto?

Chi avrebbe creduto a me?

30

MAGGIE

Il giorno successivo, mentre viaggiavamo verso l'Italia, di tanto in tanto mi sentivo investire da un'ondata di preoccupazione. Mi aveva già fatto soffrire abbastanza dover tenere per me il segreto della « cara Caitlin che non è stata la moglie perfetta che tutti pensavamo », senza dover aggiungere il timore che Lara se lo lasciasse scappare. Dio solo sapeva cosa mi era preso per raccontarglielo, anche se, a essere sincera, se c'era qualcuno al mondo che incarnava l'immagine di chiusura lampo con aggiunta di lucchetto a combinazione era probabilmente Lara.

Arrivati alla fine di un lungo viale ed entrati nella tenuta del castello, Nico fece un gesto teatrale col braccio e disse: « Benvenuti al castello della Limonaia! » Io gli strinsi la mano, felice di cambiare aria, di non essere più nella casa di Brighton in cui ogni stanza pareva sussurrarmi segreti contraddittori. Mi baciò sulla guancia e, mentre mi chinavo verso di lui, vidi mia madre scrutarci dal sedile posteriore. A volte mi sentivo come un esperimento scientifico: unisci due persone provenienti da ambienti diversi e verifica se il matrimonio diventa un mutante.

Durante il viaggio, avrei voluto osservare ogni elemento del paesaggio, perdermi nei miei sogni e nei campi di girasoli, assorbire le curiosità che ci raccontava Nico: « I girasoli si chiamano così perché seguono di continuo il movimento del sole, fino a quando non scompare dietro l'orizzonte ».

Ma, ogni volta che lui m'insegnava una parola in italiano, avevo l'impressione di doverla memorizzare il più in fretta possibile, così la volta successiva potevo annuire col resto della famiglia, senza che Anna s'intromettesse con un: « Ma Nico te l'ha già spiegato ».

Con Francesca seduta alle mie spalle, pronta a sentenziare: « Non si dice così », non avevo neanche osato ripetere le parole italiane che stavo imparando. Ero terrorizzata all'idea di dovere ordinare al ristorante di fronte a tutti loro, che avrebbero pronunciato con disinvoltura i nomi dei piatti che desideravano. Finché non fosse giunto il mio turno e probabilmente avrei ordinato per errore una «pizza ai fungi» e fatto morire dal ridere tutto il ristorante. Quando avevo provato ad affrontare le mie preoccupazioni con Nico, lui mi aveva baciata sul naso e aveva detto: «Siamo in vacanza, non in una puntata di *Mastermind*. Saremo felicissimi di farvi da cicerone».

Non appena l'auto si fermò, Sam schizzò fuori, talmente esaltato dal fatto di essere all'estero che riuscii ad accantonare il bizzarro episodio del giorno prima a casa di Lara. Si era comportata quasi da ficcanaso rispetto al portagioie, mi aveva sommerso di domande, il che non era affatto da lei. Spesso e volentieri sembrava disinteressata a me, come a chiunque altro, al punto che a volte avevo il dubbio che non le piacessero le persone. Forse anche lei, come me, era sollevata dalla scoperta che Caitlin si fosse macchiata di una tale colpa. In fin dei conti era un essere umano come tutti noi. D'altronde anche Massimo aveva fornito il suo apporto al mito di Caitlin che «illuminava qualsiasi luogo in cui mettesse piede». Presi mentalmente nota di non elevare mai Nico allo status di eroe, casomai fosse schiattato e io mi fossi risposata, per quanto le probabilità di avere due mariti nell'arco di una vita fossero esili. Era davvero una seccatura per chi veniva dopo.

Contemplai il castello. Ancora una volta, ero intrappolata tra ciò che *avrei dovuto* provare e ciò che provavo *in realtà*. Non ero mai stata in Italia prima, non avevo mai visto grandi campi dorati di girasoli, solo i gracili fiori che Sam coltivava alle elementari, che sfiorivano alla finestra dell'appartamentino buio di mia madre. Eppure una parte di me avrebbe voluto essere sola con Sam e la mamma, sulla nostra macchina stracarica di oggetti di ogni sorta, dai piumini ai canovacci, con dietro una roulotte scassata, a cantare a squarciagola *We're All Going on a Summer Holiday*.

Ma riuscii a rilassarmi e ad accennare un sorriso alla vista di Sam che gridava a Sandro: «Cavoli! Un castello vero! Dai, andiamo a esplorarlo!» Sparì nel giardino, col cuginetto che gli trotterellava dietro, schivando enormi vasi di terracotta colmi di gerani. Quanto a Francesca, rimase impassibile; sporse senza fretta le gambe fuori dall'auto, controllandosi i capelli nello specchietto retrovisore.

La mamma, invece, tendeva più all'entusiasmo, come Sam. « Non avevo capito che sarebbe stato un vero e proprio castello. Santo cielo, ha le torrette e tutto l'ambaradan. Secondo te possiamo salirci? Da lì potremo vedere per chilometri e chilometri. Guarda, Mags, un ponte levatoio. Si possono tranquillamente immaginare i soldati che vanno alla carica in sella ai cavalli. »

Nico mi mise un braccio intorno alle spalle. « Allora, Mrs Farinelli, cosa ne pensi? »

« Wow! » Speravo che quella vacanza ci avrebbe permesso di rimetterci in carreggiata. Nel mese trascorso da quando Francesca aveva distrutto il mio atelier, Nico aveva assunto un atteggiamento neutrale: aveva condannato il suo comportamento, ma non si era convinto al cento per cento che io fossi del tutto innocente rispetto alla scomparsa del portagioie: « Però è strano che sia sparito nel nulla. Magari salterà fuori ».

Se c'era stato un momento per dire la verità, l'avevo mancato. Non riuscivo a elaborare una versione degli eventi che evitasse l'emergere della relazione di Caitlin e offrisse una valida scusa per il mio gesto. Speravo che col tempo avremmo semplicemente finito per dimenticarcene e che la sparizione del portagioie sarebbe passata nel regno dei misteri familiari irrisolti, un po' come il luogo in cui finiscono i calzini perduti: una scocciatura, ma nulla di così interessante da perderci del tempo.

Ma, proprio quando mi stavo godendo quei pochi istanti di sintonia con Nico, superando temporaneamente la tremenda quantità di magagne che in breve avevano riempito d'incrinature il nostro matrimonio, fummo interrotti da Massimo: « Allora, Maggie, come ti sembra l'Italia? È all'altezza delle tue aspettative? Lascia che ti mostri la vista dai bastioni, chiama tua madre ».

Guardai Nico, che annuì. « Vai pure. Chiedo a Francesca di aiutarmi a scaricare i bagagli. »

Io esitai. « Sei sicuro? » Non ero abituata a delegare a qualcun altro tutto il lavoro ingrato. Lui mi fece cenno di andare, ridendo.

La mamma era impegnata a ripulire uno dei vasi dai gerani appassiti.

Massimo le mise la mano sulle spalle. « Su, Beryl, vieni, questa per te è una vacanza. Ci sono i giardinieri che si occupano dei fiori, per cui voglio vederti riposare e goderti il sole. Forza, andiamo ad ammirare il panorama. »

Ero grata che Massimo cercasse d'includere anche la mamma. In aeroporto, Anna aveva fatto commenti pungenti come: « È una vita che noi tutti andiamo avanti e indietro in aereo. Non riesco proprio a capire le persone che non sono interessate a viaggiare. Che provinciali ».

La odiavo; non perdeva mai l'occasione di evidenziare quanto fossimo « provinciali ».

Avevo cercato di vendicarmi, adducendo un'evangelica preoccupazione per l'ambiente, sottolineando che le miglia percorse in aereo non erano una cosa di cui vantarsi, che gli scarichi degli aerei uccidevano oltre diecimila persone l'anno.

Ma la mamma l'aveva affrontata con la consueta brillantezza. Aveva riso e aspirato rumorosamente dalla cannuccia del suo frullato. « Uno può essere interessato a tutto quello che vuole ma, se non ha i soldi, non ha i soldi. A tutti noi piace andarcene in giro, saltando su questo o quell'aereo, e io non direi certo di no a una piccola crociera nel Mediterraneo, ma la realtà è che non sarei qui adesso se Nico non fosse stato così carino da avere pietà della sua vecchia suocera. »

Anna si era limitata a mettere il broncio, ma io avrei continuato a tenerla d'occhio per assicurarmi che non mancasse il passaggio mentale da Beryl, l'assistente domiciliare/donna delle pulizie/tuttofare, a Beryl, parte della sua famiglia allargata e ospite per quella vacanza.

Esclusa mia suocera, tutti gli altri Farinelli erano stati molto generosi riguardo all'ospite in più. Ero così agitata quando avevo detto a Nico che avevo invitato la mamma in Italia: ero pronta ad affrontare la possibilità che alzasse le mani schifato e l'imbarazzo di dover ritirare quello sconsiderato invito. Lui, invece, mi aveva semplicemente abbracciato e aveva detto: « Ma certo, Maggie, Beryl è la benvenuta. Spero che non le dispiacerà condividere la stanza con Sam ».

Io avevo blaterato qualcosa a proposito del fatto che avrei pagato per il suo volo e per il costo dell'alloggio e che magari avrei partecipato anche alle spese per la sua parte di carta igienica e di sapone per le mani.

Nico si era limitato a mettermi un dito sulle labbra. « Sstt. Va tutto bene. Sam le è molto affezionato e sarà bello anche per Sandro. »

Dovevo smettere di preoccuparmi troppo. Prima d'incontrare Nico nessuna delle mie relazioni era mai durata più di un anno. I periodi difficili con l'uomo di turno tendevano a risolversi con un: « Prego, quella è la porta » piuttosto che con un: « Tranquilla, lo supereremo ».

Tornai a rivolgere la mia attenzione a Massimo, che stava ancora istruendo mia madre su come concedersi una vera e propria vacanza.

La mamma si asciugò il labbro imperlato di sudore. « Fa un bel caldo, eh? Non saprò come passare il tempo. Non sono molto brava a stare con le mani in mano, ma ci proverò. »

« Dov'è Lara? Vorrà vedere il panorama anche lei? » Non volevo essere oggetto di biasimo per aver monopolizzato suo marito nel momento sbagliato.

Massimo fece un cenno come a invitarci a lasciar perdere e ci fece strada attraverso un cortile assolato, con affreschi sbiaditi e arcate decorate. « Lara è di casa, qui. E poi le piace disfare le valigie e sistemarsi subito. Più tardi torneremo tutti insieme, ma volevo solo offrire ai miei nuovi ospiti preferiti un piccolo anticipo. »

La mamma gli diede di gomito. « Che vecchio adulatore sei, Massimo. »

« Faccio del mio meglio, Beryl, faccio del mio meglio. »

Massimo richiamò Sam con uno dei suoi fischi, con tanto di dita in bocca, tipo quelli che i muratori rivolgono dalle impalcature alle belle donne. Speravo che nel corso di quella vacanza un po' dell'esuberanza di mio cognato si trasmettesse a Nico. Avrei voluto ritrovare l'armonia di un annetto prima, quando il dolore per il lutto si era dissipato abbastanza da permettergli di non sentirsi più in colpa all'idea di essere innamorato di me, e non era ancora stremato dalle difficoltà comportate dalla fusione di due famiglie.

Massimo restò alle nostre spalle e ci fece salire una stretta rampa di scale.

Sam trotterellò su per i gradini con la sconfinata energia di un undicenne. La mamma, invece, si trascinava aggrappata alla ringhiera. «Cavoli! Questi gradini non sono fatti per vecchie ciccione con le ginocchia a pezzi come me.»

«Vuoi una spinta, Beryl?» chiese Massimo, una domanda che risultò insieme insolente e servizievole.

«Ma va'!» ridacchiò la mamma.

I miei dubbi sulla vacanza cominciarono a dileguarsi. Non ero mai stata pessimista, ma prima non avevo granché da perdere. Dopo pochi gradini, mi girai per sorridere a Massimo, il cui profilo si stagliava nel sole in fondo alla rampa, il perfetto stereotipo dell'italiano di bell'aspetto, con la sua giacca di lino gettata sulla spalla. Mi chiesi per l'ennesima volta come Lara - che non sembrava mai del tutto rilassata - potesse convivere con un uomo che viveva con leggerezza, sempre alla ricerca di divertimento e avventura. Mi rimproverai. Sapevo meglio di chiunque che si ha sempre solo una visione parziale della realtà di un matrimonio altrui.

Massimo s'infilò tra noi, tirò indietro un catenaccio in ferro battuto e girò una chiave talmente grossa che la si poteva immaginare appesa alla cintura di un banditore pubblico. Uscimmo in pieno sole, il tipo di sole che fa scottare i capelli e induce a schermarsi gli occhi con un gesto eccessivo, come le star del cinema. Proprio sotto di noi, file di campi che brillavano di girasoli, uno spumeggiante mare giallo che si stendeva per chilometri e chilometri.

Massimo se ne stava alle nostre spalle con le braccia incrociate e si godeva la nostra meraviglia. Mi posò la mano sulla schiena. «Guarda, se ti sporgi un po' in fuori sulla destra, puoi vedere i vigneti del castello.»

Io annuii e mi scansai, consapevole di avere la schiena sudata. Non volevo rischiare di girarmi e vederlo asciugarsi furtivamente il palmo sui pantaloni. Cominciai a raccontare a

Sam che l'uva che cresceva nelle vigne veniva pigiata e trasformata in vino, ma lui era più interessato a sapere se un tempo dai bastioni lanciavano frecce e facevano saltare i vicini con palle di cannone.

« Beryl, che ne dici di scendere con me in cantina a scegliere il vino? Abbiamo uno spumante fantastico. »

La mamma scoppiò in una risata sonora. « È un'offerta che non posso rifiutare! »

Lanciai un'occhiata a Massimo, pronta a sentirmi a disagio per la capacità di mia madre di vedere allusioni ovunque, ma anche lui stava ridendo. Per quanto me ne vergognassi, desideravo che avesse scelto qualcosa di diverso da una canottiera, che le lasciava del tutto scoperte le braccia, allegramente tremolanti. Anna ci avrebbe senza dubbio offerto la piacevole visione di abiti lunghi e camicie dalle linee morbide.

« Forse dovremmo scendere ad aiutare Nico. Mi sento un po' in colpa a lasciarlo portare su e giù tutti i bagagli. »

Massimo mi osservò, negli occhi scuri uno sguardo beffardo. « Sono sicuro che sarà un piacere per lui, Maggie. Per te, questo e altro. »

Ero abbastanza cresciuta da riconoscere l'adulazione quando mi capitava di sentirla. Ma ne fui comunque lusingata.

Mi allontanai da lui e tirai per aprire la pesante porta che conduceva al piano di sotto. Chiamai Sam. « Forza, andiamo a vedere dove sono le nostre stanze. »

Massimo si affrettò ad anticipare la mamma. « Lascia che vada prima io, i gradini sono un po' ripidi. »

Lei si trascinò giù per le scale alle sue spalle, con le dita dei piedi che sporgevano oltre il bordo dei sandali. Una volta disfatte le valigie, le avrei messo lo smalto alle unghie. Massimo le offrì la mano per aiutarla a scendere gli ultimi gradini.

« Davvero un gentiluomo... Anna ha fatto un ottimo lavoro con voi due. »

In quel momento, mia suocera entrò ticchettando in cortile sfoggiando una T-shirt bianca e immacolata e un paio di pantaloncini al ginocchio che addosso a me mi avrebbero trasformato in una disperata fuggita da un torneo di bowling. « Massimo, devi andare a dare una mano a Lara. Sandro ha visto una lucertola e ora non vuole più entrare nella sua stanza.»

Anna riuscì a pronunciare con leggero tono di scherno le parole «Sandro» e «Lara». Non c'era da sorprendersi che quei poveretti fossero ridotti a tartaglianti relitti dalla scarsa autostima.

Massimo si strinse nelle spalle come a dire: *Cosa posso farci?* «Sarà meglio che mi trasformi nello sterminatore di lucertole. Ci vediamo dopo, signore.»

31

LARA

Per tutta la durata del viaggio, Maggie si era scrollata di dosso senza problemi i consigli di Anna. « Grazie, Anna, ma Sam non ha bisogno della felpa. Ha sempre caldo »; « Non ho problemi a lasciarlo giocare con l'iPad per tutto il volo »; « Lo so che la Coca-Cola non gli fa bene ai denti, ma la beve solo ogni tanto. Pensalo come un modo per continuare a dare lavoro ai dentisti. »

Convinta com'era che le sue scelte potessero anche non essere perfette, ma in ogni caso sufficientemente giuste, Maggie mi riempiva di soggezione e invidia. A me bastava che Anna dicesse « sciarpa » e avvolgevo Sandro come una mummia egizia. A differenza di Maggie, io non avevo una madre a controbilanciare mia suocera e la sua certezza che non ce l'avrei mai fatta senza il suo aiuto. Subito dopo la nascita di Sandro, Anna diceva a chiunque l'ascoltasse: « È evidente che è un bambino impegnativo, molto nervoso. E Lara tende a preoccuparsi. È stata una gravidanza difficile e credo che abbia trasmesso la sua apprensione al piccolo. Grazie al cielo Massimo è una persona così pratica, altrimenti non so cosa farebbe quella poveretta ».

Alla fine mi ero convinta che, senza il loro sguardo posato su di me, gli avrei scottato la gola col latte e ustionato il sedere al momento del bagnetto, che lo avrei nutrito troppo o troppo poco. E adesso era diventata una consuetudine radicata. Potevo a malapena decidere se mio figlio avesse bisogno o no del cappotto senza interpellare qualcun altro.

Per cui, quando Sandro aveva visto la lucertola, avevo cominciato a spiegargli che poteva prendere il letto più lontano dalla porta, che avremmo tenuto le finestre chiuse, che le lucertole erano simpatiche, una versione in miniatura della creaturina di *Dragon Trainer*. Ma, naturalmente, Anna, dalla stanza accanto, con le sue antenne radar per le situazioni in cui « Lara non è all'altezza», aveva fatto capolino, visto Sandro chiamare a raccolta la sua limitata potenza per un vero e proprio ruggito rettile e, nonostante il mio timido: «Tra un minuto gli passa», era andata dritta da Massimo.

Il che avrebbe segnato la fine di qualsiasi possibilità di convincere Sandro a fare qualunque cosa.

Massimo irruppe nella stanza, si sedette sui talloni di fronte al bambino e gli sibilò in faccia, attento a parlare piano per non farsi sentire dagli altri: «Non osare fare una scenata per una lucertola! Una cazzo di lucertola! Hai visto quanto sono piccole in confronto a te? La prossima volta farai una scenata per una formica! Devi darti una svegliata, capito? Non ci rovinerai le vacanze lamentandoti e frignando per ogni sciocchezza. Vero?»

Sandro scosse il capo.

«Non ti sento. Hai intenzione o no di rovinarmi le vacanze facendo una scenata per ogni cosa?»

Repressi il torrente d'ira che mulinava dentro di me da quando, il pomeriggio prima, Maggie era passata da casa mia e aveva confermato i miei sospetti.

Non m'importava più di cosa Massimo facesse a me, ma Sandro era un altro conto. Dovevo essere forte per lui.

Implorai dentro di me che rispondesse, mentre Massimo avvicinava il proprio viso al suo. Intravidi la lampada in ferro battuto sul comodino e immaginai di fracassarla sulla nuca di mio marito, scorgendo, per una volta, il terrore nei suoi occhi. Per qualche istante mi sentii prudere la mano.

«No.»

Quel semplice accenno di risposta da parte di Sandro parve soddisfare Massimo. Si alzò e quel suo indice dritto, puntato come un mirino tornò a rilassarsi. Poi, come se nella stanza fosse entrato qualcun altro, sollevò Sandro da terra, lo fece girare su se stesso e gli stampò un bel bacio sulla testa. «Sei un bravo bambino.»

Un lampo di paura balenò sul viso di Sandro, ma mutò in sollievo quando Massimo tornò a posarlo a terra e lo allontanò da sé con una manata sulla schiena. «Adesso esci. Vedi se riesci a trovare Sam.»

«Starà meglio quando si sarà sistemato», dissi, tenendomi

deliberatamente impegnata a disfare le valigie. Non volevo incrociare lo sguardo di Massimo, non volevo costringermi a nascondere la mia rabbia. Lo sentivo muoversi dietro di me. Le mie spalle si tesero, il mio corpo si preparò a un colpo alle reni o a essere spinto contro la parete.

Lui mi posò il mento sulle spalle e mi baciò l'orecchio. « Certo che andrà tutto bene. »

Per una frazione di secondo mi rilassai e in me si accese un fugace lampo di speranza.

Ma poi lui mi prese il polso, affondandomi il pollice nella carne con una tale forza che sentii le dita indebolirsi. Mi ero abituata a non lottare. Abbandonai il corpo, in genere non mi venivano facilmente lividi ai polsi. Tenni gli occhi aperti ma ciechi, rimuovendo Massimo dalla vista.

« Andrà tutto bene perché sarò *io* a occuparmi del bambino in queste vacanze. Non ti permetterò di tenerlo nella bambagia fino a quando non avrà paura anche della sua cazzo di ombra. »

Come sempre, mi ribellai in silenzio: strinsi il pugno libero lungo il fianco e scatenai dentro di me un'accesa discussione, in cui mi congratulavo con lui per avere fatto il prepotente con suo figlio, un ottimo metodo educativo, collaudato da tempo. Ma non riuscii a trovare il coraggio di rispondergli per le rime. Massimo conosceva perfettamente il mio tallone di Achille: se avessi preso posizione contro di lui, a subirne le conseguenze sarebbe stato Sandro. Non era difficile per un quarantacinquenne avere la meglio su un bambino di sette anni. E pure su una donna di trentacinque, evidentemente.

Quante volte mi aveva fregato? Di sicuro quella sera, una volta a letto, mi avrebbe accarezzato il viso e a poco a poco me lo sarei ritrovato addosso e avrebbe mormorato qualche debole scusa in cui in passato ero cascata, una qualche patetica versione di: « Mi comporto così con Sandro solo perché mi si spezzerebbe il cuore se la gente pensasse che sei una cattiva madre ».

Non sarebbe stata che una delle sue innumerevoli giustificazioni, frasi mendaci che si spacciavano per amore, ma in realtà non erano altro che vuote sequenze di parole: « Ti dico cosa metterti solo perché voglio che tutti vedano quanto è bella mia moglie», «I tuoi desideri per me sono ciò che conta di più, è solo che a volte non so bene cosa vuoi».

Da lì il passo sarebbe stato breve a cercare di convincermi che aveva fatto sesso con Caitlin solo per non dovermi disturbare, visto che ero sempre così stanca.

«O qualche cazzata del genere», come avrebbe detto Maggie.

Nel corso del viaggio avevo deliberatamente evitato di tornare sull'argomento. Come avrei mai potuto ammettere ciò che sapevo e restare con Massimo? Lei mi avrebbe considerato la persona più patetica della Terra. E forse era così: avevo lasciato che mio marito m'ingannasse, che nel corso degli anni la sua volontà avesse la meglio sulla mia ed erodesse il mio ego come un mare invernale che percuote una scogliera di gesso.

Ma io avevo voluto essere ingannata. Ero stata io a permettergli di comportarsi in quel modo, di sorridere per le foto da mostrare in pubblico e poi di distruggere la scenografia una volta che era stato rimesso il copriobiettivo.

Ero stata così orgogliosa dell'espressione meravigliata delle persone quando presentavo loro il mio bel fidanzato italiano, e in seguito il mio socievole marito, compiaciuta dai: *Bel colpo!* che leggevo in faccia alla gente. Quanto ero stata felice di uscire dal lavoro con lui, quanto avevo goduto degli sguardi invidiosi mentre salivo sulla BMW in cui mi aspettava Massimo, l'uomo che sapeva sempre quale vino ordinare, come ottenere la camera migliore in albergo, come far sentire straordinaria una ragazza qualunque.

E quanto era finita bruscamente quella luna di miele. La nascita di Sandro ci aveva scosso da un'intensità che avevo confuso per amore, il suo spropositato interesse nei miei confronti. La sua fascinazione per le persone con cui parlavo, ciò che dicevo, ciò che pensavo, quanto lo amavo. Nel giro di pochi giorni dalla nascita di nostro figlio, era stato come se avessero interrotto di colpo una festa in pieno svolgimento, staccando l'elettricità e lasciandoci a barcollare su un pavimento appiccicoso, immersi fino alle ginocchia in palloncini scoppiati e festoni inzuppati di birra.

Continuai a disfare le valigie, cercando di scacciare i ricordi che mi piombavano addosso a ogni capo d'abbigliamento che tiravo fuori. La T-shirt che portavo quando Sandro aveva accidentalmente fatto cadere l'iPhone di Massimo dal tavolo, rompendolo. L'abito lungo in cui avevo singhiozzato nel sedile posteriore di un taxi al ritorno dalla festa aziendale. Le infradito che portavo in casa quando mi aveva chiuso fuori nella neve, il palmo delle manine di Sandro premuto contro la finestra.

Riposi nel comodino il ciondolo portafoto d'argento che era appartenuto a mia madre, avvertendo tra le dita la piccola protuberanza nel punto in cui avevo fatto saldare la catena. Le altre liti furibonde si erano fuse l'una nell'altra, ma avrei dovuto faticare parecchio per scacciare il ricordo di quella.

Osservai dalla finestra la pavimentazione in terracotta del cortile, costringendomi a immaginare il trambusto della vita del castello nel XVI secolo. Ma, per quanto osservassi gli affreschi e le graziose curve degli archi, i ricordi che avevo represso, togliendo loro l'ossigeno finché non ero stata in grado di raccontarmi che non era successo niente, riemersero in superficie.

Sandro aveva circa quattro mesi. Io ero stata in piedi tutta la notte, i capezzoli doloranti e pieni di ragadi per l'implacabile succedersi di poppate, pianti, poppate. Ogni volta che succhiava il latte ero percorsa da una fitta di dolore. A un certo punto si era finalmente addormentato nella culla accanto al letto e io ero crollata sul cuscino, intontita dalla fatica, ma senza dormire, troppo terrorizzata dall'idea che si risvegliasse, costringendomi a riemergere da un luogo oscuro di assoluta spossatezza.

Massimo era entrato in punta di piedi. Non con una tazza di tè, una fetta di pane tostato o anche solo una cazzo di foglia di cavolo. No, si era lamentato perché non facevamo sesso da più di una settimana e lui « aveva le sue esigenze », perciò il mio povero corpo screpolato e dolorante doveva gentilmente prestarsi. Io avevo avuto a stento le energie per girarmi dall'altro lato e tirare su il piumino, mormorando: « No, oggi no, non ce la faccio ».

Però Massimo aveva idee diverse.

A posteriori mi stupiva che avessi avuto la determinazione

e la volontà di resistergli. Mentre lottavo contro di lui, Massimo mi aveva strappato il prezioso ciondolo con la foto di mia madre, l'ultima scattata prima della sua morte.

Sentii una fitta di dolore al ricordo della catena che mi penetrava nel collo. Cercai di sfuggire alla memoria di mio figlio che si svegliava, mentre Massimo cercava d'impormi le sue voglie. Ma nemmeno lui si sarebbe potuto concentrare sul sesso con Sandro che strillava in sottofondo, gli urli acuti che riverberavano in tutta la stanza. Mi era rotolato via di dosso. «Fa' star zitto quel bambino!»

Si era scusato.

In seguito.

E centinaia di altre volte da allora.

Io gli avevo creduto. Ero stata profondamente convinta che Massimo mi amasse; che il mio destino nella vita fosse essere un sostegno, un'ancora per quell'uomo pieno di difetti, salvarlo da se stesso, perché senza di me sarebbe andato alla deriva, solo coi demoni che lo inducevano ad avventarsi contro le persone che amava.

Ma non potevo più fingere. Non mi amava.

Amava se stesso.

E forse aveva amato Caitlin.

Quel pensiero mi diede la nausea. Com'ero arrivata a raccontarmi tante stronzate sulla fine di quel portagioie? Ah, sì, mi ero convinta che Massimo aveva deciso di non darmelo perché c'erano dei grumi nella salsa, c'era un calzino spaiato sotto il divano, Sandro si era rifiutato di usare il vasino... Uno qualunque di un milione di motivi assurdi per cui il regalo che lui aveva scelto per me era svanito nel nulla. Ma era questo il problema quando si viveva con qualcuno come Massimo. Un comportamento folle diventava normale, e si finiva per perdere di vista il modo in cui persone come Maggie e Nico risolvevano i problemi. L'idea di sedermi di fronte a mio marito e dire qualcosa di onesto come: «Mi hai davvero turbato quando...» sembrava una roba da commedia romantica, non adatta al racconto, privo di amore e tutt'altro che divertente, della mia vita.

Non gli avevo chiesto che cosa ne fosse stato del portagioie d'oro – né nessuna delle centinaia di cose che non riuscivo a capire - perché ero una codarda. Era molto più facile sopportare la sua sgradevolezza che affrontarla di petto.

Mentre uscivo nel giardino del castello e ripensavo all'ultima vacanza che avevamo trascorso tutti insieme prima della morte di Caitlin, mi tornarono alla mente piccoli dettagli rimestati da un moto di disgusto per me stessa. Caitlin e Massimo che sguazzavano in piscina, spingendosi sott'acqua a vicenda come adolescenti infatuati. Caitlin in bikini che insegnava a Massimo alcune posizioni del pilates, premendogli le lunghe dita sul ventre. «Gli addominali interni, Massimo, tira in dentro la pancia.» O loro due seduti fianco a fianco sui lettini, immersi in un'intensa conversazione sottovoce, Massimo che le concedeva tutta la sua attenzione. Il riflesso della luce dei fari puntati su qualcun altro non faceva per lei. Lei era sempre al centro della scena, adorata da Nico e da Francesca e - a quanto pareva - da Massimo.

L'avevo sempre saputo? Era l'ennesima cosa che avevo rimosso, scegliendo di non vedere? Non appena Maggie aveva accennato al contenuto del portagioie, era stato come se qualcuno mi avesse acceso cinquanta interruttori in testa, illuminando il mio mondo e gettando fasci di luce nei recessi polverosi in cui venivano immagazzinati i ricordi.

Provai a immaginare di affrontarlo, durante una cena di famiglia sotto il portico. Avrei fatto tintinnare un cucchiaino da caffè su un bicchiere. «Anna, Nico, Massimo... Dovrei sottoporvi una questioncina su cui spero che uno di voi sia in grado di far luce...»

Maggie passeggiava insieme con Nico. Tutto in lei era rilassato, i suoi movimenti erano fluidi e spontanei. Era struccata, aveva i capelli sciolti e portava un paio di pantaloncini di jeans sfilacciati. Il look perfetto per una ragazza in partenza per il festival rock di Glastonbury. Un bel contrasto rispetto a Caitlin, con le sue T-shirt a righe inamidate, i jeans bianchi, la visiera posata sopra la coda di cavallo. Prima di conoscere Massimo, non mi sarei mai avvicinata a una come Maggie. Troppo sciatta, troppo poco raffinata, troppo diretta. Nessuna delle mie amiche, quando ancora ne avevo, usciva senza rossetto o usava una sportina al posto di una borsetta. E ora le cose che più mi piacevano di lei implicavano che non avremmo mai potuto essere amiche.

Non potevo rischiare di cedere alla tentazione di dirle la verità.

32

MAGGIE

Nel giro di pochi giorni mi ritrovai ad abituarmi alla bella vita. Cominciai anche a provare un certo senso di appartenenza, come se stessi a poco a poco mettendo radici, un po' come una delle « piante tappezzanti facili da coltivare » di Nico che si diffondevano ai margini più impervi dei confini familiari. Sam sembrava divertirsi molto, dentro l'acqua da mattina a sera. Massimo era l'incontestato direttore dei giochi in piscina, sempre pieno di energie: lanciava Sam nell'aria come un razzo, teneva un cerchio in cui farlo tuffare, lo ribaltava giù dal materassino. Mi piaceva il fatto che Sam avesse finalmente dei modelli di riferimento maschile, il meglio di entrambi i mondi, della tranquillità riflessiva di Nico e dell'energia irruenta di Massimo. Grazie al cielo ciò che aveva dato gioia a me non aveva reso infelice mio figlio.

E nutrivo forti speranze che io e Lara avremmo cementato la nostra improbabile amicizia, soprattutto ora che le avevo confidato il mio grande segreto. E, a parte quello, da quando le avevo dato lezioni di guida, supponevo che aver sopportato la vergogna di sederle accanto a parecchi semafori con un coro di clacson alle nostre spalle mi desse il diritto di prenderla bonariamente un po' in giro. Avevo l'impressione che, di tutte le qualità che suo padre aveva instillato in lei, imparare a ridere di se stessi non fosse nelle prime venti. Me l'ero quasi fatta addosso quando a colazione mi aveva chiesto, con grande serietà: « Credi che deluderò Sandro se non gli trovo un insegnante di mandarino? »

Con grande sforzo, ero riuscita a non schizzare caffè dalle narici. La maggior parte delle mie amiche era più preoccupata del fatto che i figli prendessero la sufficienza alla maturità. « Oddio. Sam ha appena cominciato a ricordarsi che si dice 'che io stessi' e non 'che io stassi', solo perché Francesca glielo fa notare continuamente. Per quanto riguarda il cinese, dovremo fermarci alle nuvole di drago e alla salsa agrodolce.»

Lara aveva attaccato con un: «Massimo pensa che dovremmo essere sempre un passo avanti», prima di abbandonare il tono offeso e iniziare a vedere il lato comico della vicenda.

«Mi vengono in mente milioni di modi in cui ho deluso Sam - tanto per cominciare un pessimo controllo delle nascite e un padre idiota e inetto - ma impedirgli d'imparare il cinese vorrebbe dire toccare il fondo anche per me.»

Da parte sua, Lara non poteva nascondere la gioia di avere un'alleata contro Anna. In confronto a me, lei era una madre fantastica: io non cronometravo il tempo in cui Sam giocava con l'iPad, non razionavo i dolci con rigore da guerra e non svenivo se Sam si metteva la stessa T-shirt chiazzata di gelato per due giorni di fila. Probabilmente il fatto di non essere «pessima come Maggie» aveva alleviato in Lara la sofferenza di non essere meravigliosa come Caitlin.

E questo prima che qualcuno facesse un confronto fisico tra me e la cara estinta. Non avevo dubbi circa il fatto che lei fluttuasse qua e là con addosso uno striminzitissimo bikini, mentre io sciabattavo nel mio costume intero. Ma il disgusto che leggevo sulla faccia di Francesca ogni volta che Nico mi spalmava la crema solare sulla schiena non aiutava la sicurezza in me stessa. Il timore che l'elastico cedesse e che, abbassando lo sguardo, mi ritrovassi un ciuffo di peli tipo scoiattolo che fuoriusciva dal costume mi costringeva a una quantità eccessiva di monitoraggio e riassetto del telaio.

Ma quel giorno mi sentivo bene. Avevo preso abbastanza sole da eliminare la sfumatura azzurrognola dalle mie membra bianche e il caldo aveva agito come un fertilizzante sul mio ottimismo. Mi tolsi il pareo senza guardare Anna, che se ne stava lì seduta col ventre liscio sospeso come un'amaca tra le ossa sporgenti delle anche. Troppi agretti e troppo pochi Mars. Non appena avessi trovato un articolo sui benefici del cioccolato/delle botti di vino/delle ciambelline ricoperte di zucchero, lo avrei tirato fuori con un gesto teatrale. Insieme con un articolo su come la magrezza sia in grado di far scomparire la gioia dalla tua vita e farti odiare dagli altri.

Tuttavia, subito dopo essermi immersa in piscina, smisi di preoccuparmi della questione « chiappone in bella vista » e provai un piacere infantile nell'unirmi a una partita a metà tra pallavolo, torello e dodgeball. La piscina si rivelò un luogo per socializzare e stringere rapporti. Spesso in passato mi era capitato di usare la bici, quando non avevo soldi per la benzina, per cui, benché fossi bassetta, avevo gambe potenti, perfette per la pallavolo. Nella mia scuola c'era soltanto uno striminzito pezzetto di terreno incolto che veniva spacciato per campo da gioco, quindi, a parte la « giornata degli sport » una volta l'anno, in cui la corsa nei sacchi era considerata più importante dell'atletica, non avevo mai avuto molte possibilità per scoprire se ero brava. Eppure avevo un istinto innato per scagliare una palla oltre la rete. Anche Sandro partecipò con un: « Vai, Maggie! Brava! Forza, Maggie! » dal bordo della piscina.

L'inattesa conseguenza fu che, sebbene continuasse a parlarmi a monosillabi, in Francesca il desiderio di vincere ebbe la meglio e mi volle in squadra con lei. Quando mi preferì a Nico, non mi trasferii subito dal suo lato della rete, temendo di avere capito male. Ma lei mi fece cenno di raggiungerla e io sentii allentarsi la sensazione di essere trattata ingiustamente, come se avessi preso tutto in modo troppo personale.

Quando sconfiggemmo Massimo e Nico, ci scambiammo un cinque e germogliò dentro di me l'esile illusione che avremmo potuto fare qualche passo avanti. Anche se in testa avevo ancora la mia spettacolare schiacciata vincente, le dissi: « Meriti una medaglia! Sei stata bravissima! »

Mi scoccò un gran sorriso, poi, come se si fosse ricordata di colpo che io ero il nemico, rimise il broncio. « Peccato non avere un portagioie per mettercela dentro », disse, immergendosi nell'acqua e scomparendo dall'altro lato della piscina nuotando a farfalla. In perfetto stile Farinelli. Per loro mai niente di normale come qualche vasca a rana o una banale nuotata a cagnolino.

Io mi ripetei: « Piccoli passi, uno alla volta ».

Nico mi rivolse uno di quei sorrisi che cominciavo a temere, un'espressione compassionevole che stava per: *Sii paziente, ci arriveremo.* A volte provavo un irresistibile desiderio di cantare *There Are Worse Things I Could Do,* « ci sono cose peggiori che potrei fare », agitando i gomiti come una gallina e ballando stile Olivia Newton-John, ma senza curarmi troppo di andare a tempo.

Anche se talvolta avrei voluto che lui la rimproverasse per la sua maleducazione.

E così, con quel pensiero che offuscava le mie originarie speranze di una giornata di sole senza sensi di colpa, non mi offrii di andare a fare la spesa al mercato con Nico e Anna. Anche se toccava a me, come indicato con l'evidenziatore rosa nell'inflessibile ruolino dei turni di mia suocera, mi ero ribellata, restandomene seduta su una sdraio a leggere « uno di quegli orribili settimanali di gossip » invece di mettermi a pontificare se la cena di quella sera richiedesse un porcino, una punta di asparago o una cavolo di melanzana o melagrana. Non ero dell'umore per soddisfare la continua sete di complimenti di Anna con risposte da leccapiedi: « Sì, il castello è fantastico. Sì, è un vero privilegio essere qui. No, Sam non era mai stato in vacanza in un posto così bello ».

Preferii avvolgermi in un asciugamano e salutarli con la mano. Rimasi in attesa di vedere se Nico si sarebbe chinato verso Anna, per cogliere una frecciatina sussurrata quando non avrei più potuto sentirla. Non fui delusa. Avrei voluto inseguirli lungo l'acciottolato, farle tremolare davanti le mie grasse cosce, afferrarmi il ventre fra le mani strizzandolo a forma di bocca parlante cui far dire con voce acuta: « 'Fanculo ». Avevo la tentazione di fiondarmi davanti a lei e dirle che, sì, avrei avuto bisogno di entrare nel mondo Weight Watchers, ma almeno ero fedele e leale a suo figlio, a differenza di Caitlin. Avrei anche potuto condividere lo scioglilingua che avevo inventato per distrarmi quando Anna esagerava con le iperboli sulla cara estinta: « Chi l'avrebbe mai detto che quel fuscello, di virtù modello, avesse un debole per l'uccello? »

Comparve Massimo con un vassoio di birra. « Un bicchiere prima di pranzo? »

Grazie al cielo c'era lui, col suo open bar. Avrei potuto giurare che Anna avesse tracciato dei segnetti sulla bottiglia di gin, casomai avessi bevuto qualche sorso non autorizzato.

Proprio quando pensavo che la giornata cominciasse a migliorare, lui disse: « Per stasera ho prenotato per tutti quanti i biglietti per l'opera all'aperto ». Aveva stampata in faccia l'espressione esaltata di uno degli emoji del telefono di Francesca.

Lo fissai, sperando fosse uno scherzo.

Ma no, era serio. « Cosa c'è? »

« Non sono mai stata all'opera. Ho paura di non capirla. » Mi venne caldo al solo pensiero di starmene seduta due ore con tutti gli altri che si lasciavano trascinare dalla musica, immersi nella vicenda, mentre io mi sarei probabilmente sentita come Sandro alle prese con le lezioni di mandarino, incapace di capire quale parola significasse « marshmallow » e quale « straccio ».

Massimo sollevò le mani mimando scherzosamente un gesto di orrore. « Non sei mai stata all'opera! Ti piacerà moltissimo... Parole e saggezza unite dalla perfetta armonia musicale. Siediti vicino a me, ti aiuto io. »

In quel momento avrei voluto essere andata a fare la spesa con Nico. Ero quasi sicura che lui non sarebbe stato entusiasta della notizia.

Finsi di avere bisogno di rinfrescarmi per sfuggire alla conversazione e nuotai dalla mamma. Massimo era riuscito a convincerla a buttarsi in acqua, sebbene lei non avesse mai imparato a nuotare. Era seduta sui gradini all'estremità più bassa, un piccolo Buddha in blu, e teneva la testa tesa fuori come uno struzzo curioso. Cercava d'incoraggiare Sandro a entrare nell'acqua: « Non hai caldo? Perché non ti metti i braccioli e non vieni a sederti qui con me? Neanch'io so nuotare, ma si sta benissimo sui gradini. Qui sei al sicuro, perché io farò fuori chiunque mi bagni i capelli ».

Che meraviglia, la mamma, che instillava le sue tendenze pacifiste alle nuove generazioni. Grazie al cielo, Anna non era lì a sfoderare le forbici per ritagliare un articolo sugli effetti dell'aggressività verbale sui bambini.

Sandro scosse la testa. Era seduto a terra, accanto alla sdraio di Lara, che disegnava forme coi sassi. Chissà se gli dispiaceva che suo padre passasse tutto il tempo con Sam e Francesca.

Uscii dalla piscina e mi asciugai, intenzionata a riequilibrare un po' la bilancia e a chiedere a Sandro se voleva venire sui bastioni con me a disegnare, mentre io scattavo qualche foto. I colori della campagna, i girasoli e i papaveri mi avevano suggerito l'idea per un modello patchwork floreale.

Ma, prima che potessi andare da lui, scoppiò una piccola lite tra Lara e Massimo, che si beccavano a bassa voce con lo stesso tono che usavo io con Sam quando non volevo che tutti sapessero che gli stavo facendo una ramanzina per essersi messo le dita nel naso. Massimo teneva le mani sui fianchi, accennando col capo alla piscina e a Sandro. Non era la prima volta che mi sentivo grata di aver avuto la possibilità di crescere Sam da sola. Gli sguardi compassionevoli perché «facevo tutto da sola» erano niente in confronto alla libertà di non avere nessuno che mettesse il becco su ciò che ritenevo giusto per mio figlio.

Sui volti di Lara e Sandro era dipinta esattamente la stessa espressione, del tipo: *Non vedo l'ora che questa cosa sia finita.* Capivo perché uno come Massimo - così aperto, disinvolto e franco nell'esprimere le proprie opinioni - si arrabbiasse con Lara. Per quanto apprezzassi la sua compagnia, cercare di risolvere dei problemi con Lara doveva essere come parlare davanti a un muro alto due metri, senza sapere se la persona dall'altra parte stesse ancora ascoltando o se ne fosse andata da un pezzo a bere caffè al tavolo della cucina mentre tu gridavi al vento proposte e soluzioni. Sandro aveva ereditato lo stesso ostruzionismo. Capivo che aveva colto i miei suggerimenti solo quando vedevo i suoi disegni.

Sandro si alzò lentamente. Lara si affrettò a gonfiargli meglio i braccioli, bagnandoli in piscina e infilandoglieli nelle braccine magre. Lui trasalì quando Sam lo schizzò cercando di rovesciare il materassino su cui era stesa Francesca. Mi avvicinai per chiedere loro di calmarsi.

Sam sollevò lo sguardo. «Che sfigato che è Sandro. Perché deve fare storie per tutto?»

Mio figlio aveva ereditato il vocione di mia madre.

Cercai di zittirlo, ma era troppo tardi. Massimo divenne improvvisamente più assertivo, una certa tensione s'insinuò nella sua voce: «Okay, Sandro, adesso entriamo in piscina dai gradini dalla parte più bassa e vediamo se riesci a mettere la testa sott'acqua».

Il viso di Lara era una maschera d'ansia. Certo che avere qualcuno che ti guardava come se fossi seduto sulla sedia elettrica non infondeva coraggio a chi già se la stava facendo sotto. Soprattutto se si trattava di un bagno in una piscina calda in un'assolata giornata toscana e non di una nuotata in acque aperte infestate dagli alligatori.

Sandro cominciò ad avvicinarsi il più possibile ai gradini con aria titubante. Odiava essere al centro dell'attenzione già normalmente ma, con Lara lì seduta che si mordicchiava il pollice, la mamma che, pur con le migliori intenzioni, faceva commenti del tutto inutili come: «Non vorrai arrivare alla mia età e portare ancora quei cosi di gomma», Sam e Francesca che ridacchiavano, mi rendevo conto che le circostanze non erano quelle più propizie per tentare una nuotata a cagnolino.

Poi all'improvviso Massimo prese in braccio Sandro, corse fino al bordo e saltò in acqua con lui. Lara balzò in piedi. I miei pensieri oscillavano tra: *In effetti può funzionare* e *Santo cielo, quel bambino non metterà mai più piede in acqua.*

Sandro riemerse e Massimo tuonò: «Bene, ora batti i piedi fino al bordo!» Ma il bambino era sopraffatto dal panico. Annaspava, ingoiava acqua, affondava e riemergeva, ansimava e tossiva, e a un certo punto pensai che Lara stesse per buttarsi, con tanto di occhiali da sole, cappello e tutto il resto.

Aspettai che Massimo lo sollevasse e lo consolasse. Non avevo mai sentito Lara alzare la voce prima, ma adesso gridò: «Ora tiralo fuori!»

Eppure Massimo rimase a distanza a osservare Sandro che si dimenava, indifferente all'angoscia della moglie. «Forza! Batti i piedi!»

Era come guardare una scena di vita in un orfanotrofio degli anni '60, in cui non esistevano calore ed empatia, solo un metodo – e una follia – applicati a tutti i bambini indipendentemente dalle loro esigenze e dalle loro personalità. Mi aspettavo che Lara intervenisse, rimproverando Massimo o tuffandosi. Invece pareva in panico: agitava le mani con l'aria di chi è sul punto di scoppiare in lacrime.

Alla fine non riuscii più a sopportare quei suoni soffocati, rochi. Nel giro di un minuto Sandro avrebbe vomitato. Saltai in acqua. Non guardai Massimo, non gli domandai il permesso. Afferrai Sandro, che mi passò il braccio intorno al collo tossendo acqua e piangendo.

Stavo per scusarmi con mio cognato per essermi intromessa quando lui se ne uscì con un: « Maggie? Cosa credi di fare? » Senza sorrisi né imbarazzati: « Quella tecnica d'insegnamento andava benissimo ».

Col braccio di Sandro stretto intorno al collo, faticavo a parlare. « Scusa, ma stava per affogare. »

Massimo si accigliò. « Era tutto sotto controllo. Voi donne diventate isteriche per ogni sciocchezza. Ed è proprio quello il suo problema. È uno smidollato. »

Sandro tremava contro la mia spalla. Per essere una persona intelligente, Massimo si stava dimostrando piuttosto ottuso su come ottenere il meglio da suo figlio. E nemmeno il suo punto di vista sulle donne mi faceva impazzire: se c'era una parola che senza dubbio mi faceva venire voglia di andare a cercare una falce ben affilata e menare fendenti, quella parola era « isterica ».

Invece di rispondere a mia volta con insulti, feci ricorso al mio nuovo atteggiamento maturo. Se non altro, il matrimonio mi aveva insegnato a mordermi la lingua talmente spesso che c'era da meravigliarsi che non fosse tutta lacerata. Cercai di abbassare i toni. Anche se ero tentata di guardarmi alle spalle per capire dove fosse finita la testa calda dei miei vent'anni. « Sei bravissimo con tutti i bambini, non solo con Sandro, ma non credo che in questo modo lo renderai più sicuro di sé. Posso provarci io? » Poi sussurrai al bambino: « Vuoi provare a nuotare con me? »

Lui scosse la testa, mentre i singhiozzi cominciavano a placarsi e a trasformarsi in un respiro un po' affannato.

Però Massimo non era affatto d'accordo. « Non voglio litigare con te, Maggie, ma so io cos'è meglio per mio figlio. »

Stavo per provare con un'altra tattica, tuttavia non avevo fatto i conti con mia madre.

« Che problemi avete, voi due? Quella povera creaturina ha bisogno di uscire di lì e superare le sue paure. Mags, adesso portamelo qui e io e lui andiamo a fare una passeggiata in paese e a mangiarci un gelato. Ha dovuto sopportare una dose sufficiente di sciocchezze sul nuoto per un giorno solo. Può fare un altro tentativo domani. Io sono riuscita ad arrivare a quasi sessant'anni senza imparare e sono sopravvissuta. » La mamma si alzò e trascinò la sua mole fuori dall'acqua.

Io lanciai un'occhiata a Lara, che si guardava intorno freneticamente, inchiodata sul posto come un'anatra il cui anatroccolo più piccolo rischi di essere risucchiato in una chiusa. Provai un lampo d'irritazione per il fatto che io e mia madre stessimo facendo il lavoro sporco al posto suo. Era fuori discussione che permettessi a Nico di rischiare di far affogare Francesca senza intervenire, figurarsi il sangue del mio sangue. Certo, non tutti avevano lo sfrontato approccio alla vita delle donne Parker, ma non potevo pensare di restarmene impalata a fare la bella statuina quand'era a rischio la sicurezza di Sam.

Massimo rimase fermo e tese le mani a Sandro, che mi si era avvinghiato addosso con una tale forza che metterlo giù sarebbe stato come strapparmi un cerotto. Proprio quando stavo cercando di capire se io avessi davvero il fegato di dire a Massimo che, no, non gli avrei passato suo figlio, Lara si decise a intervenire.

Nuotò fino a noi e mi staccò di dosso Sandro con un: « Su, vieni dalla mamma ».

Massimo non si sarebbe arreso senza combattere. « Non c'è di che sorprendersi che le donne non arrivino mai ai vertici delle aziende. Alla minima difficoltà fuggite lungo il corridoio strillando. »

Fu allora che Lara mi sorprese davvero. « Almeno io non ho bisogno di spaventare un bambino di sette anni per star bene con me stessa. »

33

MAGGIE

Non vedevo Lara dall'« incidente » in piscina di quella mattina. Ero passata davanti alla sua stanza, ma non avevo voluto bussare, nel caso stesse facendo un pisolino con Sandro. Prima di pranzo, avevo sentito Massimo allontanarsi con un gran stridore di gomme sulla ghiaia ed ero giubilante all'idea di avere un'oretta tutta per me da trascorrere sulla sedia a sdraio, sonnecchiando sotto il sole, mentre i ragazzi giocavano a recuperare i sassi dal fondo della piscina.

L'opera iniziava alle nove, perciò avremmo dovuto cenare presto, con gran piacere della mamma, per la quale bastava che fossero passate le cinque per « mangiare poco prima di coricarsi ». Io e Nico ci presentammo alle sei spaccate, come da istruzioni. Lo aggiornai sull'iniziativa di Massimo d'improvvisarsi istruttore di nuoto e fui lieta di sentirlo definire il fratello « un coglione ». Non mi lanciai in una conferma troppo entusiasta, perché sapevo per esperienza che i Farinelli alzavano il ponte levatoio nell'istante esatto in cui un esterno accennava una vaga critica.

« A essere onesto, non so cosa gli prenda a volte. Ma non capisco neanche perché Lara non punti i piedi un po' più spesso. Sono certo che tu non mi permetteresti di passarla liscia, se mi comportassi così. »

Gli diedi un buffetto. « Ci puoi scommettere. Ma spero che ora Massimo non ce l'abbia con me. Rifiutarmi di restituirgli suo figlio è stata una mossa po' azzardata. »

Nico fece una smorfia. « Credo che Massimo abbia un ego abbastanza sviluppato da superare la cosa. Comunque, beviamoci un bicchiere e lasciamo che risolvano i loro problemi da soli. »

Mi sedetti a tavola nel cortile del castello. Nico fece un salto in cantina e riapparve con un Prosecco frizzante « fatto con l'uva dei vigneti che si vedono dai bastioni». Mi porse un calice e vi fece tintinnare contro il suo.

«Dove sono gli altri? Pensavo dovessimo cenare alle sei.»

«Rilassati, moglie mia. Arriveranno.»

Gli presi la mano. «Oh, ma non mi sto lamentando. Sono felicissima di averti tutto per me.» Ma non aggiunsi: «E spero che facciano tardi per andare all'opera».

Lui mi diede un bacio sulla testa e si sedette accanto a me. «E io sono felicissimo di averti qui.» Cercai nella sua voce qualche accenno di riserva, qualche residuo di sospetto su una mia possibile attività clandestina di furto e fusione di metalli preziosi. Ma non trovai che tenerezza. Grazie a Dio.

Lara uscì dalla sua stanza con Sandro al seguito. «Buonasera.» Si avvertiva la tensione nella sua voce, come se si fosse dovuta fare animo per venire ad affrontarci. Aveva il dono di affrontare la vita come se fosse un cruciverba di diabolica difficoltà.

Nico le allungò un bicchiere di Prosecco.

Trangugiò una sorsata enorme. Fino ad allora l'avevo vista sì e no bere un goccio di Radler. I miei geni Parker collegavano il divertimento al vino e, con qualche rischio in più, alla vodka. O al Pernod, che era così amaro da farmi rabbrividire. Ma mi sarebbe piaciuto vedere Lara sotto un'altra ottica. Scoprire cosa si nascondeva sotto lo strato esteriore di sobrietà che la ricopriva, dopo un discreto numero di cicchetti abbandonati sul tavolo.

Massimo era rientrato da un paio d'ore. In cuor mio, avevo sperato che quel brutto litigio potesse avere uno strascico abbastanza lungo da doverci obbligare a rimanere al castello. Se fosse stato mio marito, avrei escogitato qualsiasi tipo di vendetta, comprensiva di cesoie da giardinaggio e parti anatomiche sensibili, per avermi definito isterica. Chissà se Lara gli teneva testa, in privato. Di certo era la prima volta che la sentivo riprenderlo in pubblico. In ogni caso, se proprio dovevamo andare a quel cavolo di spettacolo, speravo che almeno avessero appianato gli screzi, così da non essere costretti a sopportare il doppio supplizio delle urla sul palcoscenico e del dramma dei cognati fuori scena.

Massimo era stato una vera testa di cazzo, ma Lara poteva anche piantarla di prendere la maternità così seriamente. Sandro era un po' timido e impacciato, ma quel suo stargli sempre addosso ogni secondo del giorno doveva fargli credere che il mondo fosse un gigantesco taser pronto a somministrargli una scarica elettrica. Lara era davvero ossessionata da ciò che « avrebbe dovuto fare ». Sapevamo tutti che i bambini dovevano mangiare uva e mele per crescere sani, ma ero troppo pigra per quella buffonata del « dai, su, ancora tre piselli ». E per cucinare tutto partendo da zero: « Massimo vuole che Sandro veda preparare il pasto come parte integrante della loro tradizione italiana ». Tutto bellissimo, ma non mi capitava mai di vedere Massimo cazzeggiare in cucina, ad affettare cipolle, tritare aglio e far sobbollire il sugo. Il tempo che Lara passava a preparare la cena per lui era tempo speso a giocare con Lupo.

Grazie al cielo io non ero oppressa da quella zavorra culturale. Non che davanti ai cancelli della scuola mi affrettassi a dire che di tanto in tanto Sam cenava solo con le patatine, ma era in primo luogo per risparmiarmi il predicozzo « quinoa o niente » di tutte quelle mamme in gara tra loro per vedere quale disgustoso miscuglio di gelato alle lenticchie/ceci/avocado riuscivano a far ingurgitare ai propri figli.

Le riempii il bicchiere. « Hai dormito un po' questo pomeriggio? C'è stato molto caldo, vero? »

« Troppo. »

Silenzio.

« Stai bene? » sussurrai, solo per farle sapere che ero dalla sua parte.

Lei si morse il labbro e distolse lo sguardo. « Sì, tutto bene. »

Evidentemente ero più simile alla mamma di quanto pensassi e non coglievo il segnale di chiudere il becco, anche se Lara aveva in testa un cartello con la scritta EVITA L'ARGOMENTO grande come un tabellone pubblicitario. « Non preoccuparti per stamattina. Dovresti vedere che discussioni abbiamo a volte io e Nico. Non ho ragione, tesoro? »

Lui cercò di buttarla sul ridere: « Be', a dire il vero, tu urli e io ascolto e assimilo la tua saggezza ».

Lara abbozzò un movimento delle labbra, quasi non avesse la forza di sorridere.

Sentii una fitta di delusione. Proprio quando pensavo che Lara stesse iniziando a rilassarsi insieme con me, lei tornava a chiudersi in se stessa, sigillata come un vasetto di marmellata contro le spore della muffa. Non riuscivo ad accettare che fosse anche un po' seccata. Avevo davvero sperato d'aver costruito con lei una sorta di amicizia, due estranee che preparavano la loro piccola ribellione, legate da segreti condivisi e dalle discutibili gioie dell'integrazione nella famiglia Farinelli. Ma cominciavo a sentirmi una vera babbea.

In quel momento, invece di godere della nostra complicità, Lara dava l'idea di aver segnato sul calendario date e orari in cui concedersi di provare emozioni. Mercoledì alle 15.30: piccola manifestazione di gioia quando Sandro esce da scuola. Giovedì alle 10.00: moto di frustrazione per dover raccogliere i Lego per l'ennesima volta. Sabato alle 23.00: permettersi un minimo di eccitazione alla prospettiva di avere un rapporto sessuale con un fantastico marito italiano. Chissà se con Massimo riusciva mai a essere spontanea. Non riuscivo a immaginarmela sbattere la porta della camera da letto e saltargli addosso in preda a un attacco d'amore e di lussuria.

L'atmosfera in cortile si faceva sempre più opprimente. Lara era in fondo alla tavola e diceva cose come: « Speriamo che rinfreschi un pochino », e: « La bougainvillea è splendida quest'anno ». Il genere di chiacchiere « scacciapensieri » adatto alla sala d'attesa dell'ospedale prima di entrare a fare un'ecografia, piuttosto che alle serate estive italiane, trascorse a smangiucchiare olive e sorseggiare vino. Sandro disegnava e ogni tanto le sussurrava qualcosa. Lei si animava un po', poi sprofondava di nuovo nel mutismo.

Intervenne Nico: « Secondo te, Lara, prima di andare alla tanto temuta opera a San Gimignano, dove dovremmo portare Maggie? »

« A vedere le piazze. »

Nico aspettò che lei ampliasse la risposta dopo aver preso un sorso di Prosecco, ma il silenzio tornò a incombere su di noi. Chissà, forse le riunioni di famiglia sarebbero state più divertenti se Massimo fosse stato ancora sposato con Dawn... Scacciai quel pensiero sleale. Dal verso disgustato che emetteva mia suocera se qualcuno osava pronunciare il suo nome, mi ero fatta l'idea che fosse una tipa grintosa, una vera sfida per la dittatura di Anna. Avremmo potuto formare un piccolo, formidabile esercito, franche tiratrici che si coprivano le spalle a vicenda e abbattevano la pomposità di Anna a colpi d'arma da fuoco.

Cercai di contribuire ai valorosi sforzi di Nico per « far rilassare Lara » facendo un mucchio di domande su San Gimignano, ma fui costretta a fermarmi prima di scoppiarle a ridere in faccia, all'ennesima risposta a monosillabi.

Per fortuna la mamma scese le scale, ansante, indossando un abito vistoso con un cerchio rosso al centro che pian piano sfumava nel turchese, rosa acceso e giallo: sembrava un grosso bersaglio sfocato. Ci saremmo potuti mettere a tirare con l'arco.

Nico incrociò il mio sguardo. « Un bicchiere di vino, Beryl? »

« Oh, sì, caro, altroché, grazie. » Si chinò verso Lara. « Tutto bene, tesoro? Cos'aveva Massimo stamattina? Non l'ho mai visto comportarsi così! »

« Ora sta bene. »

Lara aveva tutta la mia stima. Prima di morire, volevo anch'io imparare a non esprimere i miei pensieri, nemmeno se qualcuno mi guardava con le sopracciglia inarcate, in attesa.

La mamma le lanciò un'occhiata da sopra gli occhiali da sole tondi, che la facevano somigliare a una sorta di John Lennon un po' grassoccio. « C'è un motivo se non mi sono mai presa la briga di trovare un marito. Non volevo che qualcuno mi dicesse che cosa dovevo pensare e che cosa era giusto per me e Mags. E secondo me non è giusto spaventare a morte un bambino facendolo quasi affogare, pensando che sia un modo per insegnargli a nuotare. »

Nico alzò gli occhi al cielo e mi prese la mano. « Accidenti, Beryl, i mariti non sono mica tutti progenie del demonio. Non allontanare Maggie da me coi tuoi allarmismi. »

La mamma gli diede un buffetto. « Ma va'. Tu non sei così male come genero. »

Nico rise. «Grazie al cielo. Anche Massimo è in gamba, in realtà. Gli capita di sentirsi un po' frustrato, perché è un tipo sportivo e ha difficoltà ad accettare che noialtri comuni mortali facciamo fatica a volte. Ma entro la fine della vacanza faremo in modo d'insegnarti a nuotare come un delfino, eh, Sandro?»

La mamma si schiarì la voce rumorosamente. «Ma lasciatelo stare, questo povero bambino. Imparerai a nuotare quando ti sentirai pronto, vero, tesoro? Ma riesci a immaginare che faccia farebbe tuo padre se imparassi e gli facessi una sorpresa alla fine della vacanza? Potresti ficcargli la testa sotto l'acqua, farlo bere e ottenere la tua rivincita.»

Dio solo sa che razza di visione della vita avrebbe potuto sviluppare Sandro in due settimane a stretto contatto con la mamma.

Proprio in quel momento Massimo fece la sua comparsa, in un esuberante turbinio di baci, strette di mano e abbracci. Schioccò un bacio in testa a Lara e disse: «Ciao, meraviglia. Ecco dov'eri sparita. Temevo fossi scappata col giardiniere, lasciandomi solo e col cuore spezzato».

Supponevo che quello fosse il modo di Massimo di scusarsi pubblicamente. Ammiravo l'abilità di mio cognato nell'esprimere i suoi sentimenti davanti a tutti, anche se li ricopriva sempre con una maschera di umorismo. Per l'ennesima volta mi ritrovai a confrontare i due fratelli. Avrei voluto che Nico fosse un po' più pazzerello. Se avesse palesato un po' di più che l'unico modo per separarci era che uno di noi due finisse dentro una bara di legno, forse Anna avrebbe smesso di vedermi come un optional, al pari del tettuccio apribile o del navigatore satellitare.

Lara quasi lo ignorò. Anzi, strinse forte il calice e si mostrò completamente assorbita dai disegni di Sandro. Era chiaro che aveva deciso di non fargliela passare liscia. Avrei voluto che lo perdonasse. Che dicesse ciò che pensava, avesse uno scoppio d'ira e poi andasse oltre. Quel suo gironzolare col muso lungo, quella corrente sotterranea di rabbia irrisolta che aumentava la tensione intorno al tavolo aveva già rovinato la serata a tutti quanti.

Tuttavia Massimo sembrò a malapena accorgersene e rivolse la sua attenzione a noi. « Vedo che avete aperto la cena con un Prosecco, *salute*. La mamma sta preparando abbastanza pasta da sfamare la Toscana intera per un mese. » Si chinò per vedere cosa stesse disegnando Sandro.

Il bimbo chiuse di scatto l'album.

« Fammi vedere, figliolo. »

Sandro lanciò un'occhiata a Lara, che annuì. « Stava disegnando il castello. »

Massimo prese l'album e cominciò a sfogliarne le pagine. Sandro s'irrigidì, come se un filo invisibile gli stesse tendendo i lineamenti. Si mordicchiava le labbra, e gli occhi imploravano approvazione. Era proprio figlio di sua madre, affrontava la vita come se ci fosse qualcosa cui dover resistere piuttosto che da accogliere.

Seguendo la sua tipica logica, Massimo stava valutando i disegni invece di guardare il faccino ansioso del figlio e capire che aveva la possibilità di appianare un po' i contrasti, di spostare l'alone di gloria che circondava Francesca con tutte le sue medaglie e di riparare l'errore che aveva commesso con la « lezione di nuoto » di quella mattina. Avrei voluto prendere a manate il tavolo fino a far saltare fuori le olive dalle ciotole di ceramica. E pazienza per Anna, che correva a casa loro sventolando ritagli di giornale, « studi » che dimostravano come le biciclette albergassero più batteri di una tazza del water, fornendo a Lara l'ennesimo motivo di preoccupazione: avrebbero potuto beneficiare tutti della *Guida maldestra allo sviluppo di un briciolo di autostima*.

Non riuscivo a tollerarlo. « Non è un grande artista, Massimo? Rimango sempre colpita dai suoi disegni. »

Un sorriso timido fece capolino sul volto di Sandro.

Massimo sembrava sorpreso che fossi a conoscenza della sua passione per il disegno. Avrei voluto dirgli: « Ehi, ciccio, se chiedessi a chiunque di elencare tre cose che sa di tuo figlio, una sarebbe di certo che è un artista favoloso ».

« Sì, certamente. » Il suo viso ebbe un fremito, come se si stesse preparando a passare a un argomento più interessante. Avvertii un profondo senso d'ingiustizia, perché Massimo accompagnava spesso Nico alle gare di Francesca e discuteva con lei di ogni bracciata che l'aveva condotta alla vittoria, mentre sulle imprese di suo figlio si soffermava sì e no due secondi.

Forse capivo Sandro perché la maggior parte della gente liquidava la mia attività sartoriale come un piccolo, allegro passatempo invece di considerarla il lavoro che mi dava da vivere. Proprio il giorno prima, Anna mi aveva chiesto come andassero le cose col mio « progetto di sartoria », come se stessi realizzando una banale sciarpetta estiva. Certo, se fossi stata alle prese con la realizzazione di una sciarpetta estiva, avrei potuto usarla subito. Non avrei permesso a Massimo d'ignorare Sandro a quel modo. « Ha ereditato il talento artistico da te? »

Massimo gettò indietro la testa e scoppiò a ridere. « Oh, no! Non so disegnare neanche un omino stilizzato. Sono sempre stato più portato per i numeri, concentrato su somme e totali. Era Nico quello che perdeva tempo con le matite, che raccoglieva le foglie, annusava i fiori. Io ero molto più interessato alla matematica. E a vincere le gare di nuoto. »

Ingurgitai rumorosamente un sorso di Prosecco, mentre nel mio intimo la frustrazione si gonfiava come un palloncino.

Sandro teneva la testa bassa, gli occhi fissi sulla pagina, ma la mano che reggeva il pastello era immobile.

Prima che potessi cedere all'impulso di alzare gli occhi al cielo talmente tanto da sembrare uno zombie, Massimo picchiettò col dito le pagine dell'album di Sandro. « Se mettessi nel nuoto lo stesso impegno che metti nel disegnare castelli, nel giro di pochi anni saresti nella nazionale! »

Lara e Sandro si scambiarono uno sguardo. Ma, invece di fargli l'occhiolino e di rassicurarlo con un sorriso, lei cominciò a tormentarsi le cuticole. Non c'era da meravigliarsi che, assorbendo di continuo il messaggio « sei un fallimento », Sandro procedesse nella vita con fare timido e furtivo. Povero piccolo.

Vedere Sandro logorarsi sotto il peso delle aspettative altrui era più di quanto potessi sopportare. Paragonate a Lara e Massimo, io e la mamma eravamo pronte a diventare le star di un reality show sulla famiglia perfetta.

Era davvero raro che ringraziassi per l'arrivo di Anna, ma vederla sopraggiungere dalla cucina con un'enorme zuppiera piena di pasta alla carbonara fu un diversivo più che gradito. Il delizioso profumino che si librò nell'aria riuscì magicamente a richiamare Sam e Francesca dagli angoli più reconditi del cortile.

Anna si sedette a capotavola – e dove sennò? – e servì abbondanti piatti di spaghetti, mentre Massimo selezionava il vino, dicendo alla mamma che gli sarebbe piaciuto presentarla a un « gruppetto di amici impudenti ».

Quando la mamma ribatté: « Alla mia età ben vengano gli amici impudenti, è la mia ultima opportunità prima che tutto inizi ad andare a rotoli », mi detestai ma non riuscii a fare a meno di guardare Anna.

Dal canto suo, lei riservò il ghigno beffardo d'ordinanza per il momento in cui vide la mamma tagliare gli spaghetti a pezzettini e Sam risucchiare quei magnifici fili cremosi sporcandosi il mento. Allora si portò la mano al collo, come se avesse ingoiato una lisca di pesce. « *Dio mio!* Non è così che si mangiano gli spaghetti. Sam, Beryl, lasciate che vi mostri come si fa. » Brandì la forchetta e, con gesto teatrale, l'affondò nella montagna di spaghetti, creando un piccolo fascio, perfetto per un boccone.

Restai in attesa della ribellione della mamma, ma per una volta lei parve disposta ad accettare i consigli e si mise a girare e rigirare la forchetta, ridendo quando gli spaghetti scivolavano giù e atterravano nel piatto schizzando ovunque. Sam lo trovò divertente e ben presto tutti si misero a mostrare le loro abilità « d'inforchettamento ».

La mamma si chinò verso Sandro. « Dai, spiegami come si fa, io non sono molto brava. »

E lui, che Dio lo benedica, con la linguetta di fuori e le palpebre socchiuse per la concentrazione, le mostrò per filo e per segno cosa doveva fare, prendendo sempre più fiducia in se stesso grazie al tifo entusiasta di Beryl.

« Però, alla tua età lo sai già fare così bene. Sei proprio in gamba! Guarda me, ho cinquantanove anni e non sono capace. Sei un bambino intelligente. »

Per la prima volta in quella serata, Lara intervenne nella conversazione e chiese alla mamma: « Sei mai stata all'opera? »

La mamma scosse la testa. « I soldi del biglietto sono sprecati con me, però Massimo dice che mi piacerà e così sto cercando di avere la mente aperta. Alla peggio mi addormenterò.»

Massimo sollevò le mani. «Che sacrilegio, Beryl! Lavati la bocca col vino!» E a sua volta ne bevve un bel sorso.

Chiesi sottovoce a Nico: «Non dovrebbe guidare stasera?»

Massimo, naturalmente, era dotato di un orecchio bionico e s'intromise: «Non essere così inglese, Maggie! Siamo in Italia, la terra del vino. Iniziamo a preoccuparci quando cominciamo a vedere doppio. E comunque ho bevuto solo un bicchiere, ma d'ora in poi andrò ad acqua, visto che stai monitorando il tasso etilico».

La sua arroganza stava iniziando a infastidirmi. «C'è un motivo se esistono delle leggi sulla guida in stato di ebbrezza. Credo abbia a che vedere col non uccidere le persone.»

Massimo rise come se avessi la finezza di ragionamento di una sempliciotta cresciuta in un villaggio in collina. «Non ti facevo così ligia alle regole, Maggie.»

Sapevo che stava scherzando, ma mi sentii comunque una guastafeste, quella che ai party si mette a raccogliere le bottiglie e a buttarle nei cestini della differenziata anziché aprire tutte le ante in cerca di una scorta segreta.

Fortunatamente la mamma e Sam triturarono come bulldozer ogni tensione, iniziando un confronto su quante parole italiane avevano imparato fino a quel momento. La mamma ci fece ridere, irremovibile com'era nella sua convinzione che la parola «piscina» derivasse dal fatto che in tanti fanno la pipì nell'acqua.

Quando dopo cena ci avviammo verso le macchine, sperai che i conflitti della giornata venissero presto dimenticati, invece Massimo considerò doveroso dirmi di salire in auto con Anna «siccome non aveva bevuto», intrappolandomi tra il desiderio di non aver mai commentato e quello di mostrargli il dito medio.

Ma, non appena arrivammo a San Gimignano, mi scordai di Massimo seduta stante. Sembrava di camminare in un set cinematografico. Quattordici torri s'innalzavano nel cielo stellato. Mi aspettavo di vedere Spiderman saltare da una cima merlata all'altra.

La mamma mi prese il braccio. « Dio mio, sembra di essere a Hollywood. Ho l'impressione che è troppo bello per essere vero. »

Proprio alle nostre spalle, sentii Francesca bisbigliare: « Sia ».

Speravo che la mamma non avesse sentito, ma si voltò e disse: « Faccio schifo in grammatica, eh? Sei fortunata a parlare così bene. Per me ormai è tardi, ma assicurati che Sam impari a parlare correttamente come te ».

Francesca ebbe la buona grazia di mormorare: « Scusa », e ancora una volta sentii un moto di affetto verso la mamma. Anna alzò gli occhi al cielo quando la mamma disse « c'hanno » al posto di « hanno », ma, per quanto mi riguardava, il suo cuore generoso aveva la meglio su qualsiasi dissertazione grammaticale c'infliggesse mia suocera, come se avesse bisogno di dimostrare che la sua intelligenza straordinaria le aveva permesso di conoscere l'inglese meglio della sua lingua madre. Anche se per Anna un congiuntivo sbagliato, un « a me mi » e uno « gli » al posto di un « le » erano evidentemente tra i primi dieci problemi del mondo, per me potevano essere al numero 12.072, ben al di sotto della paura che una falena mi volasse dentro l'orecchio e ci morisse dentro.

Le piazze erano affollate di bambini che correvano a destra e manca e si schizzavano nella fontana, di nonni seduti sulle panchine coi loro vestiti eleganti e con le camicie bianche, di nonne robuste che agitavano le braccia conversando animatamente, tanto da dare l'impressione di discutere di questioni di vita e di morte.

Passeggiavo con Nico lungo la strada acciottolata, mano nella mano, e mi permisi di pensare che, alla fine, per la nostra buffa famigliola sarebbe andato tutto bene.

Ci fermammo in una gelateria con un centinaio di gusti diversi. Francesca li spiegò alla mamma e a Sam: « Il *bacio* è una specie di nocciola, la *zuppa inglese*, invece, è un po' come la crema pasticciera... »

Mentre io e Nico attraversavamo la piazza leccando il gelato – liquirizia, *puah*, tiramisù, *gnam* – provai un'ondata di felicità che non sentivo da prima che scoppiasse « il caso portagioie ».

Sam e Francesca continuavano a scappare via per dare un'occhiata ai negozi di abbigliamento, cercando di sfuggire ad Anna, che si credeva la massima depositaria del buon gusto. La mamma e Sandro camminavano a braccetto, in testa al gruppo. Di tanto in tanto lui si fermava a guardare la vetrina di un negozio di ceramica con tutte le miniriproduzioni di San Gimignano. Non vedevo l'ora di ammirare i suoi prossimi disegni.

Mi ero intenzionalmente allontanata da Massimo, per non farmi guastare la serata. Era in coda al gruppo, con Lara, anche se, a giudicare da come strascicavano i piedi in silenzio, lei non aveva ancora deciso di perdonarlo. Tuttavia Massimo non avrebbe permesso a niente e nessuno di rovinare quell'esperienza all'opera, così accelerò il passo e cominciò a farci fretta, per assicurarsi che non perdessimo l'inizio. « In tutta onestà, non c'è niente di meglio al mondo che stare seduti sotto le stelle ad ascoltare musica favolosa, circondati dalle torri. È semplicemente magico. »

Decisi di porgergli un ramoscello d'ulivo mostrando un po' di entusiasmo, sebbene desiderassi solo sedermi a bere qualcosa in una delle piazzette. « Ricordami ancora il titolo dell'opera... »

« *Pelléas et Mélisande* di Debussy. Parla di una donna sposata col fratello sbagliato. » Mi diede di gomito. « Chissà, potresti renderti conto di aver fatto una pessima scelta. »

« Ehi, tu! » disse Nico, facendo finta di tirargli un pugno.

Massimo si passò una mano tra i capelli e alzò il bavero della giacca. « Chi mai potrebbe respingermi, sportivo, cortese e raffinato come sono? »

Nico ribatté: « Sì, ma io sono molto più gentile di te, più sensibile, più in armonia con ciò che vogliono le donne ».

« Io sono molto più virile. » Massimo si mise in una posa da Braccio di Ferro. « Non è così, Lara? »

Lei non rispose. La guardai, colpita dall'espressione sul suo volto, come se stesse per piangere o per montare su tutte le furie. Sentii appena il prosieguo dello sciocco motteggio tra Nico e Massimo. Cercai di capire se fosse gelosa: non la facevo una di quelle donne convinte che stiano sempre tutte dietro a suo marito. Anche se, a essere sincera, probabilmente un mucchio di donne fluttuava intorno a Massimo con l'esca ben in vista, sperando che lui abboccasse.

Nico continuò, ignaro: « Ma io so ascoltare, che è ciò che vogliono le donne ».

« E io sono un dio del sesso. E alla fin fine una donna sceglie sempre un po' di divertimento tra le lenzuola piuttosto che il tè coi biscotti ogni mattina. Ho ragione o sbaglio, Maggie? »

Provai invano a trovare un modo per deviare il discorso in un'altra direzione e risposi con un grugnito evasivo.

Massimo cinse con un braccio le spalle di Lara, che aveva l'aria accogliente di una striscia di filo spinato. « Forza, La-La. Digli quanto è importante per un uomo essere bravo a letto. »

Silenzio.

Lui la scrutò. « E così è questa la tua risposta? Allora forse ho sbagliato in tutti questi anni. A quanto pare, non riusciamo ad avere un altro bambino. Forse c'è bisogno che ti ascolti di più. Magari dovrei sedermi di fronte a te e farmi raccontare tutte le cose entusiasmanti che fai durante la giornata. Magari è questo il segreto per restare incinta, perché non ha funzionato nient'altro. »

E con ciò la temperatura della serata subì un brusco e repentino cambiamento, catapultandoci da una serie di spensierate canzonature a uno dei problemi più intricati che possa colpire una coppia, infiltrandosi come gramigna nel cuore di una relazione, capace di dividere più che di unire.

Lara si voltò a guardarci, con gli occhi guizzanti d'inquietudine, come se avessimo tutti bisbigliato alle sue spalle della sua incapacità di sfornare il bambino numero due. Io avevo dato per scontato che non volessero altri figli e Nico non aveva mai suggerito che fosse altrimenti.

Lara scrollò le spalle. « Chi lo sa qual è il problema? Così vanno le cose. » Le tremava la voce, come la scossa di avvertimento di un terremoto. Con ogni probabilità non amava che i suoi problemi personali fossero messi in piazza, il che, unito alla collera per quanto era successo con Sandro in piscina, creava una miscela potenzialmente esplosiva.

Ma, per quanto potesse essere interessante vedere Lara perdere le staffe, sapevo che avrebbe detestato un alterco in pubblico.

Così continuai a camminare, chiedendomi se rimanere zitta o rischiare di peggiorare le cose. Alla fine, il terrore del silenzio tipico delle donne Parker ebbe la meglio. Quella pausa imbarazzata mi stava uccidendo. Me la giocai. « Ma, comunque, chi vorrebbe mai ricominciare daccapo coi pannolini e con le notti insonni e quei cavolo di biberon da preparare a tutte le ore? »

Massimo ribatté deciso: « Lara ha allattato al seno per anni e lo adorava », il che mi fece sentire non solo offensiva nei suoi confronti, ma anche giudicata per l'ennesima volta per aver suggerito che un bambino potesse essere allattato artificialmente... e sopravvivere.

Il viso di Lara s'impietrì. Si divincolò dal braccio di Massimo e raggiunse la mamma e Sandro, che stavano ammirando un modellino in scala di San Gimignano in una vetrina lì vicino. « Guarda. Vedi le porte nelle mura della città? La notte, quando il popolo andava a dormire, venivano chiuse per tenere lontani i cattivi. »

Mi mordicchiai il labbro e guardai Nico, che aveva una faccia da: *Come potevamo saperlo?*

Sembrava che a Massimo non importasse affatto della rabbia di Lara, tanto che riprese ad accompagnarci e disse: « Bene. Vogliamo entrare a vedere quale dei due fratelli trionferà? »

34

LARA

La disinvoltura di Massimo nel descrivere l'opera e la sua audacia nell'insinuare scherzosamente che Maggie potesse essere attratta da lui riassumevano alla perfezione quanto si sentisse in gamba. O quanto considerasse tonti noi. Non avevo mai provato tanta rabbia in vita mia. Mi fece venire in mente il vasetto di lievito naturale che mi avevano regalato le amiche e che avevo lasciato in un angolo della cucina a fermentare e ribollire, e che alimentavo con zucchero, farina e latte a intervalli regolari. Sennonché a fomentare la mia collera erano ingiustizia, gelosia e risentimento. Di solito ero abilissima nel dissimulare i miei sentimenti, nell'indossare una maschera per mantenere la pace. Ma, mentre Massimo spiegava a Maggie cosa stava succedendo sul palco, il mio stomaco non faceva che torcersi continuamente, come se l'acredine dentro di me potesse scavare un cunicolo e di colpo sgorgare in una sensazionale esplosione di verità, illuminando il cielo stellato con uno spettacolo pirotecnico di parolacce.

Anna cantava, seguendo il ritmo con le dita come se dirigesse un'orchestra invisibile. Di tanto in tanto sibilava rimproveri a Sam e Francesca, che lanciavano in mezzo al pubblico pezzi di carta strappati dal programma e poi si sbellicavano dalle risate quando la gente cominciava a guardarsi intorno per capire da dove provenissero quei missili insalivati. Beryl continuava a guardare l'orologio e ad allungare di nascosto caramelle mou a Sandro. L'adoravo per essersi schierata totalmente dalla sua parte. Nico sembrava essere caduto in un mare di ricordi, inerte, con gli occhi che guizzavano da un lato all'altro del palcoscenico, come se ogni nota, ogni gesto lo stesse riportando indietro nel tempo. L'opera doveva ricordargli Caitlin, le centinaia di serate in cui la musica era risuonata in giardino e aveva invaso il quartiere con melodie ardenti di amori contrastati, sogni infranti e morti premature.

Speravo che Nico non fosse mai costretto a scoprire ciò che Caitlin gli aveva fatto.

Ciò che Massimo gli aveva fatto.

Non vedevo l'ora che quella tortura finisse. Non ero la sola: metà del nostro gruppo mostrò più brio al bis finale che in qualsiasi altro momento dello spettacolo. Mentre tornavamo alle macchine, mi sforzai di non sentirmi tradita dall'entusiasmo di Maggie: «Oddio, è stato fantastico! Non lo nego, pensavo che sarei morta di noia. Ma avevi ragione, Massimo, il modo in cui recitano ti fa capire la storia anche se non sai le parole. E il costume della protagonista era incredibile. Mi piacerebbe tanto sapere che gemme hanno usato per renderlo così scintillante. La musica mi suonava familiare, anche se non sono mai stata all'opera».

E continuava con domande e osservazioni, come la secchiona della classe. E Massimo, l'insegnante, il detentore della conoscenza, dava il meglio di sé, spiegando con pazienza. Avrei voluto scrollare Maggie, dirle di non farsi fregare, di non credere a quella facciata, a quello strato esterno così sottile che veniva asportato al più lieve motivo d'irritazione, ostacolo od opinione differente, rivelando l'essere sgradevole e vendicativo al di sotto.

Quando raggiungemmo le auto, Anna mandò via i bambini con un cenno della mano. «Nico, Beryl, Maggie, voi venite con me. Non riesco più a sopportare i loro strilli.»

Sam e Francesca si scaraventarono nella BMW di Massimo, e il primo gli chiese subito di tirare giù il tettuccio. «Saremo come James Bond!»

Sandro s'infilò nella macchina accanto a loro, pallido e fiacco: avrebbe dovuto essere a letto già da diverse ore.

Massimo ci dava sempre dentro con l'acceleratore, ma quella sera aveva davvero il testosterone alle stelle: schizzò lungo le provinciali, poi si fiondò veloce nella campagna, curvando bruscamente, incitato da Sam e Francesca.

Vedevo nello specchietto laterale la faccia terrorizzata di

Sandro, con gli occhi sbarrati e i capelli scompigliati dal vento, come un burattino impazzito.

A un certo punto non riuscii più a tollerarlo. « Rallenta! Smettila! »

Massimo urlò ai ragazzi sul sedile posteriore: « Chi pensa che Lara sia una fifona? »

Sam gli gridava di andare più veloce, spalleggiato da Francesca, anche se nella voce di lei mi parve di avvertire una nota di paura. Però Massimo non faceva che ripeterle quanto era coraggiosa, « coriacea e determinata come tua madre », elogi seguiti di solito dal commento: « Al contrario di quel gran pappamolle di mio figlio ». Lei non sarebbe mai stata mia alleata.

Ripensai a come guidava la mamma, sempre entro i limiti di velocità, chinata in avanti sul volante, vicino al parabrezza, un modello ideale di « specchietto, freccia, curva ». Eppure non aveva avuto scampo quando, sterzando, il camion era finito oltre l'aiuola spartitraffico dell'autostrada. In quel momento Massimo stava infrangendo tutte le norme del codice della strada e, se avessimo colpito qualcosa, saremmo stati sbalzati fuori dalla macchina e ci saremmo frantumati sull'erba come il guscio di un uovo sotto i colpi di un cucchiaio. Lo supplicai: « Smettila! Smettila! »

Per tutta risposta, Massimo pestava ancora di più l'acceleratore, ridendo, con le gomme che stridevano a ogni curva.

Mi aggrappai alla portiera con la mano destra e infilai l'altra fra i sedili per trovare Sandro. Le sue dita afferrarono le mie e restammo così avvinghiati in silenziosa paura.

Quando arrivammo al castello, avevo i crampi allo stomaco e la maglietta chiazzata di sudore. L'auto di Anna non c'era ancora, ovviamente. Scesi dalla macchina il più in fretta possibile, con le gambe tremanti, presi in braccio il mio bambino in lacrime e corsi su per le scale di pietra che conducevano alla nostra stanza. Misi a letto Sandro, gli tolsi i capelli dal viso con una carezza e sentii tutto il fascino del sogno di noi due da soli in un appartamentino, dove nessuno l'avrebbe più spaventato.

Dove *io* non sarei mai più stata spaventata.

Mi coricai subito, con la speranza di cavarmela fingendo di

dormire. Massimo bevve un altro paio di bicchieri prima di seguirmi. Fuori, nel corridoio, l'avevo sentito assicurare con gentilezza a Beryl: « Se hai bisogno di qualcosa, di qualsiasi cosa, basta chiedere ». E dare un cinque a Sam: « Il mio piccolo, audace copilota ».

Una volta nella stanza, con le spesse mura medievali a insonorizzare la sua rabbia, cominciò ad andare avanti e indietro, furioso, e a colpire il telaio del letto a baldacchino. « Stasera mi hai fatto passare per un coglione totale. Non appoggiarmi quando si parla di sesso... Penseranno che non mi si rizzi neanche più, ci scommetto. Dio, che sfortuna ho avuto nella vita con le mogli. Una cretina che non voleva figli e un'altra che mi tira fuori un bambino che ha paura di tutto e tutti e che, per giunta, non riesce più a rimanere incinta. »

Se avessi dovuto tracciare un grafico delle nostre vacanze, quello di Massimo sarebbe stato sempre il medesimo, anno dopo anno. Iniziale entusiasmo dovuto alla pausa dal lavoro. Irritazione causata dal dover stare insieme con gli altri ventiquattr'ore al giorno, tutti i giorni. Manifestazione di bisogni, desideri e opinioni da parte degli altri non inseribili direttamente nel suo schema per il mondo perfetto. Rinnovate critiche per i tratti caratteriali di Sandro da lui considerati « da sfigati/smidollati/lagne ». Frustrazione per il fatto che Sandro non fosse « più coraggioso, come Francesca ». Piccoli scatti d'ira a causa d'incidenti banali. Scuse, qualche giornata di calma. Esplosione finale, seguita da atteggiamenti stile personificazione del fascino e, per concludere, durante il viaggio di ritorno, dibattito sulla vacanza, annoverata puntualmente tra le più belle mai fatte.

Restai distesa sul letto, rigida, pronta a balzare in piedi e a respingerlo, se necessario. Le conversazioni tra me e Massimo somigliavano ai giochi dei quiz televisivi, quelli in cui un concorrente cerca di cantare una canzone mentre dalle cuffie esce un pezzo diverso.

L'effetto era lo stesso – un miscuglio di messaggi confusi – ma senza speranza di vincere il superpremio finale. Raccolsi le energie per obiettare: « Non ho detto nulla sul sesso. Non ho mai parlato della nostra vita sessuale con nessuno. Sei stato tu a mettere in piazza che non riusciamo ad avere altri figli».

Mi resi conto troppo tardi di aver commesso uno sbaglio. Uno dei tanti. Avevo osato buttar lì un accusatorio: «Sei stato tu a...»

«Mi fai sentire piccolo così», disse Massimo, spingendomi davanti al naso il pollice e l'indice separati da pochi centimetri.

Talvolta me ne andavo senza rispondere e lo lasciavo semplicemente inveire finché la rabbia non sfumava del tutto. Ma quella sera lui esigeva una risposta. E nessuna risposta l'avrebbe accontentato. E quella sera non potevo fingermi contrita. Continuavo a rivedere l'espressione compiaciuta e soddisfatta del suo viso mentre spiegava la trama di *Pelléas et Mélisande*, un film proiettato al rallentatore e senza sosta dentro la mia testa, in sottofondo la frase «potresti scoprire di essere innamorata del fratello sbagliato». Le parole che di norma usavo per smorzare i toni mi vennero meno. Non riuscivo a trattenere la collera al pensiero che se eravamo arrivati a casa sani e salvi era stato per pura fortuna. Che, quando lo avevo supplicato di smetterla, si era divertito a far leva sulla mia paura. Che aveva messo nostro figlio in pericolo, senza contare gli altri ragazzi.

Mi alzai a sedere sul letto. «Sei un coglione. Uno stronzo di merda. Mia madre *è morta* in un incidente d'auto. Una tragedia che ha cambiato *per sempre* la mia vita. Ma, siccome il tuo piccolo, stupido ego si è risentito perché non mi sono messa a gridare per le strade di San Gimignano che megastallone italiano tu sia tra le lenzuola, hai deciso di guidare come una grandissima testa di cazzo.» Trasalii io stessa davanti a quel linguaggio: era come se ci fosse qualcuno alle mie spalle che urlava al mio posto.

Con ogni probabilità, Massimo avrebbe avuto un'aria meno sorpresa se la donna con la camicia da notte di pizzo ritratta nel quadro accanto al nostro letto fosse di colpo saltata fuori dal dipinto e si fosse messa a rimproverarlo.

Aprì la bocca per ribattere, mentre una grossa vena azzurrognola gli pulsava sulla tempia, come un verme che striscia sotto la superficie.

Si bloccò un istante, meravigliato dalla mia reazione, ma poi gli si gonfiò il petto, pronto a rimettermi in riga. « Non ti azzardare a... »

« A fare cosa, eh? A insultarti? A esprimere un'opinione? A menzionare il dettaglio che sei un prepotente del cazzo che gode a intimidire suo figlio sino a farlo soffocare dalla paura? Ma guardati. Il grand'uomo che sbandiera il portafogli, l'allegrone che ha sempre una parola per tutti. »

« Taci, stupida puttana! Vorrei proprio vedere dove saresti ora, senza di me. Chi credi ti abbia fatto avere le promozioni al lavoro? Avresti continuato a fotocopiare i miei resoconti a oltranza, se non fossi intervenuto io a tirare le fila. Vivresti ancora con quel demente di tuo padre, così fuori di testa da bere l'acqua del bagno e mangiare cibo per gatti. »

Una voce nella mia testa mi diceva di non passare il segno. Perché, una volta fatto, il mondo che conoscevo non avrebbe subito solo una scossa, si sarebbe sbriciolato del tutto. Ma vedere Massimo usare mio padre per sbeffeggiarmi agì come ariete contro l'ultimo fuscello di autoconservazione.

Gettai le gambe fuori dal letto. « Non menarmela con la storia del 'non saresti nessuno senza di me'. È un miracolo che io sia sopravvissuta. E scusa se non sono abbastanza grata all'affascinante e generoso Massimo per aver scelto una donna ordinaria come me. Ma sai una cosa? A dire il vero, non mi sento molto grata in questo momento. So cos'hai fatto. Mi ci è voluto del tempo per capirlo, ma alla fine anche una 'miserabile cretina' come me ci è arrivata. E, ora che ti sei divertito, tocca a me. Quando mi sveglierò domattina, andrò a bere il caffè con tua madre. La farò accomodare con una bella tazza di latte macchiato e le racconterò che il suo adorato primogenito aveva una relazione con la moglie del figlio più piccolo. » Appoggiai i piedi a terra. Strinsi le labbra e deglutii, preparandomi a cacciare un urlo da fracassare la vetrata nella cappella al piano di sotto se lui solo avesse mosso un dito nella mia direzione. Mi sentivo il cuore battere nelle orecchie. L'energia si riversava nel mio corpo fino a raggiungere la punta delle dita, le ossicina minuscole dei miei piedi si contraevano, pronte all'azione.

Massimo mi stava davanti, col petto in fuori, i pugni chiusi. Lanciai uno sguardo alla porta. Non ce l'avrei mai fatta. E quasi non m'importava. Ero sospesa in quella frazione di secondo tra il sollievo e il dolore, come se mi avessero inciso un foruncolo e la temporanea liberazione bloccasse lo strazio imminente. Lo guardai fisso negli occhi, gettando il guanto di sfida, cercando di arginare la paura che riempiva già il vuoto dove prima risiedevano tutti i sentimenti che avevo nascosto. Mi sarei voluta coprire la testa, proteggere il viso da quelle mani.

Quelle mani tenere, delicate, brutali.

Poi Massimo si accasciò a terra e grosse lacrime cominciarono a rigargli il viso, bagnando i riccioli scuri sulle tempie. « Mi dispiace, mi dispiace tanto. »

35

LARA

Mi sembrava di essermi addormentata da trenta secondi quando mi svegliai e vidi Sandro chino su di me che sussurrava: « Mamma », lanciando occhiate impaurite al padre. Mi trascinai fuori dal letto, guardai la nuca di Massimo sul cuscino, le lenzuola che gli coprivano il viso. Era davvero l'ultima volta che mi svegliavo accanto a lui? Tutta la nostra vita spezzata in un istante di un giorno qualunque?

Non occorreva che chiedessi a Sandro quale fosse il problema. L'avevo capito dalla sua faccia. Vergogna. Umiliazione. « Vengo ad aiutarti. Dammi solo il tempo di mettermi qualcosa addosso. » Sgusciai fuori dalla stanza, lasciando la porta socchiusa, con gli occhi che bruciavano per il riflesso del sole mattutino sui ciottoli.

Entrando nella sua camera, arricciai il naso e cominciai a disfare il letto. « Non preoccuparti. C'è una lavanderia di fianco alla cucina. Porto subito lì le lenzuola e nessuno si accorgerà di nulla. »

« Non lo dirai al papà, vero? E neanche a Sam e Francesca? Loro mi trattano già da bimbo piccolo. »

« Vieni qui. » Lo abbracciai, chiudendo gli occhi ancora gonfi di sonno e appoggiando il viso sulla sua testa. « Passerà. Ti ci vorrà solo un pochino di più rispetto agli altri. Ognuno ha i suoi tempi: ci sono bambini che camminano e parlano dopo, bambini che bagnano il letto a lungo... Alla fine tutto si aggiusta. Ma non ti cambierei con nessun altro al mondo. »

« Mamma? »

« Sì? » dissi, arrotolando le lenzuola.

« Perché dicevi le parolacce ieri notte? »

« Cosa vuoi dire? » domandai, rifuggendo dall'idea che Sandro potesse aver sentito la conversazione.

«Ho fatto la pipì che eravate ancora svegli, ma poi vi ho sentito litigare, e allora non sono entrato.»

«Hai dormito tutta la notte nel letto bagnato?»

Sandro fece spallucce. «Ci ho messo sopra un asciugamano.»

«Hai pianto?»

«Non proprio.»

Il suo stoicismo – o il sapere quanto poco si aspettava dalla vita – mi avrebbe distrutto definitivamente se avessi avuto ancora una goccia di disperazione da spremermi.

Stava seduto sul letto, con le gambe a penzoloni oltre il bordo. «È per colpa mia che urlavi col papà? Perché ieri mattina ha provato ad aiutarmi a nuotare?»

Il cuore mi balzò in gola. Sandro stava già facendo ciò che facevo io: riscrivere la storia, perché affrontare la verità era troppo crudele.

M'inginocchiai accanto a lui. «Quello che ha fatto il papà è orribile. Non stava davvero cercando di aiutarti, ti stava forzando a fare una cosa per cui non eri ancora pronto. Ma non era per quello che urlavo.»

Non ero preparata a fare quel discorso. Non avevo neanche detto a Massimo che intendevo lasciarlo, figuriamoci se potevo sostenere la conversazione «la mamma e il papà non vivranno più insieme». I pensieri mi rimbalzavano nella mente come falene stordite dalla luce, che andavano a sbattere contro tutte le cose che sarebbero dovute accadere prima di poter considerare di fare quella chiacchierata. La priorità numero uno era recuperare il passaporto di Sandro dalla borsa del bagaglio a mano. Numero due, inventarmi un piano per iniziare una nuova vita con meno di venti sterline a disposizione. Ma non potevo – non potevamo – restare.

Sandro mi abbracciò. «Farò il bravo oggi.» Inspirò a fondo come se stesse cercando il coraggio dentro di sé. «Il papà sarebbe felice se provassi a nuotare con Maggie, secondo te?»

Sentii le sue spalle irrigidirsi sotto le mie braccia.

Mi chinai in avanti, così che non vedesse i miei occhi riempirsi di lacrime. «Tu non hai fatto niente di sbagliato; non sta a te renderci felici. Solo la mamma e il papà si possono rendere felici a vicenda.» E, mentre pronunciavo quelle parole, mi resi conto che nessuno di noi due sembrava riuscirci da molto tempo.

Le mie lacrime caddero sulle piastrelle di terracotta.

Sandro prese un asciugamano e lo passò sul pavimento. «Non piangere, mamma.»

Cercai di sorridere, ma non riuscivo più a tenere intrappolate le emozioni dentro di me. Dire a Massimo ciò che pensavo era stato come aprire la porta di una voliera. L'uno dopo l'altro, sentimenti che erano rimasti appollaiati tranquilli senza la minima aspettativa di essere rilasciati si stavano riversando fuori dalla gabbia, agitando le ali verso la libertà, senza la minima sicurezza di sopravvivere nel mondo esterno, ma disposti a correre il rischio. Qualsiasi cosa pur di smetterla di vivere in una prigione d'infelicità.

Sandro mi confortò con qualche colpetto sulla schiena. «Sstt. Smettila di piangere. Altrimenti il papà si arrabbia.»

Era la verità. Ma stavolta avrei semplicemente affrontato la sua ira.

Tirai fuori dei vestiti puliti per Sandro e lo lasciai solo a prepararsi. Mentre uscivo dalla sua stanza, lanciai uno sguardo alla piscina. Non c'era nessuno. L'idea di avvicinarmi alle sedie a sdraio nell'arco di un paio d'ore e di battere la mani per richiamare l'attenzione e fare il mio annuncio sembrava assai meno praticabile di quanto non fosse sembrata nelle primissime ore del mattino.

Nonostante le suppliche di Massimo, avevo ignorato le sue scuse, le sue giustificazioni. Naturalmente non era stato a letto con lei; era stata una questione di affinità mentale, più che altro; solo un'eccessiva familiarità; lei lo ascoltava quando si sentiva solo e disperato, quando io ero inaccessibile, distante, completamente assorbita dal bambino; poi era diventata un'abitudine, e infine lei si era ammalata e aveva avuto più che mai bisogno di lui.

Stronzate.

Avevo respinto le sue mani che cercavano di prendere le mie, rammentando a me stessa che, presto o tardi, le sue promesse si sarebbero ossidate come candelieri d'argento nel negozio di un rigattiere. Aveva pianto, solo per paura che lo obbligassi a mettere le carte in tavola e mostrassi all'intera famiglia com'era davvero.

M'immaginai di richiamare l'attenzione dei presenti. Maggie e Beryl avrebbero alzato lo sguardo e smesso di commentare l'acconciatura di Kate Middleton sulla rivista *Heat*. Anna mi avrebbe guardato torva per avere interrotto i suoi anagrammi per risolvere le sue criptiche parole crociate. Nico si sarebbe alzato a sedere, infilando un segnalibro nel suo volume sulle *Piante ideali per i terreni acidi*. Tutti si sarebbero aspettati le mie proposte per il menu del giorno, tenendo conto che a Francesca non piacevano i pomodori, Sam non voleva il parmigiano perché puzzava di vomito, Nico non impazziva per l'agnello a meno che non fosse molto magro. E, una volta lì, davanti a tutti, avrei davvero annunciato: «So che vi sorprenderà un po', ma mio marito, tuo fratello, tuo figlio ha vissuto nella menzogna per anni. E con lui anche noi perché...» Avrei davvero guardato le loro facce impietrirsi, come una ola al contrario che fa cadere i pezzi tutt'intorno prima di affondare in un abisso di sconcerto collettivo? E Sandro?

Sospirai. Esitai prima di entrare nella nostra stanza. Chissà se sarei stata in grado di arrivare sino alla fine della vacanza e aspettare di tornare a casa, dove potevo pianificare e preparare tutto senza un pubblico.

Aprii la porta, ma rimasi sulla soglia. Massimo si stava tirando su i pantaloni, neanche un filo di grasso a macchiare il suo fisico perfetto. Tirai in dentro la pancia, per abitudine, preparandomi a una delle sue osservazioni, presentate come semplici chiacchiere ma striate d'istruzioni nascoste su come dovevo comportarmi e da minacce latenti su cosa sarebbe successo se avessi disobbedito. Invece lui allungò la mano verso di me, con espressione tesa e angosciata. Misi le mani in tasca.

«Ti amo, Lara. So che non posso obbligarti a restare ma, ti prego, non prendere decisioni, non ancora almeno.»

«Non puoi amarmi davvero, se ti comporti così. Hai pensato solo a te stesso.» Entrai nella stanza, ma tenni il tallone sulla soglia per impedire alla porta di chiudersi del tutto. Se le cose si fossero messe male, la stanza di Maggie e Nico era in fondo al corridoio.

« Cosa dovrei fare per avere l'opportunità di rimediare? Nei tuoi confronti e in quelli di Sandro? »

La mia domanda – « Tu cosa suggerisci? » – mi sorprese come un lontano promemoria della donna che ero sul posto di lavoro, capace di negoziare, raccogliere informazioni, essere aperta ai punti di vista altrui anziché trincerarmi dietro il mio. Non ero riuscita a salvaguardare gli ultimi frammenti della mia personalità, che erano scomparsi sotto l'assalto furioso di Massimo per spiegarmi chi fossi. Avrei dovuto reimparare ad avere un pensiero autonomo.

Il suo viso si rischiarò. « Fammi una lista delle cose che vuoi che cambino e dammi tempo fino a Natale per riuscirci. »

« Ti ho regalato dieci anni della mia vita, Massimo. Ieri sera nostro figlio ha fatto la pipì a letto perché l'hai terrorizzato buttandolo in piscina, eppure è rimasto a dormire tra le lenzuola bagnate per tutta la notte perché aveva troppa paura di svegliarci, sapendo che tu ti saresti arrabbiato. »

Massimo si passò una mano tra i capelli, riccioli che ricadevano come spirali intorno al suo viso, dandogli quell'aria un po' zingara che avevo tanto amato. « Mi dispiace. Ho sbagliato tutto e ora ti ho perso. La solita vecchia storia: non conosci l'importanza di ciò che hai, finché non l'hai perso. Rimarrai almeno sino alla fine della vacanza? »

Avrei voluto dire di no. Avrei voluto fare i bagagli e scappare via, lontano, dove le parole di Massimo, piene d'astuzia, adulazione e rimorso, non potessero trovarmi e riportarmi indietro. Dovevo smetterla di credere che sarebbe cambiato. Rimasi ferma a osservarlo, mentre milioni d'immagini mi affollavano la mente. Bicchieri di champagne che tintinnavano per augurarci « salute » e ciotole di ceramica lanciate contro le pareti. Baci delicati sulle labbra e bruschi strattoni. Il suo ottimismo e la sua vitalità che illuminavano la stanza. Il suo cattivo umore che ci avvolgeva come un asciugamano umido lasciato fuori di notte. Quell'uomo che, malgrado tutto, avevo amato. Con cui avevo riso, quando non mi aveva fatto piangere. Di cui ero fiera, quando non mi vergognavo. Che ammiravo, quando non lo disprezzavo. « Aiuto! Aiuto! Qualcuno mi aiuti! » Tesi l'orecchio, chiedendomi se fossero Francesca e Sam che schiamazzavano in piscina, facendo uno dei loro stupidi giochi, con uno dei due che fingeva di essere uno squalo e l'altro la vittima. Ma il richiamo si avvicinava e diventava sempre più disperato.

Spalancai la porta e vidi Beryl uscire ansante dalla piscina, con la lunga gonna di stamigna sollevata e una ciabatta sola. «Sandro è in acqua senza braccioli!»

Non aspettai di sentire altro, cominciai semplicemente a correre, coi pantaloncini di jeans che m'irritavano la pelle delle cosce. Massimo si precipitò in cortile e si fiondò verso la piscina, a piedi nudi sulla ghiaia. Lo seguii, ma le gambe si rifiutavano di collaborare, il panico intensificato dalla vista dei braccioli arancioni allineati sulla sedia a sdraio. Massimo si tuffò, completamente vestito. Sandro era sott'acqua, al centro della piscina, coi capelli biondo-rossicci che si aprivano a raggiera come la corolla di un dente di leone. Era a faccia in giù, ma le gambe si muovevano ancora. O forse era solo la forza dell'acqua che sbatteva contro il suo corpo mentre Massimo nuotava verso di lui. Avrei voluto gridare, ma avevo la gola serrata. Massimo lo raggiunse e lo issò oltre la superficie. Sandro era accasciato sul suo braccio, con la schiena bruciata nonostante la continua applicazione della crema protezione cinquanta, un pallido contrasto con la pelle scura del padre.

«Massimo! Respira?» La mia voce slittò oltre la superficie della piscina, un tremolio più che un grido. Non isterico come mi ero sempre immaginata nei tanti catastrofici scenari che mi tormentavano nel cuore della notte. Non agitato, né violento, per nulla schierabile sotto il vessillo della scenata tragica. Era peggio della semplice isteria. Era una paura bruciante, come se il sangue avesse lasciato il mio corpo per essere rimpiazzato da un acido che scorreva nelle vene cauterizzandole, fermando gli organi, per confluire nel luogo di riposo finale, il cuore, solo per scoprire all'arrivo che lì ormai non c'era più nulla, solo un pezzo di carne bruciata e accartocciata, che non batteva più per il futuro, ma che si affliggeva già per il passato.

Lo sforzo per aver nuotato trascinandosi dietro Sandro trasformò la voce di Massimo in una sorta di grugnito: «Non lo so. Chiama un'ambulanza».

Mi accorsi vagamente dello sciabattio di Beryl, della mano di Maggie sul mio braccio. Anna sbraitava al telefono col 118. Nico tirò Sandro fuori dall'acqua e lo posò a terra, girandolo su un fianco.

Caddi in ginocchio, nella mente un vortice di pensieri sconnessi – *Le pietre della pavimentazione sono calde, è un bene, lui avrà freddo* –, poi gli strinsi la mano, cercando di trasmettergli il mio amore, per fargli capire che ero lì, che sentisse la forza pura dell'amore materno riportarlo indietro dal luogo in cui era svanito.

Massimo cominciò a massaggiargli con forza il petto e a fargli la respirazione bocca a bocca. Pronunciai un debole: « Coraggio ». O forse lo fece Massimo. Non sapevo se i miei pensieri prendessero forma nell'atmosfera. Notai i peli sul dorso delle mani di Massimo, le dita forti sul petto di Sandro, che lottavano per riportarlo in vita. La voce di Beryl, che non aveva più nulla del solito timbro roco, contava gli intervalli tra una spinta e l'altra e dava istruzioni. Feci caso a una libellula che sfiorava la superficie dell'acqua, chiedendomi se alla fine fosse quello ciò che avrei ricordato: l'arcobaleno di colori che scintillava sotto il sole nel giorno della morte di mio figlio.

Poi Sandro emise un suono flebile. Così flebile che non ero neanche sicura provenisse da lui, o se fosse sfuggito dalla bolla di terrore che mi comprimeva il petto. All'improvviso un movimento violento: Sandro alzò di scatto la testa e vomitò sul petto e sui pantaloni di Massimo. Lui non sussultò, non si mosse. Le sue spalle crollarono, sfinite. « Grazie a Dio, grazie a Dio. »

Sandro aprì gli occhi. « Mamma? »

Presi fiato. I miei polmoni risucchiarono avidamente l'aria, come se le mie vie aeree si fossero ibernate a mia insaputa. « Sono qui, tesoro. Penso che tu sia caduto in piscina. Il papà ti ha salvato. Va tutto bene ora. »

Il suono distante di una sirena.

Sandro batté le palpebre un paio di volte, poi strizzò gli occhi. La sua voce, rauca come se avesse la tonsillite, disse raschiando: « Non sono caduto, mamma. Ho cercato di nuotare per far felice il papà ».

36

MAGGIE

Gli ultimi giorni di vacanza furono molto diversi dai momenti convulsi e inquieti che li avevano preceduti. Massimo trattava Sandro con una tenerezza così commovente che mi salivano le lacrime agli occhi ogni volta che li vedevo insieme. Massimo era sempre stato un uomo d'azione, irrequieto, un continuo dentro e fuori dalla piscina, in giro per negozi, a setacciare il giardino in cerca di basilico e rosmarino per il pranzo. Ora, invece di essere il re della piscina, era il campione dei tornei di Uno, il gioco preferito di Sandro. Francesca e Sam l'avevano subito bollato come un « gioco stupido da bambini », sennonché si ritrovarono presto a supplicare di potersi unire alle partite, attratti dal modo in cui Massimo faceva sembrare sempre tutto divertentissimo.

Dal giorno del quasi annegamento, sembrava che Sandro si stesse schiudendo come un fiore in una fotografia in time-lapse, un bocciolo serrato che pian piano rilassava gli strati protettivi esterni per esibire i petali colorati al suo interno.

Feci segno a Lara di sedersi accanto a me sulla sedia a sdraio. « Forse è venuto fuori qualcosa di buono da questa brutta esperienza », dissi, indicando il faccino di Sandro, raggiante, mentre scartava la sua ultima carta.

Lei annuì. « Penso sia stata una lezione per tutti noi. Sandro non parla molto, perciò credo che non ci fossimo accorti di quante cose ha assorbito. Senza volerlo, l'abbiamo fatto sentire un fallimento. E questo ha turbato molto Massimo, perché si sente responsabile. »

Che Lara non avesse sentito la necessità di affibbiare delle colpe era una dimostrazione della sua generosità di spirito. Speravo di non essere quel tipo di persona che avrebbe svegliato il marito a notte fonda per rivivere l'orrore di ciò che era quasi successo e poi sentenziare: « E sarebbe stata tutta colpa tua! » Io stessa continuavo a ridestarmi nelle ore notturne, assillata da immagini del corpo di Sandro disteso in posizione innaturale vicino alla piscina.

Dio solo sa che genere di emozioni e immagini doveva affacciarsi alla mente di Massimo e Lara a ciclo continuo. Lara non faceva che lodare la rapidità d'azione di Massimo: « Grazie a Dio c'era lui. Io me ne stavo lì a tremolare come gelatina. Patetica. Non so dove avrei potuto trovare la forza per tirarlo fuori ».

« Non ti sottovalutare. Ci saresti riuscita di sicuro, se Massimo non fosse stato presente », dicevo io.

« Non ne sono sicura. Sarei crollata completamente. Grazie a Dio non c'è stato bisogno di scoprirlo. E comunque in parte è colpa mia. Avrei dovuto essere più decisa nel dire a Sandro di stare alla larga dalla piscina in assenza di adulti. Siccome aveva paura dell'acqua, non ho mai pensato che si potesse avvicinare alla piscina senza di me. »

Massimo gettò le sue carte e prese il braccio di Sandro, alzandoglielo sopra la testa. « Ti proclamo ufficialmente Campione di Uno del Castello della Limonaia! »

Il volto di Sandro si aprì in un grande sorriso.

Poi Massimo s'inginocchiò vicino a Lara e le prese la mano. « Va tutto bene, tesoro? Mi faresti l'onore di venire a fare una passeggiata con me in giardino? Maggie, daresti un'occhiata a Sandro per noi? »

Lara esitò.

« Andate pure. Non sbatterò neanche le palpebre fino al vostro ritorno », risposi io, sembrando più sicura di quanto non fossi in realtà. Mentre Massimo aiutava Lara ad alzarsi, io mi sentii all'improvviso schiacciata dalla responsabilità di mantenere in vita tre ragazzini per la successiva mezz'ora. Non ero mai stata il tipo da monitorare con l'elicottero Sam, almeno finché sapevo a grandi linee dove si trovava, ma ora mi era venuta voglia di legarmelo addosso con un guinzaglio. Mi ritrovavo a entrare in ansia per cose delle quali un tempo non m'importava un'acca, tipo lanciare in aria gli acini d'uva e poi catturarli con la bocca, tuffarsi a capriola dal bordo della piscina, nuotare subito dopo pranzo. E, ogni volta che Francesca si buttava in acqua facendo la ruota, avevo delle visioni del suo cranio che sbatteva contro il cemento e sentivo il cuore balzarmi in gola.

Apprezzai con nuova intensità di avere un marito con cui condividere i miei timori. Qualcuno che allungasse la mano nel cuore della notte per dirmi: « Ti sento agitata. Vieni qua che ti coccolo ». Qualcuno che non mi facesse sentire stupida e alla ricerca di attenzioni perché non riuscivo a smettere di piangere neanche quando Lara e Massimo erano tornati dall'ospedale col via libera per Sandro, con Massimo a malapena visibile dietro un enorme mazzo di fiori per la mamma.

Sebbene Sandro dovesse la sua vita all'allarme lanciato da Beryl, lei aveva ignorato ringraziamenti e lodi. « Piantatela! Sarei stata di gran lunga più utile se avessi saputo nuotare. È un bene che Massimo trascorra tanto tempo in palestra, ha corso veloce come il vento. »

Pregavo che accettasse con garbo i fiori. E che, per riguardo alla serietà della giornata e alla consapevolezza che le nostre vite sarebbero potute cambiare nell'arco di un attimo, non se ne uscisse col suo solito: « Che spreco di soldi. Poveri fiori. Preferisco vederli crescere nei giardini che infilati in un vaso ».

Ma le ultime giornate avevano preso una piega molto più dolce, e regnava la gentilezza reciproca. Scendevo per andare a cena senza preoccuparmi del fatto che Anna riprendesse mia madre per aver detto: « Il mio più bellissimo nipote », e che si lanciasse in una spiegazione dei superlativi, che la mamma avrebbe liquidato con un: « Oh, e chissenefrega dei superlacosi. Se capisci il senso, che problema c'è? »

Chiamai Sandro più vicino, sentendomi nervosa al pensiero che non fosse a portata di braccio dalla mia sedia a sdraio. « Va tutto bene, tesoro? Cosa stai disegnando? »

« È l'infermiera che si è occupata di me. E questo sono io che sputo l'acqua che ho bevuto. »

Chissà cosa avrebbe detto la sua maestra il primo giorno di scuola chiedendogli di mostrare il suo disegno delle vacanze: « Questo sono io in ospedale dopo che sono quasi affogato ».

Era ora di andare oltre. « Ti piacerebbe imparare a disegnare fiori? Penso che saresti bravissimo. Dai, andiamo a cercarne qualcuno di bello.»

Dopo aver dato istruzioni a Nico di controllare gli altri due, presi Sandro per mano e girai sul lato del castello dove avevo visto dei grossi cespugli di rose. Alzai lo sguardo verso il cielo, un vero e proprio azzurro da cartolina, e pensai che eravamo fortunati a poterci godere la giornata, a gingillarci nella scelta di un fiore da disegnare anziché dover pianificare il trasporto di un cadavere in Inghilterra.

Quando girammo l'angolo, sentii un rumore, forse una voce. Esaminai il giardino all'italiana in cerca di segni di vita, ma vidi solo qualche busto di pietra e una piccola fontana. Indicai il cespuglio di rose: «Guarda, quelli sono i fiori che pensavo di farti disegnare».

Poi, con la coda dell'occhio, nascosti dentro la casetta da giardino che Beryl aveva definito «la pensilina dell'autobus», guadagnandosi un'occhiataccia di Anna, vidi Lara e Massimo. Lui si protendeva verso di lei, tenendole entrambe le mani, con aria intensa e concentrata, come se stesse cercando di convincerla di qualcosa. Che lei non aveva colpe? Che lui non aveva colpe? Lara si mise i capelli dietro le orecchie e guardò il pavimento. Massimo la tirò a sé e le diede un bacio, ma non un bacetto frettoloso, uno di quei baci in piena regola. Era meglio che mi allontanassi, casomai Massimo avesse in mente un po' di sesso en plein air per quel pomeriggio.

Condussi Sandro in tutta fretta dal lato opposto del giardino, esclamando che le rose forse non erano il soggetto migliore, meglio un cactus.

Mentre io e il bimbo esaminavamo le piante alla ricerca di una specie dalle foglie semplici, desiderai che Nico trovasse per noi degli angolini in cui spassarcela un po'. Fuori dal letto era già un trionfo se mi teneva la mano. Se ci vedeva scambiarci un gesto d'affetto, Francesca faceva smorfie come se avesse trovato una foglia d'insalata rancida nel panino, il che tendeva a uccidere sul nascere qualsiasi contatto spontaneo.

E mi faceva sentire stranamente invidiosa del piccolo appuntamento di Lara e Massimo nella casetta da giardino.

37

LARA

Se possibile, il mezzo annegamento di Sandro aveva sconvolto Massimo ancora più di me. Ci eravamo aggrappati l'uno all'altra quella sera, troppo sconcertati per perseverare nelle nostre posizioni conflittuali, e consapevoli che l'affare Caitlin era del tutto insignificante rispetto al rischio di perdere nostro figlio. Il mio corpo anelava la consolazione dell'unica altra persona al mondo che condivideva lo stesso amore viscerale per Sandro, per quanto imperfetta fosse la sua manifestazione. Ci eravamo addormentati, sfiniti, stretti l'uno all'altra, uniti nel sollievo, nella gioia che il fato avesse scelto di non punirci. Ogni volta che mi muovevo, Massimo si svegliava di soprassalto e mi tirava di nuovo a sé.

Il mattino seguente avevamo fatto l'amore, con dolcezza e passione, un delicato scambio di emozioni, un modo per liberarci dalla paura, un muto preambolo alla conversazione che non eravamo ancora pronti a fare. Non mi ero fatta domande, avevo solo cercato d'incanalare tutta quell'energia, l'adrenalina, in uno sfogo fisico senza preoccuparmi del domani. Massimo mostrava una tenerezza dimenticata da talmente tanto tempo che non riuscivo neanche a ricordare se ci fosse mai davvero stata.

Dopo, avrei voluto congelare il tempo, tenerci rinchiusi in quel momento in cui nulla di scabro, malevolo o inaspettato mi avrebbe più ferito.

Ma gli ultimi giorni di vacanza, con la loro morbida calma, passarono fin troppo in fretta e, in chiusura, arrivò l'appello di Anna per la tradizionale foto di famiglia, poco prima di andare in aeroporto. Il braccio di Massimo mi cingeva con fermezza la spalla, come se fossi un tesoro da proteggere. A mia volta, il solo pensiero che avrebbe potuto essere tutto così diverso mi fece stringere la mano di Sandro talmente forte che lui cominciò a divincolarsi. Scacciai via l'idea che, al posto dell'attuale marmaglia che Anna stava cercando di radunare nel campo visivo del mirino, avrebbe potuto esserci una processione di parenti distrutti che si preparavano ad affrontare un doloroso viaggio di ritorno, con un bambino in meno. Il familiare imporsi di Anna come capo assoluto mi calmò e mi confortò.

« Più vicini! Più vicini! Nico, così copri Lara. Sam... levati da lì, sei davanti a Sandro. Francesca, tirati giù la gonna, vorrei poter mostrare agli amici almeno una foto di famiglia. »

Non potei fare a meno di sorridere quando Maggie difese la figliastra: « Oh, su, Anna, Francesca ha un bel fisico. Addosso a me quella gonna non farebbe la stessa figura, te lo garantisco, ma la moda oggi è questa ». Mi aspettavo che Francesca mostrasse un segno di gratitudine, ma restò impassibile. Povera Maggie, doveva avere proprio la pazienza di una santa per gestire dinamiche così particolari.

Quando Anna fu soddisfatta di avere una foto con cui poter competere su Facebook coi migliori scatti: *Guarda qui che tramonti/cocktail/superfisici da bikini/bambini perfetti coi violini e con le coppe sportive,* ci sparpagliammo tutti per effettuare un'ultimissima perlustrazione del giardino alla ricerca di eventuali occhiali da sole e infradito monelle. Partecipai anch'io, sebbene fossi più preoccupata che Sandro si avvicinasse alla piscina che non di dimenticare un flacone mezzo vuoto di crema solare.

Massimo venne con me. « Allora, Mrs Farinelli, sei pronta a darmi un'altra possibilità? »

Mi voltai a guardarlo. Mi augurai che non si trattasse di un astuto imbroglio che nell'arco di due settimane mi avrebbe costretto di nuovo a tappare le orecchie di Sandro con le mani dicendo: « Sstt, il papà è un po' arrabbiato, oggi ». Ma il suo mezzo annegamento aveva capovolto la situazione. Cosa sarebbe successo se non ci fosse stato Massimo, il grande nuotatore, l'uomo dal sangue freddo necessario per concentrarsi su ciò che andava fatto anziché perdere la testa ed entrare in panico come avevo fatto io? Era per merito suo se avevo ancora un figlio, una famiglia.

Ma forse stavo solo ricadendo su un terreno scivoloso. Sondai il terreno dicendo: « Non voglio che le cose ritornino come prima. Devo essere in grado di esprimere un'opinione senza preoccuparmi che tu t'infuri ». Esaminai la sua espressione in cerca di un guizzo, di un'ombra, di un labbro arricciato.

« Lo capisco », disse Massimo. « Rimedierò ai miei errori, farò in modo che tu torni a fidarti di me. »

Quegli occhi. Così sinceri. Non era invecchiato per niente, tolto qualche filo grigio tra i capelli. Aveva ancora quel fascino da ragazzo che mi stordiva.

« Prima o poi dovremo sederci con calma a parlare e smetterla di buttare tutto sotto il tappeto. »

Lui rise. « Possiamo parlare e, come dire... magari tornare a conoscerci? » disse, carezzandomi il seno.

Scostai la sua mano. « Sembri sempre arrabbiato. Dai l'impressione di considerarci un ostacolo sulla strada che porta alla felicità. Sei sicuro di volerla, un'altra possibilità? » Se avessi fatto a testa o croce, non avrei saputo cosa augurarmi: andare o restare?

Premette le sue labbra sulle mie, indugiando finché non mi sentii di nuovo un corpo solo con lui. « Questo vale come risposta alla tua domanda? »

Cercai in fondo al cuore, dove solo pochi giorni prima alloggiavano tutti i frammenti del tradimento e della prepotenza, coi bordi affilati che laceravano le mie emozioni, trasformandole in una massa ruvida e frastagliata intorno alla quale non avevo altra scelta se non costruire un rifugio stabile e resiliente. Se schiacciavo, se individuavo il punto esatto, come un dente sbeccato, sentivo ancora dolore al pensiero di Massimo che complottava e pianificava incontri con Caitlin, svignandosela nei fine settimana per vedere l'opera insieme e – checché ne dicesse lui – vivere notti di passione. Ma era un dolore così sordo in confronto all'agonia di aver quasi perso Sandro che mi sembrava quasi ridicolo.

C'erano stati tanti abbagli, tante volte in cui Massimo aveva promesso di cambiare e tante delusioni. Ma l'avevo visto insieme con Sandro dopo l'indicente in piscina. Era stato paziente, incoraggiante, il Massimo di cui mi ero innamorata, non quello che avevo dovuto imparare a sopportare.

Era oltremodo ironico che Sandro fosse quasi dovuto morire perché noi ci rendessimo conto di ciò che avevamo. Sarebbe stato sciocco aggravare la nostra stupidità solo per prendersi una rivincita.

« Un'ultima possibilità. »

38

LARA

Tornati in Inghilterra, Massimo era così di buon umore che l'uomo che mi aveva torto le dita fin quasi a spezzarle, che era andato a letto con mia cognata, che aveva sibilato la sua rabbia in faccia a Sandro sino a fargli strabuzzare gli occhi dalla paura sembrava un personaggio fittizio inventato da me per giustificare la decisione di andarmene. Dalla vacanza in Italia era come se avessimo deciso di apprezzare ciò che di bello condividevamo invece di fissarci sul brutto. Per anni mi ero dovuta rammentare del perché ci fossimo messi insieme, dubitando della mia capacità di giudizio, delle mie azioni, della mia intera personalità. Ma ora, per la prima volta dopo molto tempo, Massimo era tornato a essere un rifugio, più che una fonte di attacco.

Passavamo più tempo per conto nostro, solo noi due. Beryl era sempre contenta di farci da babysitter: « Non voglio i vostri soldi, è un piacere per me ». Però Massimo le rifilava sempre in mano un paio di biglietti da venti sterline dopo che avevamo trascorso una serata a ricordare il passato e a pianificare il futuro. « Quando Sandro sarà un po' più grande, potremmo fare una vacanza più lunga e visitare tutta l'Italia »; « Potrei valutare di andare in pensione in anticipo oppure lavorare solo quattro giorni a settimana, potremmo fare dei weekend lunghi, rifarci del tempo perduto. »

In ogni caso, dopo l'euforia iniziale dell'essere ancora una famiglia di tre e non di due persone, la mia abilità nel buttare le magagne sotto il tappeto mi aveva abbandonato. Non potevo reinserirmi nella nostra vecchia vita, anche se, a ben guardare, era nettamente migliorata. Per quanto ci provassi, quando Massimo diceva: « È come se avessi riavuto indietro mia moglie. Odiavo vederti così depressa. Avrei dovuto aiutarti prima », non riuscivo a soffocare il pensiero che lui avesse avuto una relazione. E non con una donna qualsiasi, bensì con l'unica che avrebbe potuto distruggere interamente la nostra famiglia. Finché non ci fosse stata un po' di chiarezza da quel punto di vista, non potevo esaudire il desiderio di Massimo di « metterci una pietra sopra ».

Mi occorrevano le prove che la persona che negli anni mi aveva spaventato non era reale, che era stata l'atmosfera che si era creata tra noi a intrappolarlo in un angolo, trasformandolo in un tiranno intimidatorio guidato dalla solitudine, dalla paura e dall'impotenza. Così, incoraggiata dallo champagne, dal vino e dalla graziosa pergola nella trattoria italiana della città, mi costrinsi a mettere alla prova Massimo, a essere abbastanza coraggiosa da sollevare argomenti che poco tempo prima l'avrebbero fatto infuriare.

Mi chinai sulla tavola verso di lui. « Non mi hai mai spiegato perché hai avuto una relazione con Caitlin. »

Mi preparai a sentir sbattere un pugno sul tavolo. Invece parve semplicemente sorpreso, come se gli avessi fatto davvero una strana domanda. Mi prese la mano.

E, per la prima volta dalle vacanze, ebbi il desiderio di chiuderla a pugno. D'incrociare le braccia. Di sentire una vera spiegazione. La paura che mi aveva fatto aggrappare a lui dopo l'incidente di Sandro, la convinzione che tutto il resto nella vita fosse irrilevante stavano calando. Nella serra del mio matrimonio c'era un piccolo seme di ribellione e risentimento. Le conversazioni con Maggie durante le lezioni di guida, che tenevo ancora segrete, mi fornivano cocktail di nutrienti per farlo crescere ancora più in fretta.

Soltanto il giorno prima, io e Maggie eravamo finite a parlare di fedeltà. Avevo dovuto fare uno sforzo enorme per non serrare forte la mascella davanti alla sua schiettezza.

« Non fraintendermi, in fatto di uomini, non sono certo stata un angelo nella vita. Ho perso il conto di quanti ne ho avuti, anzi, ho finito le dita delle mani e Nico probabilmente era l'ultimo dito dei piedi che mi era rimasto ma, una volta che hai pronunciato le promesse, quel che è stato è stato, no? Altrimenti tanto varrebbe restare single e lavarsi i panni da soli. »

Aveva ragione. Non sui panni sporchi, ma sul fatto che c'era un contratto di mezzo. E, se non prendevi sul serio le promesse fatte, allora che senso aveva?

Mi servivano delle risposte. « Com'è cominciata? »

Massimo guardò il tavolo. « Non è stata una relazione come pensi tu. Dopo la nascita di Sandro eri molto distante, come se non fossi più interessata a me. Mi sentivo insignificante e Caitlin era sempre in giro; era l'unica altra donna che conoscessi davvero bene ad aver avuto un bambino. Abbiamo solo oltrepassato la linea dell'amicizia, tutto qui. »

Ero sollevata che stessimo parlando con tanta onestà, il che non capitava da anni, ma la metà delle cose che raccontò sul periodo successivo alla nascita di Sandro mi lasciò basita. Che rifiutavo di alzarmi dal letto. Che spesso doveva rientrare a casa di corsa dal lavoro e trovava Sandro che piangeva nel suo lettino. Che lo lasciavo piangere per ore.

Stavo seduta di fronte a lui e lo guardavo carica d'orrore. « Ho sempre pensato di alzarmi ogni volta che faceva un minimo rumore. Non riuscivo a sopportare che stesse male. » Ero sicura di aver discusso con Massimo perché mi accusava di essere troppo morbida, non di lasciarlo a piangere a oltranza.

« Non era colpa tua, Lara. Probabilmente eri così esausta che non lo sentivi. » Massimo mi strinse la mano. « Avrei dovuto chiedere un congedo per gravi motivi familiari. Ma ero bloccato nella mia visione del mondo: credevo che la cosa migliore da fare fosse assicurarci un buon tenore di vita col mio lavoro. Tipico pensiero del cacciatore-raccoglitore. Mi precipitavo a casa a mezzogiorno per controllare che tu stessi bene. »

Per me le giornate erano diventate interminabili. Non ricordavo che Massimo venisse a casa a pranzo. Forse io e Sandro crollavamo addormentati.

Non ricordavo nemmeno che Anna venisse spesso a trovarmi. Veniva, sì, ma rimaneva giusto il tempo per inculcarmi nella testa quante donne avrebbero ucciso per essere nella mia situazione: « Nessun problema economico, una bella casa, un marito che ti adora ». Mi controllava, risistemava il pannolino di Sandro, infilava la faccia tra i miei seni per vedere se il bambino si era attaccato bene, gli toglieva il cardigan, gliene metteva un altro, non era mai contenta di come lo vestivo. Ma, se le chiedevo di guardarmi Sandro di modo che potessi farmi una doccia senza un sottofondo di grida che mi facevano temere che si fosse catapultato fuori dal lettino, lei aveva sempre un appuntamento dal dentista, un idraulico da accogliere, una torta nel forno.

Massimo continuò: « Volevo solo creare una famiglia con te. Mi spaventava che tu fossi così infelice. Non sapevo come gestire la cosa. Ero troppo orgoglioso per chiedere aiuto. Vedevo Nico e Caitlin con Francesca - quel trio perfetto - e loro facevano sembrare tutto così facile ».

Quando menzionò Caitlin, non riuscii a evitare una smorfia, anche se ero stata io a chiedere di lei. Ascoltarlo mentre parlava di quanto si fosse sentito solo e spaventato dopo la nascita di Sandro mi fece capire come all'interno del nostro matrimonio avessimo creato tutte le circostanze favorevoli allo scoppio di una crisi, a far sì che qualcuno s'infilasse tra noi e offrisse conforto, attenzioni e affetto. Mentre io mi stavo spingendo fino all'esaurimento nervoso, scrutando Sandro con la lente d'ingrandimento, paventando attacchi di meningite ovunque, crucciandomi per il suo rifiuto di mangiare qualsiasi cosa venisse fuori da un barattolo, prendendo sul personale il suo no al mio purè di cavolo e zucchine, la prova provata che ero una madre senza speranze, priva delle abilità di base necessarie - prima tra tutte, quella di nutrire il proprio figlio -, mio marito si sentiva smarrito e solo.

Poi pensai a Maggie e a ciò che avrebbe detto se avesse sentito la spiegazione di Massimo: « Non mi sanguina di certo il cuore per lui! Poverino, con tutte quelle ore di sonno notturno ininterrotto, la segretaria che gli portava il caffè, caffè caldo che riusciva a bere prima che diventasse gelido. Devi essere proprio fuori di testa per lasciargliela passare liscia con delle scuse del genere ».

Senza dubbio sarei finita in quella che Maggie definiva la categoria delle « inette », quelle donne che non sarebbero mai entrate da sole in un pub, che avevano bisogno dei mariti per parlare con gli « operai » e che non avevano neanche un conto corrente personale. Non avevo mai osato ammettere che era solo dal rientro dalle vacanze che Massimo mi aveva restituito le carte di credito anziché lasciarmi dieci sterline sul tavolo prima di andare al lavoro.

Sentii un'ondata di rabbia, come se avessi troppo sangue nelle vene e il liquido cercasse una parete fragile da cui fuoriuscire. Invece di fare affidamento su suo marito, Caitlin aveva rubato il mio. Lei che zampettava nella sua tenuta di yoga in lycra, mentre io avevo una pancia flaccida e grinzosa che mi arrivava alle ginocchia. Lei che mi faceva sermoni sull'importanza di trovare il tempo per fare gli esercizi per il pavimento pelvico, quando io riuscivo a malapena a indossare biancheria pulita. E intanto alle mie spalle organizzava viaggetti per andare a vedere l'opera con Massimo, cenare fuori, pernottare al Ritz. Il Ritz! Figuriamoci, io ero fortunata se riuscivo a mangiare un pezzo di toast freddo entro le due del pomeriggio.

Contavo su Caitlin per essere rassicurata. Ricordo che me ne stavo seduta lì, cercando di trattenere la disperazione mentre tutti pensavano che dovessi essere elettrizzata dall'arrivo del bambino. La vergogna profonda perché talvolta guardavo quella massa rabbiosa e strillante nella culla e rimpiangevo le belle dormite della domenica mattina, le cene nei ristoranti eleganti, le cene in qualunque posto in cui io potessi sollevare una forchetta senza dovermi preparare a quei vagiti che segnalavano l'imminente inizio di altre due ore passate a cullare e massaggiare. Contavo su Caitlin, l'unica madre che conoscessi, nella mia ricerca di consigli su come interrompere lo schema pappa, pianto, nanna prima che il ciclo ricominciasse di nuovo, portandomi alla follia.

Caitlin aggrottava semplicemente la fronte e rispondeva: « Francesca a otto settimane dormiva già tutta la notte. Non ricordo che il sonno sia mai stato un problema. Forse il tuo latte non lo riempie abbastanza. Magari è meglio dargli il biberon ».

Non esistevano i bambini difficili, esistevano solo le madri incapaci. Caitlin e Anna arricciavano il naso disgustate quando tiravo fuori un ciuccio, rimuovendo un altro strato di fiducia in me stessa, abbandonandomi, inesperta, esposta e vulnerabile.

Al solo pensiero dell'ipocrisia di Caitlin mi venne una gran voglia di sbattere le posate sul tavolo e fiondarmi fuori dal ristorante. « Ma perché è andata avanti per cinque anni? Stavo bene già da parecchio tempo quando Sandro ha iniziato la scuola. Non prendevo più antidepressivi da anni. »

Massimo grattò con la forchetta i resti di sugo sul suo piatto. « Caitlin era malata. Aveva bisogno di me. Non era una vera relazione; ci davamo sostegno morale. »

Avrei voluto alzarmi dalla sedia e gridare: « Qualsiasi cosa ti allontanasse da me quando avevo bisogno era una cazzo di relazione! » Ma dovevo ascoltarlo sino alla fine. Qualsiasi cosa dicesse sarebbe stata comunque meglio dei pensieri che continuavano ad affollarmi la mente.

Massimo piegava e spiegava il tovagliolo. « Nico non riusciva ad affrontare la sua malattia. Sai com'è fatto. Dire che non sia un grande comunicatore è un eufemismo. Caitlin era terrorizzata all'idea di morire, ma cercava di proteggere Nico e Francesca. Trovava più facile parlare con me. Io ero leggermente più distaccato. »

Cercai di essere generosa. Caitlin doveva aver guardato al futuro con la paura nel cuore. Dio solo sapeva come doveva essere guardare tua figlia e chiederti se ci saresti stata nei grandi eventi della sua vita, come la scuola, il matrimonio, i figli, ma anche nelle piccole cose: non essere invitate *alla* festa, un attacco di tonsillite, i giorni del « nessuno mi ama ». Ma Caitlin era stata malata soltanto un anno, uno dei cinque che era durata la loro storia.

Mi stupii di me stessa. « Non so se riuscirò a perdonarti. »

Massimo si appoggiò allo schienale della sedia. « Ero solo. Mi mancavi da morire. Non è una giustificazione, ma mi avevi tagliato fuori. So che non mi credi, eppure Caitlin e io non abbiamo mai fatto sesso. Sì, ci abbracciavamo e ci confortavamo, però non era una questione fisica tra noi. Avevo bisogno di qualcuno con cui parlare, lei aveva bisogno di qualcuno con cui parlare, e ci siamo trovati. » Tacque un istante. « Pensi che Maggie lo dirà a Nico? »

Il mio desiderio di lasciarlo cuocere nel suo brodo era superato dal rispetto per Maggie, che sopportava il fardello della verità, delle offese di Francesca, dell'ingiustizia di vedersi puntare il dito contro, senza tentennare. « Sono sicura che non lo farà e, anche se lo facesse, non sa che l'uomo con cui Caitlin aveva una relazione sei tu. Se avesse voluto dire qualcosa, a quest'ora l'avrebbe già fatto. Anche se Nico e Francesca la incolpano per aver gettato via la roba di Caitlin, Maggie è così buona da continuare a proteggerli da ciò che ha fatto lei. » Non dissi apertamente: « E che hai fatto tu », ma lasciai l'accusa appesa nel silenzio, una nube densa come la nebbia di montagna.

Ci alzammo da tavola. Massimo si fermò all'uscita del ristorante. « Mi sono comportato in modo terribile, ti ho deluso. Cercherò di rimediare per il resto della mia vita. Ma non distruggere la nostra famiglia. »

Scorsi la mia espressione riflessa sulla vetrina del negozio accanto: seria e determinata, più che mite e passiva. La donna che ero.

Speravo di riuscire a trattenerla.

39

MAGGIE

Da quand'era tornata dall'Italia, Lara sembrava posseduta. Non dovevo più insistere per farla guidare, chiedendomi se volesse davvero imparare o soltanto farmi un favore, troppo educata per dirmi di no. Avevamo preso l'abitudine di andare a trovare suo padre due o tre volte la settimana. Io mi fermavo un paio di minuti, lui mi stringeva la mano e si presentava, coi suoi soliti modi solenni e squisiti: « Piacere, Robert Dalton. Ma puoi chiamarmi Bob, Margaret ».

« E lei, Bob, può chiamarmi Maggie. »

Una volta, per fare conversazione, avevo fatto l'errore di raccontargli che stavo insegnando a Lara a guidare.

Lui si era alzato, scuotendo la testa. « No. Niente guida. Niente auto », ripeteva, agitandosi sempre di più e colpendomi col giornale, finché non era venuta un'infermiera a calmarlo.

Lara era stata molto gentile, quella volta. « Maggie, almeno tu vieni a trovarlo e parli con lui. È molto più di quello che fanno gli altri componenti della famiglia. »

Tuttavia sembrava che il vecchio non se la fosse presa, tanto che la volta successiva mi aveva salutato con una stretta di mano e i soliti, meravigliosi modi da gentiluomo di una volta. Mi faceva piacere che Lara si ritagliasse un po' di tempo da sola con lui, così di solito me ne andavo in sala d'aspetto e mi dedicavo ai miei lavori di cucito. Suo padre mi congedava tutto allegro, chiedendo a Lara: « Chi era? »

Lei spesso cercava di rinfrescargli la memoria mostrandogli delle fotografie: a volte li vedevo chini su uno scatto di Lara da bambina con sua madre, Shirley. Allora il suo volto anziano s'inteneriva e mi chiedevo dove fosse, perso nella nebbia dei ricordi. Poi incominciava a guardarsi intorno: « Quando arriva Shirley? »

E i lineamenti di Lara s'irrigidivano, l'espressione combattuta tra il sorriso forzato e il dolore represso. Allora lei cercava di distrarlo, mostrandogli delle foto di Sandro. «Guarda, gli piacciono le costruzioni, è portato per le attività manuali, proprio come te.»

Poi, di tanto in tanto, puntava il dito contro una foto. «Lui. Lo odio.»

Lara lo guardava confusa. «È Massimo, papà. Mio marito. È un brav'uomo.» Poi doveva spiegargli che, sì, si era sposata. Sì, era stato invitato al matrimonio.

Povero Massimo. Robert aveva un animo gentile, era assurdo che non sopportasse l'unica persona che tirava fuori i soldi per consentirgli di vivere in una bella casa di riposo, dove poteva conservare un briciolo di dignità.

Mentre uscivamo, Lara si voltava sempre a salutare suo padre, che la guardava dal grande bovindo della sala comune. Gli rivolgeva un gran sorriso, sbracciandosi, mentre lui premeva le mani sul vetro. Poi Lara si lasciava andare a un pianto sommesso, mentre raggiungevamo l'auto.

«Mi sento così in colpa ogni volta che me ne vado. Non vedo l'ora di superare l'esame di guida, così potrò venire tutte le volte che voglio», disse un giorno. «Non voglio sembrarti un'ingrata, Maggie, sei stata davvero generosa ad accompagnarmi. Sono venuta a trovarlo più volte negli ultimi mesi di quanto abbia fatto negli ultimi due anni.»

«Perché un giorno non lo porti a casa, così può vedere Sandro? Mia madre ti darebbe una mano a prenderti cura di lui. Non è un invalido, giusto? Basterà non perderlo di vista.»

Il suo viso si rabbuiò. «Ci penso sempre, ma ho paura che Massimo non farebbe i salti di gioia. Il papà può essere piuttosto impegnativo, anche se mi piacerebbe molto che passasse un po' di tempo con suo nipote. Non me la sento di portare Sandro qui, gli verrebbero gli incubi. Cioè, non c'è niente che non vada in questo posto, ma è un po' come stare in quel film, *Qualcuno volò sul nido del cuculo.*»

A volte riuscivo a scrollarle di dosso quella fissazione assurda che aveva, di non dover mai dispiacere né disturbare nessuno. «È tuo padre. Se Massimo ha qualche problema, forse dovresti fargli presente che deve vederlo soltanto qualche volta, mentre noi dobbiamo sopportare quella vecchia strega di sua madre trecentosessantacinque giorni l'anno, sette giorni su sette.»

Lara annuì. «Non posso darti torto.»

Al confronto mia madre, nonostante «l'indole riservata» e «l'innata discrezione», era una passeggiata.

40

LARA

Continuavo a cercare di cogliere Massimo in fallo. Lo tenevo al corrente su ciò che facevo, compravo e decidevo senza consultarlo, aspettando che si rivoltasse contro di me. Ma, a parte qualche sporadica occhiata di disapprovazione, si limitava ad abbracciarmi e mi diceva: « Basta che tu sia felice ». Ogni tanto aveva ancora i suoi scatti d'ira – nessuno è perfetto – ma non erano mai rivolti contro di me, inveiva per il lavoro, un po' come faceva Nico, e si lamentava dell'incompetenza dei colleghi, imprecava quando la connessione di rete saltava. Per me, solo elogi e pensieri gentili. Mi massaggiava il collo, mi portava fiori, mi ricopriva di complimenti, dicendomi che ero la donna più attraente che avesse mai conosciuto. Tornava dai viaggi con regali che costavano un occhio della testa: borse, un orologio, persino un cappotto rosso e verde, che trovavo un po' vistoso, ma che secondo lui mi donava un'eleganza da vera donna italiana.

Eppure non riuscivo a rilassarmi. Non potevo credere che l'uomo che aveva ucciso la mia gatta fosse tornato da me nella sua essenza più preziosa, ripulito dei suoi lati oscuri. Era come se un tarassaco diffidente si fosse piantato dentro di me, spargendo i suoi semi ogni volta che cercavo di estirparne la radice.

Ma quel giorno non potevo permettermi di pensare a certe cose. Avevo bisogno di avere la mente sgombra per l'esame di guida. Avevo superato la teoria, grazie alle domande che mi faceva Maggie ogni volta che andavamo dal papà, ma ora dovevo affrontare la pratica. Avevo volutamente fissato la data dell'esame per un venerdì di ottobre, quando sapevo che Massimo sarebbe stato via per lavoro. Avevo già abbastanza problemi a tenere a bada la mia insicurezza senza dovermi preoccupare della sua reazione quando avesse saputo della mia piccola sorpresa. Mentre Maggie mi lasciava alla scuola guida, era come se potesse leggermi nel pensiero. Aveva un modo di fissarmi che mi faceva venire voglia di evitare il suo sguardo, in caso riuscisse a vedere le verità sepolte dentro di me. La paura di fallire, la paura di cambiare, la paura di sbagliare.

Tamburellò le dita sul volante. «Stai cercando di convincerti che non dovresti farlo. Sento ronzare gli ingranaggi del tuo cervello: 'Non riuscirò mai a fare l'inversione a tre tempi'. 'Il papà mi ha sempre detto che non ho bisogno d'imparare a guidare.' 'Massimo darà di matto quando verrà a sapere che l'abbiamo fatto di nascosto.' Avanti! Fallo per te, per Sandro, per tuo padre. Ti farà un gran bene avere un po' di libertà. Non vorrai continuare a dipendere dagli altri: sei intelligente, sei colta, non vorrai continuare a fare la donna di casa. Santo cielo, se avessi il tuo cervello mi candiderei a primo ministro.»

Annuii, asciugandomi il sudore delle mani sui pantaloni. Maggie mi abbracciò forte. Dovevo ancora impormi di rilassarmi, di fronte al suo entusiasmo. Invidiavo il modo in cui stringeva tutti in un abbraccio, travolgendo Sam, sollevando Beryl da terra, coccolando Nico quando tornava dal lavoro. Un gesto affettuoso e disinvolto, per dimostrargli che era contenta di vederlo. Non il bacio intenso che preferiva Massimo, col suo implicito messaggio sessuale.

Scesi dall'auto. «Farò del mio meglio.» Mi aggrappai alla mia determinazione, obbligandomi a soffocare le voci negative che si accalcavano dentro di me, mentre fornivo le mie generalità all'impiegato.

Quando tornai alla scuola guida, Maggie era seduta sul muretto a fumare, cosa che le avevo visto fare una sola volta, quando aveva bevuto troppo. Si alzò di scatto. Cercai di non guardarla prima di aver parcheggiato e tirato il freno a mano. Voleva così tanto che superassi l'esame, che non mi sarei sorpresa se si fosse messa a battere sul finestrino, premendo il viso contro il vetro per vedere cosa stava scrivendo il mio esaminatore. Mi appoggiai allo schienale del sedile e aspettai che l'esaminatore finisse di spuntare alcune caselle sul suo portablocco, mentre la mia mente passava in rassegna gli eventuali errori: essere stata troppo lenta a un incrocio, non aver guardato a sufficienza dallo specchietto retrovisore, essermi avvicinata troppo a un ciclista. Poi disse: « Mrs Farinelli, sono lieto di comunicarle che ha superato l'esame ».

Se fossi stata Maggie, lo avrei abbracciato. Ma io mi limitai a porgergli la mano dicendo: « Grazie. Grazie! Mi ha reso felice! » Che per me era fin troppo espansivo. Mi precipitai fuori dall'auto, sventolando la patente.

Maggie buttò la sigaretta per terra, mi prese le mani e cominciammo a girare in tondo come due bambine al parco giochi. « Guardati! Sei stata bravissima! »

Fu come se dentro di me si aprisse una porta, riempiendo un angolo d'orgoglio, dove di solito albergava il dubbio.

« Bene. Come prima cosa domattina andiamo a prendere tuo padre e lo portiamo a casa, così potrà vedere Sandro. »

Mi fermai. « Non possiamo presentarci e portarlo via. Avranno bisogno di un po' di preavviso. »

Maggie scrollò le spalle. « Li ho chiamati la settimana scorsa in modo che preparassero le sue medicine. Sapevo che avresti superato l'esame. »

« Pensavo che fossero tenuti a discutere delle sue condizioni soltanto coi familiari. »

Maggie scoppiò a ridere. « Non è stato un problema. Ho fatto finta di essere Lara Farinelli e ho detto loro che volevamo fargli trascorrere una giornata fuori dalla casa di riposo », disse, imitando piuttosto bene la mia voce.

Come sarebbe stata diversa la mia vita, se avessi avuto la metà della sua spavalderia. « E se non avessi superato l'esame? »

« Sarei andata a prenderlo io. Ho tenuto in sospeso mia madre, nel caso ci fosse bisogno di aiuto: verrà a casa vostra per assicurarsi che tuo padre prenda tutte le medicine che gli servono. »

« Pensi che avrà bisogno di qualcosa di speciale? »

« Sono piuttosto sicura che vedere suo nipote sia abbastanza speciale. »

Adoravo il suo entusiasmo e mi lasciai travolgere. Massimo

sarebbe stato via per lavoro fino al pomeriggio dell'indomani. Sarei riuscita a sistemare il papà prima che Massimo dovesse affrontarlo. Una volta arrivato a casa, si sarebbe dovuto rassegnare alla sua presenza solo per poche ore.

Il mattino dopo ci alzammo alle prime luci dell'alba in modo da passare a prendere il papà subito dopo la colazione delle otto, prima che lo preparassero per la sua routine giornaliera. Mi dimenticai di Massimo non appena lo vidi alla reception, con gli occhi che luccicavano per l'emozione. « Vado a casa? Dov'è Shirley? »

Avevo imparato a tenere lontano il dolore di sentirlo pronunciare il nome di mia madre con quella nota di desiderio carico di speranza. Come se avessi una microscopica scheggia di vetro conficcata sotto un'unghia, ero così abituata che non mi accorgevo nemmeno più di quanto facesse male. « Non andiamo a casa tua, però andiamo a trovare Sandro. » Pronunciai il suo nome lentamente, per vedere se si ricordasse.

Il papà si accigliò e incominciò a giocherellare col polsino della giacca.

Parlare con lui era un po' come premere tutti gli interruttori per vedere quale accendesse la lampadina.

Ci riprovai. « Mio figlio. »

« Tuo figlio! »

Quando il suo viso anziano s'illuminò, mi abbandonai alla fantasia di lui seduto a disegnare accanto a Sandro.

Poi si accorse di Maggie e facemmo le solite presentazioni cui lei, che Dio la benedica, si sottopose di buon grado come se fosse la prima volta, e non la ventunesima.

Maggie lo prese sottobraccio. « Mi accompagna all'auto, Robert, non è vero? Mentre Lara parla con l'infermiera? »

« Con vero piacere », rispose, accennando un inchino. Il papà non smetteva mai di sorprendermi.

Non sapevo come avrebbe reagito vedendomi al volante, ma Maggie fu geniale. Si accomodò sul sedile posteriore insieme con lui e incominciarono a chiacchierare dei fiori che costeggiavano il vialetto della casa di riposo. Maggie era così diversa da Anna. L'ultima volta che mia suocera l'aveva visto, il papà stava cominciando a manifestare i primi sintomi della sua demenza, ma riconosceva ancora le persone. Ogni volta che diceva qualcosa di strano, lei commentava: « Non ho idea di cosa stia parlando, Robert ». E il mio povero papà se ne stava lì, a cercare le parole giuste per descrivere ciò che voleva dire, per poi ammutolirsi, borbottando qualcosa sul fatto che in quei giorni era un po' smemorato. E invece Maggie, che non aveva mai avuto il privilegio di conoscere mio padre quando stava bene, sapeva d'istinto come portarlo su un argomento di conversazione che lui era in grado di affrontare.

« A casa ho delle rudbeckia uguali a queste », stava dicendo il papà, mentre cercavo di ricordarmi che dovevo tenere gli occhi sulla strada, invece di guardarli dallo specchietto retrovisore. « Ma i fiori più belli - Shirley li adora - sono le mie malvarose, così scure che sembrano nere. » Era così crudele che ricordasse i colori dei fiori della mia infanzia, ma non che avessi un figlio.

Speravo che portarlo a casa mia non si rivelasse un terribile errore. Sebbene Maggie avesse fatto la spavalda, dicendo che Massimo doveva ringraziare di non dover sopportare il papà ogni singolo giorno dell'anno, mio marito non era amante delle sorprese, a meno che non fossero le proprie.

Maggie mi fece l'occhiolino allo specchietto, mentre il papà cominciava a cantare *Tiptoe Through The Tulips* senza sbagliare una parola. Vederlo così animato, così allegro, spazzò via i miei timori riguardo alla reazione di Massimo.

Avevo davvero bisogno di diventare un po' più simile a Maggie: ci si preoccupava soltanto qualora ce ne fosse stato motivo, come predicava la sua filosofia.

Se non altro, avrei capito se Massimo era davvero cambiato.

41

MAGGIE

Mi era capitato poche volte nella vita di pensare: *Me la sono giocata bene*. Di solito mi guardavo indietro pensando: *Sei proprio una cretina. Cosa accidenti ti è venuto in mente?* In quei casi, spesso erano state la tequila o la vodka a pensare al posto mio. Eppure, quando Lara eseguì un perfetto parcheggio a S e Sandro si precipitò fuori dalla casa di Anna, felicissimo di vedere il nonno, mi sarei messa a ballare per la gioia.

Lasciai Lara a sistemare suo padre e andai a prendere la mamma. Quando tornai, Sandro stava insegnando a Lupo a dare la zampa al nonno, che sembrava gradire la compagnia del cane e non la smetteva di accarezzarlo. Non è un caso che le persone anziane con un animale domestico vivano più a lungo. Ero contenta che Sandro si prendesse cura di Lupo, di vederlo così diverso dal bambino che si era rifugiato nella casetta sull'albero. Lara stava facendo un video, il viso illuminato di allegra aspettativa, come se fosse su una spiaggia assolata il primo giorno di vacanza.

La mamma era entusiasta all'idea di rendersi utile, ricopriva Robert di attenzioni, cantando motivetti degli anni '60 e incoraggiandolo a fare lo stesso. La mente di quell'uomo funzionava come un jukebox: si accendeva, spesso non selezionava il disco giusto, ma a volte ci riusciva. L'atmosfera era quella di una festa di quartiere, con la mamma che ondeggiava i fianchi e Robert che cantava *Hello, Dolly!* Mancavano qualche bandierina e un po' di pan di Spagna, e poi sarebbe stato tutto perfetto.

Stavo quasi per prenderci gusto, quando arrivò Nico; il suo viso era una maschera di tensione. « Hanno scassinato un deposito del vivaio. Devo parlare con la polizia e fare un resoconto di quello che manca. »

« E le finali regionali di Francesca? »

«Se dovrà rinunciare, ne sarà distrutta, ma non riuscirò a finire in tempo con la polizia. Che rottura che Massimo sia fuori città.»

«Vuoi che l'accompagni io?»

La sua espressione oscillò tra il sollievo e il terrore da: *E adesso come faccio a dirlo a Francesca?* Ero un po' stanca di tutti quei balletti cui eravamo obbligati al solo scopo di non turbarla.

Non morivo certo dalla voglia di passare il mio sabato in auto fino a Portsmouth in compagnia di una persona che mi teneva il broncio, così dissi: «Ha due opzioni. O viene con me, o dovrà rinunciare alla gara».

Nico annuì. «Vado a dirglielo.» Mi baciò. «Grazie.»

Lo salutai, riaggiustando un po' risentita le mie aspettative di una giornata divertente insieme con gli altri e rassegnandomi a rispolverare la mia divisa da coscienziosa matrigna-autista.

Quando arrivai a casa, Nico doveva avere istruito per bene Francesca, perché ebbe almeno la decenza di ringraziarmi. Era patetico quanto elemosinassi le sue attenzioni. «Ti preparo due uova per darti un po' di energia?»

Lei scosse la testa. «No, ho mangiato un po' di Nutella.»

Guardai Nico con aria perplessa, come per fargli capire che in quel modo si sarebbe fermata dopo cinque bracciate, ma lui scrollò le spalle e disse: «Portati dietro una banana». Sapevo che era inutile cercare di farla ragionare.

Chiesi a Sam se volesse venire con noi, nella vana speranza che gli andasse di fare un viaggio di due ore fino a Portsmouth, ma lui scoppiò a ridere. «Perché mai dovrei averne voglia? Preferisco stare qui con la nonna.»

Una volta salite in auto, fu un po' come trovarsi al primo appuntamento con qualcuno che ha già deciso che sei troppo grassa, troppo brutta o troppo noiosa, ma ha commesso l'errore di prenotare in un ristorante costoso.

Feci comunque un tentativo. «Vuoi che metta una radio che ti piace?»

Avrei giurato che non avesse mai ascoltato heavy metal in vita sua. E invece eccoci lì, in quel purgatorio radiofonico, finché non superammo l'A3 e il segnale divenne così debole che cambiai canale. Ogni tanto le facevo delle domande, domande di cui conoscevo già la risposta, cercando valorosamente d'illudermi che ci fosse uno straccio di relazione tra noi, un punto di contatto, qualcosa da cui partire.

«Nervosa?»

«Non direi.»

«Qual è la tua gara preferita?»

«Stile libero.»

«Non è lo stile con cui lo zio Massimo ha vinto il campionato regionale?»

«Sì. Ma è stato tipo nell'86.»

Poi la radio riempiva il vuoto e cercavo di ricordarmi di non cantare. Francesca non sentiva il bisogno di colmare il silenzio che aleggiava intorno a noi. Forse perché pensava che non avessi niente d'interessante da dire. O perché non sapeva cosa chiedermi. O magari perché mi trovavo così in basso, nell'elenco delle cose cui pensare, che non le passava nemmeno per l'anticamera del cervello di sprecare cinque secondi per mettermi a mio agio.

Prima di scendere dall'auto, le dissi: «Conosci molta gente qui?»

«Cosa intendi?» mi chiese, sulle difensive.

«Altri concorrenti, i loro genitori, allenatori, tifosi?»

«Probabilmente c'è qualcuno che conosco dai campionati della contea. Perché?»

«Mi chiedevo soltanto come vuoi che mi presenti. Come un'amica? La moglie di tuo padre? La tua matrigna?»

Silenzio.

Cercai di buttarla sul ridere. «Forse matrigna è un po' troppo minaccioso, tipo: 'Vieni, tesoro, assaggia questa mela'.»

Francesca mi guardò come se temesse che potessi prenderla per mano o darle un bacio. Scrollò le spalle. «Non lo so. Comunque devo andare a cambiarmi.» E si dileguò, lasciandomi sola.

Il fatto era che non lo sapevo nemmeno io, cos'ero. Nonostante le mie migliori intenzioni, Nico e Francesca continuavano a stare dall'altra parte della trincea Farinelli, Sam era a suo agio su entrambi i fronti e poi c'ero io, da sola.

Seguii il flusso di gente e trovai un posto tra il pubblico.

Ovunque guardassi, c'erano genitori armati di portablocco e cronometro. Niente in loro sembrava suggerire che fossero lì semplicemente per godersi lo spettacolo. Faceva un caldo soffocante. Quando uscì Francesca, avevo la schiena fradicia di sudore. Ma, quando si avviò ai posti di blocco, non riuscii a toglierle gli occhi di dosso. La sua espressione era così determinata, piena della stessa concentrazione che avevo visto in Nico quando stava valutando quale fosse l'elemento stonato del giardino. Lo stesso sguardo che aveva Massimo, quando cercava d'insegnare a Sandro a lanciare il pallone da rugby.

Al fischio dell'arbitro, Francesca si staccò dal blocco di partenza e si tuffò nell'acqua. All'improvviso volevo a tal punto che vincesse, che i miei bicipiti si contraevano al ritmo delle sue bracciate. Per quasi tutta la lunghezza della vasca nuotò testa a testa con un'altra ragazza. Augurai dei crampi lancinanti alla sua avversaria. Poi Francesca si portò in vantaggio. Non riuscivo a stare seduta. Tutt'intorno si levò un boato, il pubblico cominciò a esultare, gridando nomi diversi: « Forza, Katie! » « Forza, Olivia! » Non sentivo nessuno fare il tifo per Francesca. Corsi davanti, sporgendomi dalla ringhiera. « Più veloce, Francesca! Ti sta raggiungendo. Forzaaaaa! »

Con la virata, Francesca scivolò al secondo posto. Sperai con tutta me stessa che non si qualificasse mai per le Olimpiadi, o sarei morta di tensione.

Esultai e gridai il suo nome, incitandola con la forza del pensiero. Santo cielo, era più snervante di quella volta in cui la mamma aveva scommesso l'affitto alla corsa dei cavalli e aveva vinto.

Mancavano ancora dieci bracciate, quando all'improvviso Francesca ingranò la marcia e toccò il bordo vasca per prima; per un centesimo di secondo, ma decisamente per prima.

Uscì dall'acqua e si girò, cercandomi tra la folla. Quando annunciarono il suo nome, mi sbracciai, gridando: « Brava! » con tutto il fiato che avevo nei polmoni, noncurante della gente intorno. Mi fece un gran sorriso e ricambiò il saluto, il pugno in alto in segno di trionfo. Una vera Farinelli.

Tornai a sedermi, con l'adrenalina e l'emozione ancora in circolo, sprofondando in un leggero imbarazzo quando mi resi conto che le madri e i padri accanto a me mi guardavano con quell'aria sdegnata tutta britannica per il mio indecoroso comportamento. A quanto pare, mi sarei dovuta limitare a un leggero battito di mani, senza emettere suono. Volevo saltare di nuovo sulla sedia e urlare a squarciagola il nome di Francesca, giusto per sicurezza. Invece guardai il programma per vedere quand'era prevista la gara successiva.

Una donna seduta pochi posti più giù mi stava fissando senza pudore. Se fossi stata nel mio vecchio quartiere, l'avrei affrontata con un: « Cazzo guardi? » Invece mi limitai ad armeggiare col cellulare, scrivendo a Nico che Francesca era stata bravissima, e desiderando che fosse lì con me per parlare di sua figlia. Provai un senso di appartenenza, una fitta di orgoglio che mi colse di sorpresa. In fondo, non aveva ereditato i geni sportivi da me... e per fortuna. Lanciai un'occhiata furtiva di lato, per vedere se la donna avesse smesso di fissarmi. Con mio grande disappunto, mi resi conto che mi stava ancora guardando.

Lei sorrise e venne verso di me. Una massa di riccioli castani le incorniciava il viso lentigginoso. « Salve. È qui con Francesca Farinelli? »

Annuii.

« È la sua allenatrice? »

Scoppiai a ridere. « Oddio, no. Sono la sua matrigna. Temo di essermi fatta prendere dall'entusiasmo. »

La donna si rabbuiò. Aspettai per vedere se avesse il coraggio d'impartirmi una lezione sul comportamento del bravo genitore alle gare di nuoto. Se pensava che avessi sbagliato, doveva venire alle partite di calcio di Sam: altro che bambini di undici anni, sembrava che i padri stessero guardando la partita decisiva per la retrocessione tra due squadre della Premier League.

« *Matrigna?* »

Annuii e mi trattenni dal ribattere malamente. Santo cielo, era già abbastanza brutto che Francesca mi facesse sentire un'estranea, senza che ci si mettessero anche dei perfetti sconosciuti.

«Parliamo di Francesca Farinelli, la figlia di Caitlin e Nico, la ragazza che ha appena vinto la gara?»

La fissai, chiedendomi dove volesse andare a parare. Ma decisi di tenere la bocca chiusa. Evidentemente frequentavo Lara un po' troppo. «Sì. Li conosce?»

«Sì. Conosco Francesca da quand'era piccola. Ha pochi mesi più di mio figlio. Ma poi noi ci siamo trasferiti a Newcastle e ci siamo persi di vista. Solo che quando ha detto il suo nome mi è tornata in mente.»

Volevo chiederle se sapeva della morte di Caitlin. Non ero molto sicura di cosa prevedesse il galateo, quando si trattava di discorsi tipo: «Non sono mica una rovinafamiglie, ma la signora è morta».

Lei esitò un istante. «Vivono ancora a Brighton, in Siena Avenue? Anche Anna?»

«Sì.» Non sapevo come aggiungere: «Be', a parte Caitlin». Se avesse continuato così, sarei tornata a casa con gli occhi inchiodati allo specchietto retrovisore, per paura di essere seguita.

Non era mia abitudine sospettare degli estranei. Una volta, mentre io e Nico eravamo a letto a poltrire, avevamo elencato le dieci cose che amavamo di più l'uno dell'altra, e lui aveva detto: «Adoro il fatto che tu dia per scontato che siano tutti tuoi amici. Il fatto che parli con chiunque, dalla donna all'ufficio postale al cane legato fuori del supermercato, al tizio in coda alla cassa con una bottiglia di vodka al caramello».

Non so come ma, nonostante le cantonate prese negli ultimi trentacinque anni, continuavo ad aspettarmi un'accoglienza calorosa. Eppure, ora che avevo provato cosa significava quando qualcuno ti pagava con la moneta dell'indifferenza e a volte dell'odio totale, ero più prudente con tutti.

Povera donna. Mi stavo comportando come quel personaggio dei cartoni, Super Segretissimo, mentre con ogni probabilità si trattava solo di una conoscente che voleva essere aggiornata su ciò che era successo ai Farinelli negli ultimi dieci anni. Eppure non potei fare a meno di provare un leggero fastidio all'idea che fosse toccato a me, e non a qualche altro amico in comune, comunicare la notizia della morte di Caitlin. Ma il momento passò prima che quella maledetta parola potesse affiorare sulle mie labbra.

La donna mi guardò confusa. « Non sapevo che Nico e Caitlin avessero divorziato. »

Ero con le spalle al muro. Sperai che non cominciasse a piangere. Sarebbe stato il culmine dell'ironia, io che consolavo un'estranea per la morte di Caitlin. « A dire il vero, Caitlin è morta quasi tre anni fa. »

La donna trasalì. « Oddio! Poverini! »

Sperai di non dover assistere allo spettacolo dell'ennesima persona che mi guardava perplessa, come a dire: *Caspita, se l'è scelta proprio diversa.*

Ma, prima che fossi costretta a fornire ulteriori particolari, ci raggiunse un ragazzo dell'età di Francesca, con una massa di riccioli scuri. Francesca lo avrebbe di sicuro definito « un gran fico ». « Ciao, mamma. Ho finito. Hanno annullato le ultime gare per un guasto al sistema elettronico di cronometraggio. Possiamo andare. »

La donna sorrise. « Questo è mio figlio, Ben. Nuota per la contea di Tyne and Wear, categoria under 14. »

Lo salutai e cercai di non fissarlo. Mi sembrava di averlo già visto da qualche parte. Frugai nel cervello, per capire dove l'avessi già incontrato. C'era qualcosa di familiare nel modo in cui sorrideva, inarcando un sopracciglio più dell'altro, in quegli incisivi leggermente sovrapposti, negli enormi occhi scuri. « Quindi hanno annullato anche i 50 metri stile libero delle ragazze? » chiesi.

« Sì. Si stanno rivestendo per andare via. »

Ero combattuta tra la delusione di non vedere di nuovo Francesca gareggiare e il piacere di passare un po' di tempo con Lara e suo padre prima che lui tornasse alla casa di riposo.

La madre di Ben aprì la borsa e tirò fuori il portafogli. « Ti va di andare a prendere un tramezzino al bar prima di tornare a casa? » gli chiese, porgendogli cinque sterline.

Lui prese i soldi. « D'accordo. Vuoi che ti prenda qualcosa, mamma? »

« No, sono a posto. Ti aspetto qui davanti. » Prese il cappotto. « È stato un piacere. Buon rientro. »

Mi alzai. Il desiderio di dimostrare che ero una persona di classe quanto Caitlin mi spinse a porgerle la mano. « A proposito, io sono Maggie. »

Lei esitò, solo un istante. « Piacere, Dawn. »

42

MAGGIE

Non feci in tempo a censurarmi. E nemmeno a tenere a freno l'indice. Lo puntai su di lei, lasciandomi scappare di bocca un: «Sei la prima moglie di Massimo!»

Lei annuì. «In effetti, sì.»

Avvertii una nota difensiva nella sua risposta, come se si aspettasse che avessi già un'opinione su di lei. Riconobbi il cambio di atteggiamento. Era lo stesso che percepivo in quelli che mi dicevano: «Oh, sei la moglie di Nico...» terminando la frase con un leggero sospiro di sollievo per essere riusciti a omettere dalla frase la parola «nuova» o «seconda».

Mi paralizzai, il cervello simile a una pallina da flipper impazzita che stava ottenendo una raffica di punti extra. Sapevo perché avevo creduto di riconoscere Ben. Era la copia sputata di Massimo. Strinsi le labbra, per impedire che quel pensiero mi scappasse di bocca prima di elaborarlo a dovere. Ma non prima di aver cercato il ragazzo con lo sguardo ed essermi soffermata sulle sue spalle, sul modo in cui dondolava le braccia lungo i fianchi, in una versione più minuta di Massimo.

Un'espressione di stanca rassegnazione passò sul suo viso. «Ti ha detto che non volevo avere figli, vero?»

Non volevo essere sleale nei confronti di Massimo con una donna che avevo appena conosciuto, sebbene il suo naturale calore m'inducesse a pensare che in altre circostanze ci saremmo tranquillamente trovate a bere vodka lemon confrontando il numero di uomini che ci eravamo portate a letto.

Mentre mi affannavo a trovare una risposta che mi permettesse di preservare la mia lealtà nei confronti della famiglia senza dire una colossale bugia, gli occhi di Dawn si riempirono di lacrime.

Si ricompose. «Scusa. Non sarei mai dovuta venire da te

ma, quando ho sentito il nome di Francesca, non ho resistito. Sono la mia peggior nemica. Continuo a illudermi che sia tutta acqua passata, ormai.»

«Immagino che Ben sia il figlio di Massimo.»

Dawn rise piano. «Sì, gli assomiglia vagamente, vero? Due gocce d'acqua.»

«Lui lo sa di avere un figlio?»

Il suo viso si contrasse in una smorfia dura. «Certo che lo sa. Fosse stato per lui, non ci sarebbe nessun bambino, e invece eccolo qui. Non che abbia mai voluto saperne qualcosa.»

«Credevo che Massimo volesse disperatamente dei figli», dissi, ripensando a tutte le volte in cui Lara mi aveva raccontato di essere rimasta incinta subito dopo il matrimonio, di quanto Massimo desiderasse un altro bambino.

«Li voleva, infatti. Ha insistito perché facessi subito un'ecografia, ben prima di annunciare a tutti che ero incinta.»

Il padre di Sam mi aveva allungato cento sterline in luride banconote da dieci dicendo: «La decisione spetta a te, ma io non sono tagliato per fare il padre». Poi era sparito nel nulla.

Stavo pensando a quanto mi sarebbe piaciuto avere qualcuno abbastanza interessato da pagare un'ecografia, quando Dawn disse: «L'ecografia ha rivelato che il feto aveva un'alta probabilità di sviluppare problemi cardiaci, così Massimo mi ha fatto giurare di tenere segreta la gravidanza. Non voleva un bambino 'difettoso', testuali parole. Io volevo tenerlo comunque, ma lui è andato su tutte le furie dicendomi che dovevo abortire, se l'ecografia successiva avesse confermato la diagnosi».

Non volevo crederle. Massimo – l'uomo che aveva insegnato a Sam nuovi trucchi col pallone, che si alzava presto e prima di andare a lavorare sottoponeva Francesca a degli allenamenti supplementari – che obbligava sua moglie ad abortire? Era come se parlasse di un'altra persona, non dell'uomo che m'invitava a prendere il caffè, che mi salutava con baci esagerati sulla guancia, che mi chiedeva sempre della mia attività, uno dei pochi a non considerare il mio lavoro di sarta un banale passatempo.

«Ma Ben sta bene, vero?»

L'espressione di Dawn si addolcì. « Ora sì. Ha subito diversi interventi da piccolo. »

« Quindi Massimo ha cambiato opinione? » Era come se cercassi d'incastrare l'ultimo tassello di un puzzle nell'unico spazio vuoto rimasto, anche se non ne voleva sapere di entrarci. Non ricordavo che qualcuno mi avesse detto che Dawn era rimasta incinta, mai. Passai in rassegna tutte le conversazioni con Massimo, Anna, Lara. Ricordavo solo una frase: « Non voleva avere figli ».

Una nuova lacrima spuntò sul viso di Dawn. « Era così irremovibile sul fatto che dovessi sbarazzarmi del bambino che il giorno prima della nuova ecografia me ne sono andata. Alla fine l'avrebbe avuta vinta, nessuno può opporsi a Massimo. Così sono fuggita il più lontano possibile. Siamo arrivati a Newcastle. Ho deciso di non farmi trovare, finché non fosse nato il bambino. »

Avevo la testa piena d'immagini di Massimo che sogghignava ogni volta che veniva pronunciato il nome di Dawn, sottolineando sempre quanto fosse stata egoista. E invece eccola, davanti a me, che mi raccontava come avesse lottato per avere quel bambino, come fosse fuggita per paura che le portassero via Ben.

« Massimo non è il tipo d'uomo con cui puoi avere una discussione ragionevole. Non avrebbe mai accettato un bambino che non fosse perfetto. O si fa a modo suo, o niente. Proprio come sua madre. »

C'erano così tante domande che affollavano la mia mente, da non permettermi di pensare in modo lucido. Era come cercare di orientarsi in un labirinto che non portava da nessuna parte, qualsiasi direzione decidessi di prendere. Non riuscivo a far coincidere il mio affabile cognato con la persona che stava descrivendo Dawn.

Non volevo pensare di essermi sbagliata sul conto di Massimo. Stavo analizzando la storia di quella donna, cercando i suoi punti deboli, qualcosa su cui contraddirla e dimostrare che si stava inventando tutto, o almeno che stava esagerando al punto che, se anche ci fosse stato un briciolo di verità, era così distorta da essere irriconoscibile.

Dawn fece per andarsene. « Scusami, non volevo scaricarti tutto addosso. Penserai che sono completamente pazza, e comunque è stato molto tempo fa. Il fatto è che Ben è diventato un ragazzo così adorabile, che a tutt'oggi mi prende il panico, al pensiero che avrei potuto non averlo. Massimo non ne voleva sapere, non voleva darci nemmeno una possibilità. L'atteggiamento tipico dei Farinelli. »

« Non l'ha mai conosciuto? » Massimo sarebbe stato così orgoglioso di quel ragazzo alto, bello e sportivo, col suo stesso fascino italiano. Qualsiasi genitore lo sarebbe stato.

« No. Mai. Gli ho spedito un biglietto con una foto per fargli sapere che era nato. Gli ho detto che ha dovuto subire diversi interventi e che non potevano garantire che sarebbe andato tutto bene. »

Era come guardare un film dell'orrore in cui volevi sapere cosa sarebbe successo ma non riuscivi a reggere la tensione. « E poi? » Ormai avevo perso ogni ritegno, dovevo sapere. Massimo era davvero il tipo d'uomo che lascerebbe sua moglie ad affrontare tutto da sola, con un bambino - suo figlio - in pericolo di vita?

« Poi niente, non voleva saperne. Massimo non ha un debole per gli ospedali. Lui detesta le cose sgradevoli. »

Scrutai il suo viso, alla ricerca di qualche indizio che si trattasse soltanto di una storia assurda, frutto della sua immaginazione.

Ma era come se Dawn mi avesse letto nel pensiero. « Io stessa non ci crederei, se fossi in te. So benissimo com'è Massimo: ti ascolta tutto concentrato, facendoti credere che quello che devi dire sia la cosa più interessante del mondo. Ma, credimi, il modo in cui si è comportato con Ben è stato soltanto l'ultima goccia, non il punto di partenza. »

Non volevo sapere più niente. Volevo andarmene e dare una spiegazione razionale a quello che mi aveva appena raccontato, trasformarlo in qualcosa di meno orribile, qualcosa che non mi costringesse a cercare per sempre degli indizi, i segni di un comportamento malvagio, come un poliziotto sotto copertura. Era un po' come quando paravo i tiri in porta di Sam e lui mi lanciava il pallone dritto nello stomaco, strappandomi il fiato dai polmoni. Ogni volta che pensavo di aver capito la mia nuova famiglia, ecco un altro scheletro che saltava fuori dall'armadio.

Tuttavia dovevo decidere se raccontarlo o no agli altri. Mi stavo trasformando in un deposito bagagli per segreti di famiglia, pieno di valigie con la cerniera lampo rotta e le rotelle instabili che non voleva riprendersi nessuno.

Mi alzai, lacerata tra il desiderio d'indagare più a fondo e correre via, sollevando una nube di polvere con cui coprire le nuove informazioni che ora non potevo più ignorare.

Nico ne era al corrente? E Lara? Anna? Erano tutti complici di una specie di scherzo assurdo? Forse lo sapeva soltanto Massimo, e si vergognava al punto di aver seppellito tutto, sperando che il resto della famiglia non lo venisse mai a sapere. Stentavo comunque ad accettare la versione di Massimo che Dawn mi stava presentando. L'uomo che conoscevo era sempre pronto a ridere, a prendere in spalla Sam, ad accorrere coi cavi di avviamento ogni volta che la mia vecchia Fiesta scassata tirava le cuoia.

Mi sforzai di sorridere. « È un ragazzo adorabile e mi dispiace che abbiate dovuto sopportare tutto questo. Non so davvero cosa dire. »

Dawn mi abbracciò, e il suo slancio sincero mi colse di sorpresa. « Prenditi cura di te. Nico è adorabile, ma il resto della famiglia è un nido di vipere. Dimmi solo una cosa: Massimo si è risposato? »

Annuii, preparandomi ad ascoltare un commento maligno.

Invece sospirò. « Povera, povera donna. L'aspetta una vita insopportabile. »

Senza aggiungere altro, ci avviammo alla reception, dove Ben stava affondando i denti in una baguette in un modo che avrebbe incontrato la disapprovazione di Anna. Cercai di non fissarlo, di non metterlo sulla difensiva con la mia aria un po' stramba, ma non c'era dubbio: era proprio il figlio di Massimo.

In quel momento arrivò Francesca, buttandosi il borsone sulla spalla.

« Sei stata bravissima! » esclamai.

Per una volta, rispose come una persona normale: «Grazie. Peccato che non sia riuscita a fare l'altra gara».

Dawn si congratulò con Francesca per aver nuotato così bene e provai un moto d'orgoglio, vedendola chiacchierare e sorridere. Poi mi passò per la testa il pensiero orribile che Francesca avesse un debole per Ben e fosse tutto un po' strano, visto che era suo cugino, così accelerai i saluti e ci avviammo verso l'auto.

Speravo - cosa insolita - che si comportasse come sempre, che infilasse gli auricolari e s'isolasse dal mondo, in modo da poter riflettere su quello che avevo appena saputo. Invece, ironia della sorte, aveva voglia di parlare. «Quel ragazzo, Ben, nuota da dio. I suoi tempi nello stile libero sono migliori di quelli dei ragazzi più grandi. Scommetto che entrerà in nazionale.»

Mentre parlava, nella mia mente continuava ad affacciarsi l'immagine di Sandro privo di sensi a bordo piscina. Che situazione assurda: un figlio terrorizzato dall'acqua che Massimo voleva trasformare in campione olimpionico e un figlio che non aveva nessuna intenzione di riconoscere e che invece ne aveva tutte le capacità.

E cosa intendeva Dawn quando aveva detto che il modo in cui Massimo si era comportato con Ben era stato soltanto l'ultima goccia? Di sicuro, se il modo in cui Massimo l'aveva trattata corrispondeva a verità, non gli faceva onore. Ma era soltanto la sua versione della storia. Magari vivere insieme con quella donna era stato un inferno; e magari tutta la vicenda di Ben era l'ultimo infelice capitolo di una relazione che si stava già sgretolando. Ma, da qualche parte, nell'angolo più remoto del mio cervello, c'era un vortice d'ansia, che la mente si sforzava di spazzare via in modo da affrontare i fatti, e non le sensazioni e gli impulsi più fugaci.

Eppure iniziavo a sentirmi a disagio; pensai a Lara, a quella sua vigile urgenza, come se l'acqua della pasta fosse sul punto di traboccare o avesse lasciato il rubinetto della vasca da bagno aperto. La frenesia con cui andava a prendere il mocio se rovesciava qualcosa, anche soltanto sul pavimento della cucina.

Ma si comportava davvero così a causa di Massimo? Lui

era sempre affettuoso con lei, pieno di smancerie. Certo, era un tipo piuttosto dominante, un uomo che voleva che le cose fossero fatte a modo suo e aveva un'opinione ben precisa su tutto. D'altro canto, se un campione di donne sposate avesse dato il proprio parere informale sui mariti, si sarebbe visto che il mondo non era progredito come ci saremmo aspettati. Potendo scegliere e avendo a disposizione abbastanza soldi, gli uomini avrebbero ancora preferito andare a caccia e tornare a casa da una mogliettina con indosso un grembiule a pois, pronta a servirgli una bistecca al sangue e una bella fetta di torta. Nico era stato un'autentica rivelazione: un uomo che non solo sapeva a cosa serviva un aspirapolvere, ma era anche in grado di sostituire il sacchetto. Il fatto che Massimo pretendesse che sua moglie tenesse la casa come uno specchio non era un motivo sufficiente per pensare che avesse maltrattato la sua ex, né scansato le sue responsabilità di padre.

Per fortuna quello era un segreto di cui potevo parlare con Nico. Dovevo solo stare molto attenta a non trasformarlo in un attacco nei confronti di Massimo. Una delle cose che amavo di mio marito era la sua lealtà ma, quando si trattava di ammettere i propri difetti, i Farinelli erano come cavalli da tiro coi paraocchi. Magari si sarebbe rivelata una cosa da nulla.

Sentii crollare qualcosa, dentro di me. Tutto, nella famiglia Farinelli, era importante.

Comunque, poteva aspettare. Se nessuno aveva scoperto l'esistenza di Ben in tredici anni, un paio di giorni non avrebbe fatto nessuna differenza. Sapevo però che la parte di me che era tale e quale a mia madre avrebbe ficcato il naso in giro, origliato le conversazioni alla ricerca d'indizi che si trattasse di un'unica cospirazione di massa, in cui tutti bisbigliavano: «Zitti, sta arrivando Maggie», ogni volta che parlavano di Ben.

La mia mente continuò a mulinare, interrotta soltanto dagli sporadici «quanto manca?» di Francesca.

Arrivammo a casa poco prima delle quattro e mezzo. Francesca si girò verso di me. «Non vedo l'ora di dire allo zio Massimo che ho vinto. Grazie di avermi accompagnato, Mags.»

« Non avrei rinunciato per niente al mondo. Sei stata un autentico tsunami. »

Poi scoppiammo entrambe a ridere.

E, nonostante i fuochi d'artificio che esplodevano intorno a me, tanto che cominciai a temere che la materia grigia mi uscisse fumante dalle orecchie e perdessi la capacità di allacciarmi il reggiseno o lavarmi i denti, mi sarei voluta comunque mettere a ballare per la felicità.

Ma così avrei rovinato tutto.

43

LARA

Quando Massimo mi aveva telefonato dalla sua conferenza di Liverpool, gli avevo detto che sabato pomeriggio, al suo ritorno, ci sarebbero state due sorprese ad attenderlo.

«Tipo che ti spogli e proviamo a fare un bambino?»

Come sempre, quando si parlava di un altro figlio, ero assalita dai sensi di colpa. Benché Massimo continuasse a incarnare l'immagine del marito perfetto, non mi fidavo ancora abbastanza da voler mettere al mondo un altro bambino, un altro essere umano di cui tenere conto e da proteggere, se necessario. Sebbene mi stessi abituando all'idea che bruciare una bistecca, dimenticare di registrare il suo programma televisivo preferito, fargli trovare un pelo di Lupo nel piatto non scatenassero più la furia di una volta, non ero ancora pronta a smettere di prendere anticoncezionali. Ogni volta che Massimo suggeriva di fare delle analisi per capire perché non fossimo in grado di concepire, provavo un senso di nausea devastante. Avevo accampato una quantità di scuse assurde per dissuaderlo dal chiedere un consulto medico. Continuavo a temporeggiare, accennando al fatto che la qualità dello sperma declina dopo i quarant'anni. Il suo desiderio di avere un altro figlio era equiparabile soltanto al timore di scoprire che il problema era suo, non mio. Un uomo di mezz'età con spermatozoi di qualità inferiore alla media e tutt'altro che aggressivi e indomabili non coincideva con l'immagine che Massimo aveva di sé.

Quando mio marito mi comunicò che stava tornando a casa, cominciai a scalpitare. Continuavo a ripetermi che non ci sarebbero stati problemi, quando avesse visto il papà. Che sarebbe stato entusiasta all'idea che avessi imparato a guidare. Ma non riuscivo a calmarmi. Continuavo a camminare avanti e indietro davanti alla finestra della sala, aspettando di vedere la sua macchina. Mi ero concessa di tornare alle vecchie abitudini: avevo riempito il frigorifero di vino bianco ghiacciato di ogni possibile varietà, mi ero assicurata che gli asciugamani per le mani fossero freschi di bucato, che Sandro avesse legato le tende della sua camera.

Di tanto in tanto mi fermavo sulla soglia a guardare Sandro col nonno. Una delle cose che avevano catturato l'attenzione del papà era stata la tastiera di mio figlio. Sandro gli stava insegnando a suonarla. E, di punto in bianco, il papà prese il suo posto e cominciò a suonare *Hey Jude*, cantando con voce roca.

Sandro mi chiamò. «Guarda il nonno, è bravissimo al pianoforte.»

Era meraviglioso vederli insieme. Sandro sembrava non fare caso ai commenti bizzarri del papà, che sosteneva di conoscere le persone della TV, diceva che Lupo era un gatto e beveva il latte direttamente dal cartone. Dal momento che l'avevo visto tremare di paura, quando al telegiornale avevano trasmesso le immagini di un'esplosione, vederlo rilassato a godersi la musica e la compagnia di Sandro mi suscitava così tante emozioni che non sapevo se cantare insieme con lui o scoppiare a piangere.

Alle quattro e mezzo, sentii il rombo della BMW di Massimo. Guardai il papà e lo stomaco mi si chiuse in una morsa. Tesi l'orecchio, in attesa di sentire il rumore dei suoi passi sul vialetto, il tintinnio delle chiavi, il tonfo della ventiquattrore sul primo gradino. Invece, quando la portiera dell'auto si chiuse, si levò la voce squillante di Francesca, seguita da un grido di esultanza di Massimo: «Brava! Sei la mia campionessa!» Si aggiunse anche Maggie, in preda all'entusiasmo: «All'ultimo momento ha tirato fuori tutta la sua grinta e non ce n'è stato per nessuno. È stata incredibile».

La sua voce m'infuse coraggio. Potevo dirglielo mentre c'era anche lei. Mi avrebbe dato una mano. Era bravissima a cogliere una nota stonata e a soffocarla sul nascere: appianava i contrasti tra Anna e Beryl, faceva da paciere quando Sam litigava con Francesca, quando Massimo provocava Nico. Maggie aveva sempre la battuta pronta per stemperare la tensione.

Aprii la porta e li salutai.

Massimo spalancò le braccia con un gesto teatrale. « La mia mogliettina meravigliosa! Ti sono mancato? »

« Sono stata troppo occupata per sentire la tua mancanza », sbottai, per la troppa tensione.

Certo, in realtà avrei voluto aggiungere che il papà era venuto a trovarci ed ero stata impegnatissima ma, prima che ne avessi il tempo, Massimo lasciò cadere le braccia lungo i fianchi e disse: « Hai sentito, Maggie? Che cosa carina da dire, vero? È stata troppo occupata per sentire la mia mancanza ».

Maggie mi guardò e disse: « Lo conosci il detto: quando il gatto non c'è, i topi ballano. Non hai idea di cosa abbiamo combinato, mentre eri via ».

Qualcosa, nella sua voce, mi prese in contropiede. Di solito le invidiavo quel suo modo di conversare con Massimo, tutto battute e prese in giro. Ma questa volta sembrava diversa: scontrosa? Arrabbiata? Come se cercasse la lite?

Il mio cuore ebbe un sussulto.

Massimo la guardò, sorpreso, ma proseguì in tono leggero: « Non vedo l'ora di sapere tutto. Mi tolgo la giacca e sono da voi ». Odiava i segreti, a meno che non ne fosse lui il depositario. Qualcosa di simile all'incertezza gli balenò sul viso. Non era il tipo d'uomo che amava stare sulla difensiva.

M'intromisi: « Ti stavo prendendo in giro, tesoro. Mi sei mancato, è solo che oggi abbiamo avuto un ospite inatteso ». Stavo per aggiungere: « Ed è ancora qui », ma la frase restò impigliata da qualche parte, mentre mi dibattevo tra la consapevolezza di poter dire tutto ciò che mi passava per la testa e il timore di veder dimostrato il contrario.

Da quand'era nato Sandro, Massimo non mi aveva incoraggiato a invitare ospiti a casa. All'inizio aveva detto che avevo già il mio bel daffare con un bambino piccolo, le pulizie di casa e i pasti da preparare. Ma col tempo avevo capito che solo la sua famiglia era la benvenuta, a meno che non fosse dell'umore di mostrarsi agli ospiti nella sua versione di padrone di casa generoso e in vena di compagnia, com'era successo per la festa di Sam. Tutto, nella presenza di persone estranee in casa nostra, lo infastidiva. Il rumore dello sciacquone quando andavano in bagno. Gli schizzi d'acqua sul pavimento quando si lavavano le mani. Le piccole tracce che lasciavano quando affondavano il cucchiaino nella zuccheriera. In breve, chiunque non conoscesse - né aderisse - alle mille regole invisibili che permeavano la nostra vita. Per Sandro e me erano diventate un riflesso innato, un po' come respirare. Al punto che, ogni volta che qualcuno trasgrediva appoggiando un gomito sfrontato sul tavolo o non tenendo la bocca chiusa mentre masticava, Sandro mi guardava e trattenevamo il respiro, consapevoli che avremmo dovuto sopportare il peso degli errori altrui, una volta rimasti soli.

Maggie, naturalmente, era all'oscuro dei mille scenari che potevano dispiegarsi agitando in una miscela esplosiva le nozioni di « ospite inatteso », « segreto » e « sorpresa ». Come sempre, provai una fitta di autocommiserazione, per essermi piegata alle sue regole. Qual è la donna adulta che butta di nascosto delle stoviglie rotte in un bidone dell'immondizia invece di dire semplicemente: « Mi è caduto un piatto »? Non ero nemmeno certa che Massimo avesse mai fatto storie perché avevo rotto qualcosa. Però sentivo che avrebbe potuto.

Forse era tutto frutto della mia immaginazione. Forse gli antidepressivi che avevo preso dopo la nascita di Sandro avevano stravolto per sempre la mia percezione della realtà. Forse stavolta avevo davvero bisogno di prenderli, per sbarazzarmi di quei pensieri contorti, smettere di vedere problemi dove non ce n'erano.

Presi la ventiquattrore e il cappotto di Massimo e sorrisi, o almeno ci provai, sforzandomi di credere che sarebbe andato tutto bene.

Massimo mi cinse le spalle con un braccio. Era decisamente di ottimo umore. « Prendiamo una tazza di tè tutti insieme. Francesca può raccontarci della sua fantastica vittoria. » Si voltò e le diede un buffetto sul braccio. « Sei bravissima. Sono così orgoglioso di te, Cessie, sei la mia piccola campionessa. Non so cosa darei perché Sandro seguisse le tue orme. »

Maggie si voltò bruscamente verso di lui, come se Massimo avesse detto qualcosa di strano.

Lui le rivolse un sorriso. « Cosa c'è? Mi vuoi fare di nuovo la paternale sul fatto che non devo fare paragoni tra i bambini? Lo sai che i Farinelli sono competitivi in modo assurdo, è nel nostro patrimonio genetico.»

Maggie sembrò riscuotersi. «Sì, sto cominciando ad accorgermene.»

A differenza di tutti noi, Maggie era incapace di nascondere le proprie emozioni. Speravo di non comprarle mai un regalo che non le piacesse. Ma non era da lei comportarsi in modo così scortese e ostile. Forse era soltanto sfinita, dopo la giornata trascorsa a mordersi la lingua con Francesca, anche se in realtà sembravano entrambe un po' più rilassate.

Ero ferma sulla soglia e stavo per avvisare Massimo che c'era il papà, quando Maggie disse: «Non voglio intromettermi, se Massimo non ha ancora visto tuo padre».

Avrei voluto fare un passo indietro, spaventata all'idea di vedere l'espressione di Massimo, la nuvola minacciosa che precedeva uno dei suoi sproloqui, il rimprovero che prendeva forma sulle sue labbra.

Ma lui si limitò a guardarmi sorpreso. «Tuo padre?»

Maggie si affrettò a scusarsi: «Mi dispiace, mi dispiace tanto. Non avevo capito che Massimo non lo sapeva. Ho rovinato la sorpresa».

Massimo scoppiò a ridere. «Tu e i tuoi misteri, Lara. Hai fatto tutto zitta zitta. Non sapevo fosse in condizioni di passare la giornata fuori.»

Maggie cercò di rimediare alla gaffe: «È stata una mia idea. C'è anche mia madre quindi, se avete bisogno di aiuto, chiedete pure».

Massimo allentò il nodo della cravatta. «Entra, Maggie. Sono sicuro che starà benissimo.»

Lei si voltò verso di me. «Cosa ne pensi, Lara? Non vorrei che si agitasse, con tutte queste persone intorno.»

Francesca s'intromise: «Possiamo entrare un attimo? Voglio mostrare a Sandro la mia medaglia».

Non ebbi cuore di rifiutare, così sorrisi e li feci entrare. Il papà stava suonando *Lily the Pink* in salotto, mentre Sandro osservava abbastanza disorientato l'entusiasmo con cui cantava il nonno. Non potei biasimarlo quando colse l'opportunità per sparire nella stanza dei giochi a guardare la TV con Francesca.

Maggie entrò tutta allegra. «Salve, Robert! Adoro questa canzone. Se la cava piuttosto bene alla tastiera, mi pare.»

Mi si strinse il cuore nel vederlo alzarsi a fatica per accoglierla nella stanza, aggrappato ai modi galanti che aleggiavano sotto la superficie. Piegò la testa di lato, cercando di capire chi fosse.

Lei gli porse immediatamente la mano. «Sono Maggie, la cognata di Lara.»

Il papà annuì. «La cognata.»

Le parole sembravano incerte sulle sue labbra, come se stesse ripetendo un termine straniero senza conoscerne il significato.

Massimo entrò con passo deciso. «Salve. Che bella sorpresa. Non ci vediamo da secoli.»

Tutta la tensione si dissolse. Mi ero sbagliata sul conto di Massimo. Voleva davvero il nostro meglio. Certo, c'erano momenti in cui ci davamo sui nervi a vicenda, ma li avevo ingigantiti. La metà delle volte probabilmente ero stata troppo suscettibile.

Il viso del papà si rabbuiò. Si voltò verso di me. «Chi è?»

Appoggiai la mano sulla schiena di Massimo, cercando di trasmettergli le mie scuse, d'infondergli calma, sperando che non la prendesse sul personale. «È Massimo, papà. Mio marito.»

Il papà scosse la testa. «No, non è tuo marito.»

Non volevo fargli fare la figura dello stupido, però Massimo non lo vedeva da così tanto tempo, che in cuor mio pensai di dover insistere, anche solo per mostrare a mio marito quanto fosse peggiorato. «Forse sei un po' confuso, papà.» Guardai Massimo, come per dirgli di portare pazienza. Presi la foto del nostro matrimonio da sopra la televisione. «Guarda, sono io quando mi sono sposata con Massimo. Mi hai accompagnato all'altare, ti ricordi?»

Il papà incominciò a tormentare i bottoni del cardigan. «Non lui. Non lui. Non lui.»

Massimo gli porse la mano. «A ogni modo mi fa piacere rivederti, Robert.»

Il papà si accigliò e infilò la mano in tasca, scuotendo la testa. « No. »

Massimo scrollò le spalle. Volevo prendere il papà per le spalle e spiegargli che era mio marito a pagare le sue cure, che era un brav'uomo e si occupava di lui ed era maleducato non stringergli la mano. Il papà non si era mai comportato in quel modo. Guardai Massimo, mortificata. Forse si aspettava che lo difendessi, ma non volevo agitare ulteriormente il papà. Non avevo mai visto quel lato della sua malattia, anche se alla casa di riposo mi avevano avvisato che poteva diventare aggressivo.

Maggie cercò di salvare la situazione. « Robert, cosa stava cantando prima? La conosce *Amazing Grace*? » Dopodiché attaccò con una versione deliziosa della canzone, facendo una pausa tra un verso e l'altro per chiedermi di andare a preparare il tè.

Mi venne voglia di abbracciarla, quando vidi il papà concentrarsi e pronunciare una delle sue parole strane, canticchiando con la sua voce roca.

Andai in cucina, mentre il dolore per averlo perduto si diffondeva nel mio petto, riempiendolo di tristezza per tutte le volte in cui avrei potuto insistere per andare a trovarlo, quando ancora era lucido, prima che ogni singolo ricordo dovesse essere avviato a spinta, come un'auto dalle candele d'accensione difettose. Avrei dovuto insistere, ogni volta che Massimo non mi aveva accompagnato perché « aveva troppe email », o « una relazione per lunedì ». Grazie al cielo ora potevo guidare. Dovevo chiedere a Massimo di comprarmi un'auto usata, in modo da fare una scappata dal papà almeno un paio di volte la settimana. Con gli occhi pieni di lacrime, mi chiesi quanto tempo sarebbe passato, prima che non riconoscesse nemmeno me.

Massimo mi raggiunse. « Da quant'è che è qui? »

« Siamo andate a prenderlo questa mattina presto. Lo riporto alla casa di riposo tra un paio d'ore. » Soffocai l'istinto di giustificarmi perché mio padre era venuto a trovare sua figlia e suo nipote. Volevo torcere le dita e belare un: « Spero che non ti dispiaccia ». Ma forse era solo la normale considerazione di una moglie nei confronti del marito. Ero così attenta a non scusarmi di continuo e per ogni cosa, a non essere una « smidollata senza speranza », come avrebbe detto Maggie, che probabilmente correvo il rischio di essere maleducata.

Massimo arricciò il naso. « È peggiorato parecchio dall'ultima volta che l'ho visto. Sembra molto confuso. »

« Lo so. »

« Dovremmo portarlo da un altro neurologo, vedere se può dirci quanto sta progredendo velocemente la sua demenza. »

Mi sentii sprofondare. « Non sono sicura di volerlo sapere. » Posai il bollitore sul fuoco.

Massimo si avvicinò e mi diede un bacio sul collo. « Gli forniremo le cure migliori, tesoro. »

« Però c'è anche una buona notizia. » Non so perché, ma prima di dirglielo feci un respiro profondo.

Mi guardò stupito. « E cioè? »

« Ho superato l'esame di guida », dissi, chiamando a raccolta tutte le mie energie, anche se dal tono della voce sembravo più dispiaciuta, che trionfante.

Massimo mi abbracciò. Avevo il viso contro la sua spalla e il collo piegato in una posizione un po' scomoda. Aspettai che mi lasciasse andare, ma mi strinse ancora più forte. Un senso di panico si fece largo dentro di me, volevo liberarmi. Poi mi lasciò andare, il viso raggiante.

« Oggi sei davvero piena di sorprese, piccola campionessa. »

Dovevo smetterla d'immaginare sempre il peggio.

Gli raccontai che Maggie mi aveva dato lezioni di guida di nascosto.

« Pensavo che non t'interessasse imparare a guidare. »

C'era una nota di fastidio nella sua voce? « Volevo andare a trovare più spesso il papà senza doverti scomodare. Ho solo pensato che fosse più semplice andare da sola senza disturbarti. Non è esattamente come andare in gita. »

« Bastava dirmelo, tesoro. Pensavo che non volessi andare spesso perché lo trovavi troppo doloroso. »

Dovevo ammetterlo, io e Massimo avevamo le capacità comunicative di un cellulare con la batteria scarica. Dovevo smetterla di chiedermi cosa pensasse e domandarglielo direttamente.

Prese il vassoio e si diresse in salotto. « Dobbiamo cercare un'auto. Non troppo piccola, però. Voglio che abbia una bella carrozzeria, ci tengo alla tua sicurezza. »

Chissà perché avevo così paura di dirglielo.

Mentre Massimo posava il vassoio, il papà smise di cantare. Mi guardò, poi indicò mio marito. « Chi è? »

Molto gentilmente, risposi: « È mio marito. Il padre di Sandro ».

Il papà rispose: « No. Non è tuo marito ».

Massimo mi fece l'occhiolino e mormorò: « Mi sta bene anche fare il tuo amante ».

Ma ormai ero decisa, volevo aiutare il papà ad avere un quadro chiaro dei miei cari. Ci riprovai, questa volta con la foto del battesimo di Sandro. « È mio marito, papà. Guarda, quello vicino ad Anna sei tu, poi ci sono Nico e sua moglie Caitlin, che è morta. E questi siamo io e Massimo. »

Di punto in bianco, come se avesse ripetuto quelle parole tutta la vita, il papà indicò Massimo e poi Caitlin e disse: « No. Lui ha fatto sesso con questa donna ». Poi, l'uomo che aveva brontolato per tutta la vita sul linguaggio « scandaloso » prima della fascia protetta e che si limitava a un delicato: « Santi numi! » quando urtava contro lo spigolo di un mobile, si alzò e, di fronte a mio marito e a mia cognata, fece un volgare movimento dei fianchi.

44

MAGGIE

In salotto calò un silenzio attonito. Una frazione di secondo in cui le sue parole furono cancellate dall'imbarazzo per il povero, raffinato Robert che muoveva il bacino per quanto glielo permettevano le sue scricchiolanti articolazioni. Eravamo tutti pietrificati. Prima guardai Lara. L'espressione sul suo viso era completamente sbagliata. Non era sconvolta, né ferita o arrabbiata. Le sopracciglia erano inarcate. Le braccia conserte. Il labbro inferiore copriva quello superiore.

Era feroce soddisfazione.

La mia mente era come un'enorme spazzatrice meccanica, che risucchiava i rifiuti, senza sufficiente destrezza per separare i bastoncini dei ghiaccioli e i sacchetti delle patatine dalle cose di valore.

Massimo scosse la testa. «Basta, Robert. Penso che tu abbia le idee un po' confuse. Questa è mia moglie», disse, indicando Lara. Fece una risatina e mi guardò. «Sfortunatamente, non sarebbe entusiasta all'idea che io faccia sesso con un'altra.»

Robert gonfiò il petto e indicò di nuovo la foto. «Tu. Tu. Ti vedo.» Poi si toccò l'occhio con l'indice.

Massimo sospirò. «Credo che tu sia fuori strada, vecchio. Mi confondi con Nico, mio fratello.» Si voltò verso Lara. «Sarà meglio che gli diciamo di mettere le tende in camera da letto.»

Lara continuava a tacere.

E, proprio mentre mi stavo affannando alla ricerca di qualcosa per risolvere la situazione e salvare Lara e Massimo dall'orrore della fervida immaginazione di Robert, suonò il campanello. Chiunque fosse – i testimoni di Geova, giovani truffatori che proponevano fodere per assi da stiro, il tizio che vendeva pesce di qualità superiore col suo furgone – stavo per scagliarmi su di loro e tenerli prigionieri finché non fossero stati tentati di chiamare i soccorsi.

Francesca uscì dalla stanza dei giochi con Sandro e spalancò la porta d'ingresso. « È papà! »

« Com'è andata? » Nico era così occupato a guardare la medaglia e a sentire i dettagli della gara di nuoto che non si accorse della scena da manicomio che si stava svolgendo in salotto. Mentre attraversava il corridoio per raggiungerci, fui tentata di gettarmi tra le sue braccia, ancora sporche di foglie e terriccio.

Rivolsi un'occhiata eloquente a Nico, sperando che capisse che eravamo nel mezzo di una « situazione difficile ». Avevo appena incominciato a dire: « Stavamo facendo due chiacchiere con Robert, il padre di Lara », quando Massimo indicò Nico e disse: « Ecco, Robert. Questo è l'uomo che hai visto con Caitlin. Mio fratello, Nico ».

Guardai Robert e aspettai, per vedere se le cose tornavano al loro posto. Era come giocare a Jenga al contrario, cercando d'individuare quali pezzi mettere nella torre per impedirle di crollare. Il vecchio strinse le palpebre, come se dovesse fare uno sforzo tremendo per dipanare la nebbia della sua mente.

Robert si avvicinò a Nico e si fermò di fronte a lui, a pochi millimetri dal suo viso.

Nico, per fortuna, indietreggiò leggermente, ma prese Robert per un braccio. « Sono Nico, si ricorda di me? Ci siamo conosciuti al matrimonio di Lara e Massimo. »

L'accenno a Massimo ebbe l'effetto di un colpo deciso a un cassetto pieno di posate bloccato da un cucchiaio di legno. Dopo tutto quel tirare e sbattere, all'improvviso il cassetto si aprì con facilità. Robert si girò e piantò il suo dito ossuto nel petto di Massimo.

Lara allungò una mano. « Papà, non si fa. »

Ma Robert era sorprendentemente forte per uno che sembrava avere degli scovolini al posto delle ossa. Si liberò della presa, premendo il dito contro Massimo, gli sbiaditi occhi azzurri che guizzavano, la lingua che spuntava dalla bocca, come in attesa di un prezioso momento di chiarezza. In tono trionfante gridò: « Tu. Ti ho visto. Ti ho visto nella camera da letto. Con quella donna... Cat... Cat... » Indicò la fotografia. « La camera da letto col viola alla finestra. Viola, viola... » Muoveva le mani come se cercasse di afferrare una parola nell'etere. Poi se ne dimenticò e disse: « Stavate facendo sesso. Sesso! Sesso! »

Prima che potessi mettere in ordine i pensieri, Massimo tuonò: « Sta' zitto! Sei venuto qui solo per creare problemi. Non facevo sesso con la moglie di mio fratello, vecchio demente ».

Nico fece un passo verso di loro. « Massimo! Calmati! È confuso, non sa quello che dice. »

Ma c'era qualcosa, nel modo in cui Massimo si ritrasse da Nico, come se si aspettasse di essere colpito, che mi sconcertava. Caitlin faceva sesso con qualcuno; questo lo sapevo. Ma con P. Non con Massimo. Non poteva essere andata a letto col fratello di Nico.

Mentre la mia mente raccoglieva le prove, passando al setaccio ciò che sapevo per certo e recuperando altri momenti e ricordi cui non avevo prestato attenzione, Massimo e Robert si guardavano con aria di sfida, indifferenti a tutti gli altri. Robert si alzò con aria malferma, le mani sui fianchi, continuando a dire: « Ti ho visto. Tu! Ti ho visto! Hai fatto sesso con quella donna! »

Massimo gli si avvicinò con aria minacciosa. « Sta' zitto! »

Ma Robert continuava imperterrito col suo ritornello di quattro parole: « Tu, ti ho visto », annuendo finché non sembrò che le sue ultime connessioni cerebrali fossero sul punto di staccarsi, se qualcuno non gli avesse creduto al più presto.

Nico prese Massimo per il braccio. « Massi! Adesso basta! Non è colpa sua, è malato. »

Massimo si liberò dalla stretta e diede una spinta a Robert. « Sta' zitto, stupido vecchio! »

Robert barcollò all'indietro e cadde a terra, urtando un tavolino da caffè.

Lara si precipitò dal padre. « Lascialo stare, non toccarlo. Sta solo dicendo la verità, bastardo prepotente che non sei altro. » Gli sferrò un calcio negli stinchi con tale forza che anche la mia gamba sussultò. « Stacci lontano! »

Sandro cominciò a piangere. Prima che potessi andare da lui, Francesca lo cinse con un braccio, ma restò immobile, gli occhi spalancati per il terrore.

Mentre Robert si lamentava a terra, Massimo prese Lara per il collo con un movimento semplice ed esperto, costringendola a guardarlo. Lei oppose resistenza e lui serrò la presa. La fissò, dall'alto al basso, premendo la nocca nella carne vulnerabile tra la clavicola e la spalla. Lei smise di lottare. « Non osare mai più prendermi a calci, stupida. »

Dall'angolo della stanza si levò un gemito strozzato: « Mamma! » E vidi Francesca trattenere Sandro prima che corresse da Lara.

E lentamente, con lo stridio di una locomotiva a vapore ferma da anni sui binari, tutti i pistoni del mio cervello si misero in movimento. Era stato il modo in cui il corpo di Lara si era afflosciato, rassegnato, a rivelarmi ciò che non avevo ancora capito. Non stava lottando, non stava gridando, né dando di matto a causa della scarica di adrenalina che entra in circolo a ogni nuova esperienza. Lara non era sconvolta, sul suo viso non c'era orrore attonito, solo accettazione, come a dire: *Ci risiamo.*

Non era un avvenimento inaspettato.

Ma, prima che potessi reagire, Nico prese il fratello per le spalle e lo allontanò da lei. « Massimo! Cosa cavolo stai facendo? A momenti la strangoli! »

Lara si massaggiò il collo. Si chinò su Robert, aiutandolo a mettersi seduto mentre io mi trasformavo in tutto ciò che avevo sempre odiato in una persona: ero immobile, coi piedi incollati al tappeto di juta, inutile come un lampione, senza sapere chi soccorrere per primo. Era come se qualcuno avesse appena stappato una bottiglia di champagne, centrando in pieno le emozioni di Lara, che disse: « Non hai proprio idea di come sia tuo fratello, vero? Per te, è soltanto un uomo che si fa trascinare dalla competizione sportiva. Ma non è così. È un prepotente schifoso che ottiene sempre quello che vuole denigrando gli altri, spaventandoli e - come puoi vedere - facendo loro del male. Ti sei mai chiesto perché Sandro sia terrorizzato dalla propria ombra? Be', ecco perché ».

« Su, sono stato costretto, mi hai quasi rotto uno stinco », la interruppe Massimo. Fece una smorfia, come per dire: *Non avrete mica intenzione di credere a questa povera pazza?* Un'espressione che, purtroppo, gli avevo già visto tante volte e mi aveva sempre fatto sorridere. Ora mi resi conto che l'aura di tensione che circondava Lara – come se fosse su un'auto che stava finendo la benzina – non era dovuta al fatto che era una persona rigida e iperprotettiva, o – come avevo spesso pensato – perché aveva bisogno di « lasciarsi andare ».

Era perché aveva paura.

Mi precipitai da lei e insieme aiutammo Robert ad alzarsi, tremante e confuso, gli occhi pieni di paura, mentre lo sollevavo prendendolo sotto le ascelle. Toccai il braccio di Lara. « Mi dispiace. Avrei dovuto capire cosa stava succedendo. »

« Era impossibile. Anche per me, la maggior parte delle volte. »

L'aiutai a portare Robert in cucina, mentre lui opponeva una strenua resistenza, come se non riuscisse più a fidarsi di nessuno. Mentre in salotto le voci di Nico e Massimo aumentavano di tono, Lara si voltò verso di me e disse: « Torna da loro e prova a calmarli. I ragazzi non dovrebbero stare a sentire. Posso farcela da sola, col papà ».

Mentre tornavo di corsa in salotto, cercando di metabolizzare l'Armageddon familiare cui stavo assistendo, mi tornarono in mente le parole di Dawn: *Il modo in cui si è comportato con Ben è stato soltanto l'ultima goccia.* Le parole che avevo liquidato come il lascito di un'ex moglie inacidita.

Nico stava urlando contro Massimo: « Sentiamo, qual è la tua patetica scusa per aver colpito un vecchio confuso che parla a vanvera e aver aggredito tua moglie, eh? Cosa ti è preso, Massi? » Poi colsi un lampo di esitazione sul viso di Nico, una fitta di dolore, come se la remota possibilità che le parole di Robert fossero vere avesse appena cominciato a farsi strada dentro di lui.

Guardai Nico, poi Francesca e Sandro, cercando disperatamente d'impedire quello che stava per succedere. Ma, prima che potessi portare i ragazzi fuori dalla stanza, Massimo alzò la testa e sorrise, in un modo da farmi accapponare la pelle. Sembrava un gatto alle prese con una falena, indeciso se ucciderla o giocarci ancora un po'. « A quanto pare alcune donne non mi trovano affatto patetico. » Scrollò le spalle come per dire: *Cosa posso farci?* « Inclusa Caitlin. Mentre tu ti gingillavi coi tuoi allium e agapanthus, tua moglie si sentiva un tantino trascurata. Quindi, in tua assenza, riempivo io il vuoto. Per così dire. »

Ero sicura che Nico non avesse mai fatto a botte con nessuno, ma il suo corpo fremeva di rabbia. Ero pronta a esultare, nel caso in cui Massimo si fosse preso il pugno che meritava. E, se Nico non gliene avesse mollato uno, sarei intervenuta io.

Con voce tremante di rabbia, Nico disse: « Non potevi resistere, vero? L'idea che potessi essere felice, che qualcuno amasse me più di quanto potesse amare te. Dovevi averla, non è così? »

Sussultai. Mi piaceva illudermi che Nico non avesse mai amato Caitlin. La donna pratica e diretta che c'era in me voleva credere che il loro amore fosse una fotocopia sfocata della nostra relazione ad alta definizione. Ovviamente ero affetta dalla tipica sindrome della seconda moglie e negavo che ci fosse stato qualcosa di bello, prima del mio salvifico arrivo.

Massimo scoppiò a ridere, una nota sarcastica che mi fece venire voglia di prenderlo a schiaffi così forte da fargli fischiare le orecchie per giorni. « È stata lei a venirmi dietro. Siamo andati all'opera, abbiamo preso qualche tè, è stato facile. In quel periodo le tette di mia moglie erano monopolizzate dal bambino, quindi faceva comodo a tutti e due. »

Volevo vomitare per la rabbia.

Francesca cominciò a singhiozzare.

Mi girai. « Andiamo, tesoro. Non devi sentire queste cose. » La presi per un braccio, preparandomi a sentirla resistere, ma lasciò che l'accompagnassi fuori. Cinsi Sandro con l'altro braccio e li portai dalla mamma, gridando: « Ti spiego dopo, torno subito », prima di andarmene via.

Sandro si precipitò tra le braccia di mia madre. Povero cucciolo. Prima o poi avrei dovuto affrontare i miei sensi di colpa per tutte le volte in cui avevo pensato che fosse un piccolo guastafeste.

Tornai di corsa da Lara ed entrai in salotto appena in tempo per vedere Nico che colpiva Massimo con un pugno. C'era qualcosa di maldestro nel suo gesto, come se non avesse mai usato le braccia in vita sua per quel movimento particolare. Ma riuscì comunque a colpirgli il mento. Massimo barcollò all'indietro, trascinando con sé un vassoio di calici di cristallo, prima di recuperare l'equilibrio e scagliarsi su Nico.

Massimo era più forte, più massiccio, ma Nico era più agile. Mentre li guardavo prendersi a pugni, una porcellana di Lladró fu decapitata e una ciotola della Wedgwood volò via dalla credenza. Cercai di mettermi in mezzo, ma era come tentare di separare due cani rabbiosi.

« Smettetela! » La mia voce sembrava provenire da un'altura remota, in cui il vento aveva spazzato via tutta la sua forza, lasciando soltanto una debole eco. Feci un passo in avanti. « Nico! Non farlo. Tu non sei così. Sei migliore di lui. »

Come se una sveglia fosse riuscita a insinuarsi dentro un profondo sonno alcolico, Nico si paralizzò, ansimante. Guardai Massimo che, nonostante il labbro spaccato, riusciva ancora a contrarre i lineamenti del viso in una smorfia, le dita che si serravano e si tendevano, pronte a colpire. Non c'era traccia dell'uomo pieno di fascino che credevo che fosse. Mi misi davanti a Nico e fissai Massimo.

« Ma che cazzo ne sai, tu, Maggie? Cosa sai fare, in generale? A parte l'arrampicatrice sociale? »

Alla mia sinistra, Nico si lasciò sfuggire un brontolio rabbioso. Alzai una mano per impedirgli di aggredire Massimo. Certo, avevo accusato il colpo, l'affondo in una ferita sempre pronta a riaprirsi. Ma non ero io quella che doveva sentirsi male. Oh, no. Per niente. Mi sembrava quasi di sentire il mio affilacoltelli interiore che si lubrificava, preparandosi all'azione.

Venne fuori la Beryl che c'era in me. « Ecco cosa so. Non concepisco di ottenere ciò che voglio ferendo le persone. E so pure che non importa ciò che dico, né quanto ami Nico: il tuo piccolo cuore atrofizzato non sarà mai in grado di credere che sto con lui per qualcosa di diverso dal denaro, perché quelli come te non capiscono cosa significhi essere una squadra, prendersi cura l'uno dell'altro. Quelli come te pensano soltanto a ottenere ciò che vogliono, a qualunque condizione. » Feci una breve pausa, prima di calare l'asso nella manica. « Forse hai ragione, sono un po' lenta. Mi ci è voluto tutto questo tempo per capire chi sei davvero. Ma oggi ho incontrato una persona che mi ha aperto gli occhi. E pensare che non volevo nemmeno crederle. Speravo che avesse un conto in sospeso con te, che la sua storia non fosse vera.»

Massimo sgranò gli occhi come il personaggio di un cartone animato. Ora faceva fatica a mantenere il suo ghigno.

«Sì, ho incontrato Dawn, oggi. Lo sai che l'altro tuo figlio è un campione di nuoto? Che il ragazzo che hai abbandonato perché era 'difettoso', come lo hai definito tu, è arrivato primo al campionato di nuoto cui ha appena partecipato Francesca?»

Nico mise le mani sui fianchi. «Quale altro figlio?»

Il sollievo all'idea che solo Massimo sapesse di Ben rese la mia rabbia ancora più tagliente. «Diglielo, Massimo. Digli di quando Dawn è stata costretta a fuggire perché aveva paura che la obbligassi ad abortire vostro figlio a causa di un problema cardiaco.»

Nico era incredulo. «Cosa? Credevo che fosse lei a non volere figli.»

Massimo abbassò lo sguardo. Per una frazione di secondo, sentii un briciolo di compassione nei suoi confronti. Si era comportato da vero stronzo, ma volevo ancora credere che lo avesse fatto a prezzo di molte sofferenze.

Tuttavia quella piccola pausa fu sufficiente perché Massimo tornasse alla carica. Quando alzò lo sguardo, gli occhi erano due lame taglienti, come se stesse sfogliando un arsenale mentale alla ricerca dell'arma da usare per ferirmi. «Non fare la santarellina, Maggie. Almeno io non sono un ladro.»

Non capivo bene come essere una ladra potesse essere peggio di ciò che aveva fatto lui: spaventare così tanto sua moglie da costringerla a fuggire per mettere in salvo il proprio bambino. Ma quel giorno sembrava non esserci spazio per le discussioni razionali. Aveva scelto l'insulto sbagliato.

«Non sono una ladra. Non ho mai rubato nulla in vita mia. Non me ne frega niente dei soldi. Nico vuole sempre comprarmi questo e quest'altro, ma ho visto cosa succede alle persone avide e, credimi, sono felice così come sono.»

«E cosa mi dici del portagioie d'oro che hai 'perso'?»

Mi sentii tradita all'idea che Lara gliel'avesse detto. «Dovevo liberarmene. E sai anche perché.» Guardai Nico, sperando di potergli risparmiare la verità.

«Perché? Avanti, siamo in famiglia. Dicci perché hai creduto di poter prendere un portagioie che vale centinaia di sterline.»

«Come fai a sapere quanto vale?»

«Francesca mi ha detto che il portagioie che hai rubato era d'oro.»

Avrei dovuto saperlo: Lara non avrebbe mai fornito a Massimo argomenti contro di me. «Vaffanculo, Massimo. Sai quanto vale perché sei stato tu a regalarlo a Caitlin.»

Nico aveva l'aria di chi si trova in una stanza in cui tutti parlano correntemente una lingua che lui, invece, ha appena cominciato a studiare. Volevo fermarmi, spiegargli come stavano le cose, qualsiasi cosa gli impedisse di vedere il mondo come un luogo in cui le persone che amava di più mentivano e nascondevano segreti.

«Che prove hai che gliel'abbia regalato io?»

Era incredibile: aveva ammesso di scoparsi la moglie di suo fratello, ma stava spaccando il capello in quattro su quel maledetto portagioie.

«Per via della dedica. È tua, vero? Ma perché P?»

Inarcò le sopracciglia, sorpreso che avessi trovato l'iscrizione. Aspettò finché non ebbe la nostra completa attenzione. Non volevo dargli la soddisfazione di pendere dalle sue labbra, ma ci stava ipnotizzando, un personaggio malvagio dalla chioma corvina, indeciso se porre fine alla nostra infelicità.

Poi scoppiò a ridere. E cominciò a canticchiare. Il tema musicale di *Pelléas et Mélisande*. Ecco dove l'avevo sentito. Uno come Massimo non poteva certo avere una volgare tresca. Si era ritagliato il ruolo dell'eroe tragico, innamorato della moglie del fratello. Nella sua mente perversa lui era Pelléas: P. Chissà quanto aveva riso alle mie ingenue domande, mentre guardavamo l'opera a San Gimignano.

Mi voltai verso Nico, chiedendomi se io fossi all'altezza di un compito così difficile: riparare il danno del tradimento della sua prima moglie e di suo fratello, e allo stesso tempo convincerlo che non ero la ladra arrivista che diceva Massimo.

« Nico, non ho rubato quel portagioie. L'ho preso, ma non l'ho venduto, né altro. L'ho buttato. In un cassonetto dei rifiuti. Forse avrei dovuto semplicemente mostrartelo », dissi con voce tremante. Se mi avesse sorpreso a calarmi da una finestra con una borsa piena di refurtiva, non sarei potuta sembrare più colpevole. « Non vedevo il senso di dirti che Caitlin ti era stata infedele. Sapevo che ne saresti stato distrutto e comunque era acqua passata. Ero preoccupata che tu o Francesca trovaste il portagioie e leggeste l'incisione. Avreste capito subito che era il regalo di un amante. Stavo cercando di proteggervi. Ma non avevo capito che era un regalo di Massimo. »

Nico aveva il viso arrossato. Continuava a deglutire, come se stesse cercando di contrastare l'ondata di emozioni che stava montando dentro di lui. Avrei voluto concedergli il suo spazio, lasciare che piangesse. Che gridasse. Che sfogasse la rabbia, la tristezza, la disperazione, qualsiasi cosa fosse intrappolata dentro di lui, in tutta la sua crudezza. Ma non volevo che Massimo lo vedesse crollare. Né che fosse presente, mentre cercavo di affrontare il fatto che Nico avesse amato Caitlin così tanto.

Presi Nico per mano, sfiorando con le dita la sua pelle ruvida. Non si ritrasse. Un'ondata di emozioni, il desiderio di proteggerlo e di vendicarmi di Massimo mi travolsero. « Mi dispiace, ho fatto una scelta stupida riguardo a quel maledetto portagioie. Su, andiamocene. Io vado a vedere come sta Lara. Tu va' a parlare con Francesca. » Non riuscivo a pronunciare la parola « casa ».

Dopo averci vissuto dieci mesi, sentivo di appartenervi meno che mai.

Nico scosse la testa. « Ti aspetto. »

« No, non preoccuparti. Francesca ha bisogno di te. Starà malissimo, poverina. Io arrivo subito, voglio solo assicurarmi che Lara stia bene. » Non aggiunsi « al sicuro ».

Nico si voltò verso Massimo. « Ti ammiravo. Pensavo che avessi il mondo nelle tue mani. T'invidiavo. Ma, più di ogni altra cosa, ti volevo bene e avrei fatto qualsiasi cosa per te. »

Guardai Nico uscire scuotendo la testa, come se non potesse credere a ciò che era appena successo. Una cosa la sapevo per certa. La ricerca di un buon partito non aveva niente a che fare col mio amore per Nico. In quel momento, avrei dato qualsiasi cosa pur di farmi carico della sua sofferenza e lasciare che mi divorasse, piuttosto che vederlo schiacciato da un dolore così insopportabile.

45

LARA

Dopo dieci anni, il cambiamento più grande della mia vita si era verificato nel giro di mezz'ora.

Quando Maggie entrò in cucina, posò la mano sulla spalla del papà. « Come si sente, Robert? »

Lui non rispose. Il mio povero papà, l'uomo che volevo proteggere, era rannicchiato su una sedia e si dondolava avanti e indietro. Dio solo sa quanto male gli avevamo fatto.

Maggie gli prese la mano, finché lui non smise di dondolarsi. Finalmente la guardò. « Sei carina. »

Lei gli rivolse un sorriso. Non il solito sorriso indomito che la faceva sembrare una quindicenne, ma un sorriso gentile che racchiudeva un miscuglio di bontà e tristezza. « Anche lei non è niente male, Robert. »

Lui le fece l'occhiolino. Il mio vecchio papà, l'uomo che non ero riuscita a proteggere, aveva ancora l'energia per fare il galante con una donna. Non pensavo di poterlo amare così tanto per quel piccolo guizzo di spirito, la prova che nell'ammasso confuso di connessioni morenti restava un briciolo della sua determinazione, della sua forza.

Gli occhi mi si riempirono di lacrime. Maggie mi prese tra le braccia. E, per una volta, non fui costretta a trattenermi, a restarmene lì come il manichino di una vetrina, temendo che altrimenti avrei mostrato qualcosa che non sarei riuscita a spiegare.

Lei mi rassicurò come se fossi una bambina: « Mi dispiace. Mi dispiace tantissimo di non aver capito. Ero così ansiosa di appartenere alla vostra famiglia che sono stata cieca di fronte a ciò che mi accadeva davanti agli occhi ». La sua voce si affievolì: « Ma perché non me l'hai detto? »

« Non dire così. » Non avrei mai potuto incolparla di nulla.

Mi feci forza. « Mi hai salvato. Non avevo idea di poter piacere a qualcuno. Avrei dovuto dirtelo. Pensavo che non mi avresti creduto. E ho continuato a pensare che avrei trovato una soluzione, che, se solo avessi fatto alcune cose in modo differente, saremmo tornati a essere felici. Non è stata tutta colpa sua. Non sono stata una brava moglie - né una brava madre - quando è nato Sandro. »

Maggie mi guardò dritto negli occhi. « E invece sì che è stata colpa sua. Molte donne vanno un po' in crisi dopo il parto, ma non per questo i mariti fanno loro del male, spingendole a credere di essere solo delle povere inette, né si portano a letto le cognate. » Mi strinse affettuosamente il braccio. « Sbarazziamoci di Massimo e ricominciamo da zero. Una volta che si sarà ripreso dallo shock, accompagneremo tuo padre alla casa di riposo. »

Mi sentii mancare il terreno sotto i piedi. Se conoscevo Massimo, in quel preciso istante stava annullando l'addebito diretto della casa di riposo e non ci sarebbe più stato nessun posto in cui riportare mio padre.

46

MAGGIE

Tornai in corridoio. Senza Nico non ero altrettanto coraggiosa. Lo scricchiolio delle scarpe di Massimo sul vetro rotto non contribuì a rassicurarmi. Pensai alle sue mani intorno al mio collo e mi chiesi se sarei riuscita a gridare in tempo.

Aprii la porta e varcai la soglia della stanza. Mi sarebbe piaciuto andare da lui col fucile spianato, invece cercai di non sembrare aggressiva o accusatoria, concentrandomi piuttosto sul modo di farlo uscire di casa. « C'è un posto in cui potresti andare per un paio d'ore, finché non riportiamo Robert alla casa di riposo? »

Massimo sorrise. Mi sorrise, lo stronzo. Dopo tutto quello che mi aveva vomitato addosso, a me, e a tutti gli altri. Era completamente pazzo.

Usò il tono buffo e suadente che adottava a volte, come se fosse una specie di celebrità televisiva d'infimo ordine che convince un membro del pubblico a buttarsi da un aereo: « Sono davvero rammaricato. Non c'è bisogno di farne un dramma e buttarmi fuori di casa. La situazione ci è semplicemente sfuggita di mano ».

Santo cielo. Speravo di essere dall'altra parte del pianeta, quando fosse *davvero* sfuggita di mano. « Ho paura che Robert non vorrà salire in auto, se ti vede. »

Il suo sorriso svanì. Massimo si passò una mano tra i capelli. « Ti credi proprio Miss Aggiustatutto, vero? E a essere sinceri... Cosa succede se non voglio andarmene da casa mia per accontentare quella stronza di mia moglie e quello svitato di mio suocero? »

« In questo caso abbiamo un problema », replicai, cedendo quasi all'impulso di lasciarmi andare a una risata isterica e aggiungere la parola «Houston». Ma non avevo nessuna intenzione di essere la persona più folle della stanza.

Lui restò immobile con le mani sui fianchi, gli occhi stretti come se stesse cercando di decidere se darmi un pugno.

Qualsiasi desiderio di ridere scomparve.

Finsi di chinarmi dietro una poltrona per raccogliere una cosa. Invece mi rannicchiai e tirai fuori il cellulare dalla tasca posteriore. Ringraziai il cielo di avere ancora uno squallido telefonino con carta prepagata e nessuna password. Pigiai i pulsanti, spostando frammenti di porcellana con l'altra mano mentre lo sentivo squillare. «Anna? Ti dispiace venire da Massimo il più velocemente possibile? Abbiamo un'emergenza e lui vorrebbe discutere di una cosa con te.»

Massimo si avventò su di me per strapparmi il telefono di mano, mentre Anna continuava a strillare: «Quale emergenza? Maggie? Maggie?» Il cellulare cadde a terra, rompendosi in mille pezzi. Considerato che costava appena due sterline, non avevo certo intenzione di mettermi a litigare. Lanciai un'occhiata alla porta, chiedendomi se potessi raggiungerla prima di Massimo. Dalla gola mi sfuggivano dei gemiti strozzati, un po' come quando Lupo vedeva un coniglio correre in giardino.

Massimo fece un passo nella mia direzione. «Pensi di essere più furba di me, vero?»

Anche se avevo il cuore a mille, non volevo dargli la soddisfazione di vedermi spaventata. Alzai il mento con aria di sfida. «No. Ma il cervello lo uso per fare delle cose buone, non certo per scalare la classifica delle teste di cazzo.» Mi preparai a incassare un colpo.

Massimo però si limitò a guardarmi disgustato. «Quella boccaccia insolente ti darà dei problemi, prima o poi.»

Lo guardai dritto negli occhi. «Invece quell'odiosa abitudine che hai di tiranneggiare le persone pensando di farla sempre franca non ti porterà niente di buono, mio caro.»

La scarica di adrenalina che accompagnava ogni rissa verbale che si rispetti mi aveva fatto dimenticare la paura.

Non ero abituata a quel modo zuccheroso di girare intorno alle cose che era il cavallo di battaglia dei Farinelli. Nel vecchio quartiere, io e i miei amici avevamo sempre una risposta tagliente, quando qualcuno gridava da un balcone o dalla tromba delle scale.

Fu quasi una delusione quando Anna arrivò di corsa, si guardò intorno e gridò: «Sono venuti i ladri».

Mio malgrado, mi dispiaceva per lei.

«Massimo ha una cosa da dirti. Vado a prendere Lara.» Io non avevo nessun interesse a vedere il figlio prediletto che cadeva dal suo scintillante piedistallo.

Ma Lara, lei sì che si meritava di assistere allo spettacolo.

47

LARA

Mentre Anna si precipitava in salotto, mi resi conto che stavolta Massimo non sarebbe stato in grado di agitare la bacchetta magica e convincere tutti di aver sollevato un grande polverone per niente. La vita che conoscevamo stava per cambiare.

Quello che ancora non sapevo era se sarebbe cambiata in meglio o in peggio.

Maggie entrò in cucina. « Pensi che Robert possa fare a meno di te per un minuto? Credo che dovresti sentire quello che Massimo ha da dire. Posso restare io con tuo padre, se vuoi. O vuoi che venga con te? »

Sopraffatto dal trambusto del pomeriggio, il papà si stava addormentando. Gli presi dalle mani la tazza di tè ormai tiepido e lo sistemai nella poltrona con un paio di cuscini. « Verresti con me? » Ero una codarda, ma non era una novità.

« Certo. Lasciamo la porta aperta così, se Robert decide di andare a farsi un giretto, ce ne accorgiamo. » Corse a chiudere a chiave l'ingresso e, ancora una volta, mi chiesi come avevo fatto a vivere prima dell'arrivo di Maggie, i cui modi anticonformisti erano soltanto una facciata che nascondeva un'indole piena di risorse.

Ma persino con Maggie al mio fianco mi sentii travolgere dalla nausea, all'idea di dover affrontare il sarcasmo di Massimo. Forse anche quello di Anna. Non riuscivo bene a capire come all'improvviso mia suocera fosse entrata a far parte dello scontro finale. C'era da aspettarselo, quando la situazione si faceva difficile, Massimo correva sempre dalla madre, ben contenta di risolvere i problemi del suo prediletto. Ma non sapevo come potesse convincerla a stare dalla sua parte, una volta che avesse saputo della relazione con Caitlin. Nemmeno Anna avrebbe potuto trasformare una cosa tanto grave in uno dei suoi trionfi. Mi sentii travolgere dalla paura. Massimo non era il tipo da accettare un'umiliazione di buon grado. Avrebbe trovato un modo per scaricare la colpa su di me. Era così intelligente, così subdolo, che alla fine mi sarei convinta di essere stata io a sbagliare.

Prima di entrare in salotto, Maggie mi strinse il braccio. « È tutto sotto controllo, te lo prometto. Ci sono io qui con te. »

Adoravo la sua fiducia, mentre la mia sarebbe potuta tranquillamente stare in equilibrio su una capocchia di spillo.

Quando entrammo, Massimo stava guardando fuori dalla portafinestra. Non sembrava sconfitto, né dispiaciuto, ma sprezzante. Anna fremeva d'indignazione, con le mani sui fianchi.

« Cosa diamine sta succedendo? » chiese, indicando la distesa di soprammobili decapitati. « Massimo si sta comportando in modo assurdo. Dice che non è successo niente, che si tratta soltanto di un equivoco. A me non sembra affatto un equivoco. Hai litigato con Massimo, Lara? »

Mi sentii come il classico bambino che fa la spia, quello contro cui, più tardi, si sarebbero rivoltati tutti perché non aveva tenuto la bocca chiusa. Esitavo, chiedendomi da dove cominciare, quando Maggie prese Anna per un braccio, spostando con un piede i frammenti di vetro davanti a una poltrona.

Il viso di Massimo era contratto in una smorfia, come se in fondo alla sua gola si stessero condensando frasi feroci e taglienti.

Eppure Maggie restò impassibile, solida come una quercia in una giornata di vento, senza inciampare sulle parole o annaspare come avrei fatto io. « Mi dispiace, Anna. In famiglia ci sono stati degli avvenimenti di cui dovresti essere informata. Siediti un istante. »

Anna si liberò della presa, come se Maggie non avesse nessun diritto di pronunciare la parola « famiglia ». « Cosa sono tutte queste sciocchezze? I miei compagni di bridge arriveranno fra tre quarti d'ora. »

Massimo s'intromise: « Stanno facendo una tragedia per niente, sono cose successe anni fa. Maggie, poi, continua a ficcare il naso dove non dovrebbe ».

Fu davvero troppo. All'improvviso, la paura che avevo in circolo e che mi aveva spinto a rimpiangere l'infelice status quo cui ero ormai abituata svanì nel nulla. Mi voltai verso Anna. « Credimi, non stiamo affatto facendo una tragedia per niente. »

Mia suocera era seccata, tamburellava impaziente sull'orologio, nel caso non avessimo capito che il suo tempo era immensamente più prezioso del nostro.

Man mano che i dettagli di ciò che aveva fatto Massimo affioravano in superficie, Anna cominciò a rattrappirsi nella poltrona. Credevo che mi sarei sentita compiaciuta all'idea di avere finalmente il coltello dalla parte del manico, di guardarla incassare tutti quei colpi, dopo le innumerevoli volte in cui aveva alimentato l'insoddisfazione di Massimo nei miei confronti e in quelli di Sandro.

Ma, quando disse « il mio povero Nico », mi resi conto di quanto desiderasse fare la cosa giusta per i suoi figli. Un impulso primordiale di proteggere, difendere, riparare. Anche se non vedevo come potesse aggiustare le cose per entrambi, dal momento che l'uno era il problema dell'altro. « Massimo, Lara sta dicendo la verità? »

« Non è andata così. » Ma ora sembrava mogio, nelle sue parole non c'era traccia della solita sicurezza condiscendente.

Maggie fece per parlare, però alzai una mano per fermarla. Difendermi cominciava a piacermi. « Non c'è bisogno di scendere nei dettagli più sordidi, Anna, ma è andata esattamente come ho detto. »

All'improvviso, però, non avevo più voglia di sfogarmi, raccontare che in tutto quel tempo mio marito mi aveva tiranneggiato, che Sandro viveva nella paura di sbagliare, che, ogni volta che ci eravamo illusi di aver fatto ciò che voleva, mio marito aveva alzato la posta con una nuova richiesta. Non per il bene di Massimo, ma perché non avevo la forza di dire a una madre che razza di bastardo era diventato suo figlio. Nessuno guarda il viso di un neonato pensando: *T'insegnerò a calpestare chiunque incontrerai sul tuo cammino.*

Eppure, mentre me ne stavo lì, indecisa se aprire i cassetti delle verità e lasciarle libere di scendere come avvoltoi sul cadavere delle famiglie felici, Maggie mi guardò scura in volto. Sembrava dispiaciuta, come a disagio. « C'è un'altra cosa che devi sapere, Lara », disse, guardando Massimo. « Sandro ha un fratellastro. »

48

MAGGIE

Anna fu la prima a reagire. « È di Caitlin? » chiese, gli occhi che imploravano una risposta negativa.

« No. Di Dawn. »

Lara si lasciò sfuggire un grido strozzato. « Dawn? » Si voltò verso Massimo. « Mi hai detto che non voleva avere figli, che era troppo egoista. Hai mai detto la verità su qualcosa in vita tua? Sapevi di questo bambino? Quanti anni ha? »

La sua angoscia era così intensa, così dolorosa da osservare, che avrei voluto non aver mai incontrato Dawn, in modo che tutti noi potessimo andare avanti nella nostra beata ignoranza. Era come vedere l'ultimo punto che teneva attaccato un bottone a un cappotto sfilacciarsi una volta per tutte e rendere l'anima a Dio.

Cercai di calmarla. « Lara. Lara. Mi dispiace. Ho pensato che dovessi saperlo. »

Ma era fuori di sé. « Hai continuato a vedere Dawn alle mie spalle? »

Massimo faceva del suo meglio per rispondere, ma le sue parole non riuscivano a fare breccia nella furia liquida del torrente di domande di Lara.

Eppure fu Anna a cogliere tutti di sorpresa. Si avvicinò a Massimo, leggera come un uccellino che saltellava sulla sabbia, e gli diede uno schiaffo. Il rumore del palmo a contatto con la guancia fermò l'esplosione di domande e accuse di Lara.

Fu così inaspettato che a momenti mi sfuggì una risatina nervosa. Lara trasalì. Ma il più sorprendente di tutti fu Massimo. Si massaggiò la guancia, ma non disse nulla.

Anna, tuttavia, non aveva ancora finito. « Non ti ho insegnato a comportarti in questo modo! »

E brava Anna. Non si poteva certo dire che non fosse brutalmente sincera. Non era il tipo da indorare la pillola. Se fossi stata una persona peggiore, quello sarebbe stato il momento perfetto per godermi lo spettacolo: la presuntuosa mamma italiana che fa a pezzi il figlio arrogante. Invece mi sentii travolgere dalla nausea, di fronte a quel bagno di sangue familiare. Se Sam avesse ferito Francesca come aveva fatto Massimo con Nico, mi avrebbe spezzato il cuore, e Francesca non era nemmeno figlia mia.

Anna celava la sua angoscia dietro una maschera di rabbia, ma le sue parole erano crude, taglienti come lame, completamente diverse dalle solite frasi pronunciate con fredda indifferenza. Era un'ondata di emozioni che sgorgava dal suo cuore.

Era rassicurante sapere che ne avesse uno, dopotutto. « Hai tradito tuo fratello. E mi hai privato di un nipote per - quanto tempo? - tredici anni? Un ragazzo nelle cui vene scorre il sangue dei Farinelli, che non conosce nemmeno sua nonna. Vergogna! Dovresti vergognarti. Non ti ho insegnato niente? La famiglia è tutto ciò che abbiamo. Dov'è tuo figlio ora? »

Massimo scosse la testa e distolse lo sguardo. « Non lo so. Non sono in contatto con loro. »

Stava venendo fuori tutto il temperamento italiano di Anna. « Maggie, come fai a sapere del ragazzo? Come si chiama? »

« Ben. »

« Beniamino. Bene. Un nome italiano. »

Da quello che mi aveva raccontato Dawn, non credevo che onorare l'eredità italiana di Ben fosse in cima alla lista delle sue priorità. Probabilmente aveva smesso di mangiare spaghetti, dopo il divorzio. Ma, come sempre, Anna vedeva il mondo attraverso il suo personale periscopio.

Le raccontai quello che sapevo e il suo viso si rabbuiò, per poi cedere il passo all'orgoglio Farinelli, quando le raccontai delle vittorie sportive del ragazzo.

« Voglio conoscere mio nipote. So cos'è la responsabilità, a differenza di mio figlio. Maggie, puoi rintracciare Dawn? »

Guardai Lara. Sembrava che stesse assistendo a una gara automobilistica in cui le auto sfrecciavano davanti ai suoi occhi in una macchia confusa e non sapesse bene chi fosse in testa. Non era mia intenzione trasformarmi in un'agenzia di recupero persone scomparse; volevo soltanto mettere le cose in chiaro, in modo che Lara potesse prendere la decisione giusta per il suo futuro.

Esitai. « Forse. Penso che Dawn viva da qualche parte nel Nord. »

Era un'indicazione sufficientemente vaga. Con ogni probabilità, Anna avrebbe impiegato un po' di tempo a trovarlo. Ero abbastanza sicura di poter rintracciare un campione di nuoto su Google, specialmente coinvolgendo Francesca nelle ricerche: magari erano già amici su Instagram. Mi sentii male all'idea di sistemare un altro disastro di famiglia. Decisi di eliminare quel compito dalla lista delle cose da fare, almeno per il momento, considerato che dovevo dare il mio appoggio a Lara, non introdurre in famiglia altri atleti di prim'ordine con cui Sandro si sarebbe sentito in competizione. E Dio solo sapeva se Lara avesse voglia di conoscere Dawn: la moglie che si era salvata, lasciando la padella vuota e sfrigolante, perché Lara ci cascasse dentro.

Per fortuna, in quel momento vidi Robert in corridoio, che cercava di mangiare una banana. Ero contenta di avere una scusa per fuggire qualche minuto. « Robert, lasci che gliela sbucci io. »

« Grazie. Chi sei? »

« Maggie. »

« Piacere di conoscerti. Sono Robert, ma puoi chiamarmi Bob. »

Alle mie spalle, Anna disse: « Massimo, fa' i bagagli e vattene. Puoi stare da me finché non ripariamo il danno che hai causato ». Una lunga pausa. « Ammesso che sia possibile. »

Poi un suono che non credevo Anna fosse in grado di emettere.

Un singhiozzo.

49

MAGGIE

Due anni dopo

Anna si sedette sulla nostra terrazza affacciata sul mare.

Il semplice fatto di guardare l'acqua, col molo che si stagliava contro il cielo, mi faceva sentire come se vivessi in un qualche luogo esotico. Anna ci aveva implorato di non andarcene da Siena Avenue, ma Nico era stato irremovibile. A suo onore, quand'era comparso il cartello IN VENDITA, si era comportata in modo molto dignitoso. Per fortuna, qualche giorno prima che ce ne andassimo per sempre, era andata in vacanza in Italia, risparmiandoci il supplizio di vedere il suo viso sconvolto che faceva capolino dietro il camion dei traslochi. Nei nove mesi in cui avevamo vissuto al Moneypenny Cottage era addirittura riuscita a farci un complimento, sebbene lo avesse nascosto dietro una critica: « Non avrei mai immaginato che una casa così buia potesse essere tanto accogliente ».

Invece non aveva perso occasione di rivolgere il suo veleno a Caitlin, la persona ora conosciuta come *la prima moglie*. Quando aveva visto le sue terrecotte color pastello su uno scaffale dell'ingresso, aveva arricciato il naso. « Non riesco a capire come mai siano ancora qui. *Quella donna* aveva un gusto così dozzinale. E comunque servono solo a prendere polvere. »

Avevo lasciato che fosse Nico a decidere cosa portare con noi. Francesca si era limitata a scrollare le spalle, quando suo padre le aveva chiesto se volesse tenere ciotole, specchi e un sacco di altre cianfrusaglie assolutamente inutili, a meno di non essere una di quelle casalinghe frustrate che puliscono dietro i termosifoni, le fughe delle piastrelle e riempiono gli armadi di profumabiancheria alla lavanda.

Quel giorno, però, Anna stava dando il meglio di sé, esibendo il tipico comportamento da grande riunione di famiglia: apriva la borsa e dispensava confezioni di Baci Perugina a Francesca *e* Sam.

Esitò, poi mi porse una scatolina avvolta in una carta regalo che aveva tutta l'aria di essere molto costosa. « Buon compleanno, Maggie. »

La mamma mi guardò sbalordita, come a voler dire: *Deve costare una fortuna.*

Ero piuttosto sicura che non si trattasse di un nano da giardino da abbinare a quello che mi aveva regalato la mamma. « Non ho resistito. Non appena l'ho visto, ho pensato al tuo giardino nuovo. »

Non sapevo bene cosa mi avesse fatto ridere di più: che la mamma avesse trovato un nano che suonava la fisarmonica e avesse pensato che fosse un oggetto indispensabile per il nostro patio, o l'espressione di Nico quando l'avevo scartato. Di sicuro era contentissimo che, dopo tutte le sere trascorse a estirpare erbacce, decorare il pergolato con la clematide e posizionare i vasi perché « attirassero lo sguardo nei punti giusti », mia madre avesse dato una rapida occhiata e pensato: « Questo posto ha assolutamente bisogno di un nano da giardino ».

Scartai con cura il pacchetto, mentre la mamma mi gironzolava intorno, pronta a mettere da parte la carta decorata per riutilizzarla alla prossima occasione.

Dentro la scatolina c'era un antico ciondolo in argento con uno zaffiro. « È meraviglioso, Anna. Grazie mille. »

Lei sorrise. « Era di mia madre. Il fatto che io non avessi una figlia femmina è sempre stato motivo di cruccio, per lei, ma so che avrebbe voluto che lo avessi tu. »

Stavo per mettermi a piangere. L'abbracciai. Lei non ricambiò, ma lo accettò di buon grado, e comunque il fatto che avessi osato sgualcire il suo foulard era un enorme passo in avanti rispetto a quand'ero entrata nella famiglia Farinelli.

Ma, col tatto tipico di un tredicenne, Sam non riuscì a nascondere la sua mancanza d'interesse nei confronti del gesto con cui Anna mi aveva ufficialmente accettato nella sua famiglia e s'intromise dicendo: « Adesso possiamo mangiare la torta? » Era come una locomotiva a vapore che aveva costantemente bisogno di carburante. Almeno il suo pessimo padre era servito a qualcosa: Sam era già parecchi centimetri più alto di me e di mia madre e sembrava averne ereditato anche la corporatura snella. Di fronte alla mia resa, si precipitò su per le scale del cottage. Anna si limitò a disapprovare in silenzio, in segno di rispetto per il mio compleanno, ma sentii comunque quel suo piccolo schiocco della lingua rivelatore. Non ero riuscita a adeguarmi alle regole dei Farinelli su come ci si comporta a tavola: mi rifiutavo di sbucciare le mele, concludevo i pasti con una bella tazza di caffè macchiato e non mi andava mai di pulire il piatto con un pezzo di pane. E tuttavia non me ne fregava niente se i ragazzi spazzolavano la mia torta di compleanno prima del barbecue. Salsicce, hamburger, torta al cioccolato... andava tutto a finire nello stomaco, a prescindere dall'ordine di portata.

Guardai Sam, poi Nico, che sorrideva, un uomo in pace col mondo. Non c'era più traccia dell'espressione tesa di un tempo, aveva smesso di tenersi sempre pronto per l'ennesima cattiva notizia o un altro problema da risolvere.

Si protese verso di me e mi strinse la mano, mormorando: « Invecchia insieme con me, il meglio deve ancora venire ».

Non ero tipo da romanticherie ma, da quando ci eravamo trasferiti in una casa che avevamo scelto insieme, avevo finalmente smesso di temere che nascosta dietro l'angolo ci fosse una moglie più magra, carina e intelligente, pronta a fare meglio di me. Quando gli avevo accennato al programma della serata, aveva esclamato, sorpreso: « Caspita! Sarà un compleanno indimenticabile ».

« Pensi che sia pazza? »

Era scoppiato a ridere, mi aveva baciato sulla punta del naso e aveva detto: « No. Penso che tu sia generosa e coraggiosa ». Aveva fatto una pausa. « E a volte eccessivamente ottimista. Ma fa parte del tuo meraviglioso fascino. »

Ormai non c'era modo di tornare indietro. Nonostante la mia fiducia che sarebbe andato tutto per il meglio, ero nervosa, contavo i tovaglioli e raddrizzavo le forchette come se potesse influire sull'esito della serata.

Anche se Anna si era ammorbidita nei confronti di tutti noi, dopo che il suo figlio perfetto si era rivelato uno stronzo integrale, non aveva del tutto perso il desiderio d'imporre sugli altri i propri desideri e bisogni. Quando Sam comparve con l'enorme torta al cioccolato che aveva preparato con la mamma, mia suocera alzò le braccia al cielo e disse: «Santo cielo, non avrete intenzione di mangiarla prima di cena?»

La mamma si alzò per accendere le candeline. Si comportava come se Anna fosse un noioso rumore di fondo che nessuno riusciva bene a identificare. Presi posizione, dicendo che era il mio compleanno e ogni mio desiderio era un ordine.

Diedi una leggera gomitata a Nico. «Dov'è Francesca?»

Si alzò.

Lo fermai. «Vado io. Aspettate un minuto prima di accendere le candeline. Vado a chiederle se vuole farci compagnia.»

Quando ci eravamo trasferiti al Moneypenny Cottage – o, come lo chiamava Sam, «il nido d'amore di James Bond» – il nuovo inizio all'insegna della felicità che io e Nico avevamo immaginato lontano dai brutti ricordi di Siena Avenue si era rivelato abbastanza diverso dalla festa spumeggiante che avevamo sognato. Francesca si era chiusa in se stessa, comportandosi come un ospite che si era trattenuto più del dovuto ma che non aveva un altro posto dove andare. Non aveva appeso nessuno dei vecchi poster alle pareti della camera da letto. Anzi, la trasandatezza generale che mi aveva fatto diventare matta nella vecchia casa – i piatti unti, i mucchi di abiti puliti mescolati alla biancheria sporca, il trucco rovesciato sul tappeto – aveva ceduto il posto a una stanza da letto asettica e impersonale, sebbene ci fossimo offerti di portarla a comprare una nuova lampada, un piumone e un tappeto.

Il lato positivo era che aveva smesso di essere maleducata nei miei confronti. Non potevo negare che fosse piacevole tirar fuori i miei cibi confezionati senza sentirmi dire che Caitlin faceva la sua maledetta salsa usando vero brodo di pollo e farina. E non aveva più accennato nemmeno a quel dannato portagioie. Anzi, Francesca era così furibonda da quando aveva saputo che Caitlin aveva una relazione con Massimo, che non l'aveva più nominata.

Nico aveva cercato di parlare con lei, ma lei lo ignorava, o lo attaccava senza pietà, lasciandolo senza parole: « Gliel'hai permesso! Come hai fatto a non accorgerti che si scopava lo zio Massimo? T'importava qualcosa almeno? Probabilmente non sarebbe rimasta con te così a lungo, se non ci fossi stata io. Scommetto che avrebbe voluto che non fossi mai nata, per poter andarsene con lo zio Massimo ».

All'inizio, un pezzettino del mio piccolo cuore meschino aveva gioito all'idea che Caitlin non fosse più il culmine di tutte le cose meravigliose. Ma, quando avevo trovato le foto di Caitlin che appartenevano a Francesca nel cestino della spazzatura della cucina, avevo deciso di chiamare a raccolta l'adulto che era in me. C'era da scommettere che, prima o poi, considerare la relazione clandestina di sua madre la prova che non l'amava avrebbe portato Francesca a scegliere uomini inadeguati, cocktail pericolosi e sostanze equivoche.

Incominciai a salire la scala di quercia. All'improvviso divenni consapevole del rumore delle mie infradito sui gradini di legno. Niente musica dal pianerottolo. Il mio cuore si fermò. C'era troppo silenzio. A eccezione di Sam, nessuno era riuscito a stabilire un vero contatto con Francesca negli ultimi mesi. Fui travolta da un presentimento. Mi passò per la testa un'infinità di orribili titoli di giornale sul suicidio tra gli adolescenti, finché un grido strozzato non incominciò a farsi largo nella mia gola. Mi precipitai nella sua camera da letto senza bussare, lo sguardo inchiodato alle travi del soffitto. Quando la vidi seduta sull'altro lato del letto a guardare le foto di Caitlin che avevo tolto dal cestino e messo in una busta sul suo tavolo da toeletta, fui così sollevata che caddi quasi per terra. « Francesca! » Dalla sua espressione sorpresa mi resi conto che avevo gridato. Mi sforzai di parlare a un volume normale: « Va tutto bene, tesoro? C'è la torta, se ne vuoi un po'. Abbiamo deciso di ribellarci e mangiarla prima del barbecue ». Ero così sollevata che parlavo a ruota libera. « Anna sta dando di matto, ma cerca di non dire niente... »

Francesca guardò le foto che aveva in grembo. « Sto bene così. »

« Mi farebbe tanto piacere se venissi anche tu. Non sei obbligata, ma so che Anna ti vorrebbe vedere e Lara e Sandro arriveranno tra poco. Con un paio di ospiti speciali.»

Per un istante catturai il suo interesse. Ma non durò. «Magari dopo», disse, raccogliendo le foto e posandosele accanto.

Esitai, ma il bisogno di giocare a carte scoperte ebbe la meglio. «Non devi vergognarti se senti la mancanza di tua madre, qualunque cosa abbia fatto.»

Francesca mi guardò con attenzione. «La odio per quello che ha fatto. È disgustoso e, insomma, strano. Stare con mio padre e mio zio.» L'espressione del suo viso, mentre prendeva in considerazione l'idea di sua madre che faceva sesso, era così adolescenziale e indignata che feci fatica a restare seria.

Mi sedetti sul letto, guardando le foto del volto delicato di Caitlin, così simile a Francesca: il naso perfetto, il mento deciso, la linea definita delle sopracciglia. «Posso dire una cosa?»

Francesca annuì.

«È molto difficile accettare che i genitori combinano casini, perché ti aspetti che siano migliori di così, che abbiano tutte le risposte e abbiano imparato a non fare errori. E di sicuro a non commetterne di così evidenti come innamorarsi del proprio cognato.» Non mi persi d'animo. Speravo che Francesca si sentisse meglio, se mi fossi inventata che Caitlin si era ritrovata suo malgrado nei panni di un'amante sfortunata, e non di una malata di sesso che scopava col vicino ogni volta che ne aveva l'opportunità. «Ma non significa che non amasse tuo padre, a modo suo. Spesso non è tutto bianco e nero. E di sicuro non significa che non amasse te.»

Francesca era a disagio, ma ero sicura che mi stesse ascoltando.

Andai avanti, sperando di non sembrare uno di quei mediocri consulenti matrimoniali che incoraggiavano tutti a «entrare in contatto coi propri sentimenti». «Gli adulti a volte non sanno ciò che vogliono. Spesso sono soltanto annoiati. A volte si ubriacano. Forse trovano difficile trarre soddisfazione da ciò che hanno. Certe persone non accettano di buon grado il matrimonio, si sentono in trappola; anche se amano la persona con cui sono sposate, continuano a desiderare la libertà, l'avventura, l'ignoto. Restare con una persona tutta la vita e non provare attrazione per nessun altro richiede un grande impegno.»

Oh, merda. Non volevo che pensasse che di lì a un paio d'anni me ne sarei andata a passeggio sul lungomare di Brighton puntando ragazzi in costume da bagno.

Cercai di fare dietrofront. «Ovviamente ho conosciuto tuo padre quando ormai ero già un po' avanti con gli anni, quindi per me non sarà difficile.»

Francesca sembrava perplessa. Santo cielo. Probabilmente le stavo facendo passare la voglia di sposarsi.

«Quello che sto cercando di dirti è che non sappiamo cos'abbia spinto tua madre ad agire in quel modo. Non sappiamo nemmeno perché Massimo abbia ferito tuo padre. Ma una cosa la so di sicuro, e cioè che tua madre ti voleva un mondo di bene. Quand'era malata diceva sempre a Beryl che non sapeva come avresti fatto senza di lei. Non era perfetta, ma nessuno lo è. Dovresti essere orgogliosa che tua madre ti amasse così tanto. E che tu ricambi il suo amore. Tutte le altre cose che sono successe non dovrebbero cambiare la realtà dei fatti. Non sentiresti così tanto la sua mancanza, se non l'avessi amata. Ed è normale voler bene a qualcuno anche se si è comportato male.»

Avevo ancora delle cose da dire. Ma Francesca si alzò e venne a sedersi accanto a me, appoggiando la testa alle mani. «Grazie», mormorò. «Pensi che mi vorrai bene, un giorno? Anche se sono stata così orribile con te?»

«Ti voglio già bene, tesoro. Ho sempre desiderato una figlia.»

50

LARA

Salire sulla mia Fiat 500 riusciva sempre a strapparmi un sorriso. Maggie mi aveva incoraggiato a comprarne una rossa fiammante, invece che color argento. « Buttati! Basta, con questo grigio e beige! » Mi convinceva sempre a fare scelte coraggiose anche per quanto riguardava il mio nuovo appartamento vicino al mare. Avevamo scelto del tessuto con un motivo a farfalle dai colori vivaci e mi aveva cucito delle tende per le portefinestre che si aprivano sul balcone. Adoravo sedermi lì, dopo che Sandro era andato a dormire, per respirare l'aria salmastra, ascoltare i rumori della città ai miei piedi, sicura che una serata tranquilla non sarebbe mai degenerata senza motivo.

Pur non avendo una grande istruzione, Maggie avrebbe potuto essere un'avvocato divorzista formidabile. Dietro sua insistenza, non avevo dato a vedere che non avevo nessuna intenzione di litigare con Massimo per una casa in cui ogni credenza contro la quale ero stata spinta, ogni cuscino che mi ero affrettata a raddrizzare mi ricordava di quando restavo nel letto, cercando di giudicare l'umore di mio marito dal rumore dei suoi passi sul pianerottolo. Anna era così spaventata all'idea che obbligassi suo figlio a vendere la casa di Siena Avenue e che lui fosse costretto a trasferirsi altrove, che gli aveva ordinato di comprarmi qualsiasi casa volessi.

Anche se Maggie era molto diretta riguardo all'aspetto economico e faceva domande sfrontate all'avvocato, io mi sentivo a disagio, terrorizzata di sembrare avida.

Eccetto la volta in cui l'avvocato mi aveva detto che Massimo sosteneva di aver avuto il permesso di usare i soldi ricavati dalla vendita della casa del papà per pagare la casa di riposo. Il ricordo di mio marito che m'impediva l'accesso ai rendiconti annuali frustrando ogni tentativo di prendermi cura del papà senza chiedere il suo appoggio aveva provocato in me una tale esplosione di rabbia che l'avvocato era rimasto basito. Una lettera in cui si specificava che qualsiasi appropriazione indebita di fondi appartenenti a una persona vulnerabile avrebbe comportato una lunga condanna penale aveva spinto Massimo a consegnare i documenti relativi ai conti del papà, compreso tutto il suo denaro, nel giro di una settimana.

Quando avevo accennato a Maggie che mi sentivo in colpa perché Massimo aveva sborsato migliaia di sterline per mio padre, lei aveva scosso la testa. « Raccontava a tutti quelli che incontrava che pagava le cure di tuo padre, faceva il buon samaritano. Non può avere la botte piena e la moglie ubriaca. Io direi che è il minimo per averlo sopportato tutti questi anni. Non gli devi niente. »

Insieme avevamo trovato una piccola casa di riposo vicino al mio nuovo appartamento. Non era lussuosa come la precedente ma, tutte le volte che ci ero andata, il papà stava cantando insieme con gli altri ospiti e il personale lo incoraggiava sempre a suonare il pianoforte. Con l'aiuto dell'avvocato, avevo costituito un fondo speciale per garantire le sue cure.

Il giorno in cui me n'ero andata da Siena Avenue avevo evitato di guardare le finestre della casa di Anna, cercando di non chiedermi se Massimo stesse guardando Sandro che appoggiava la guancia sulla porta e diceva: « Ciao, casa. Ci vediamo presto ». Non ero mai stata capace di anticipare le intenzioni di Massimo quando vivevo con lui, quindi non avevo idea di cosa gli passasse per la testa: era pieno di rimpianti, o soltanto consumato dalla rabbia perché non ero rimasta al verde?

Anna era venuta a trovarci poco prima che ce ne andassimo, diretti verso la nostra nuova vita. Mi aveva preso le mani, il gesto d'affetto più esplicito che avesse mai avuto nei miei confronti. « Mi dispiace. Spero che siate felici. Non posso voltargli le spalle perché è mio figlio, ma provo una tale vergogna per come ti ha trattato. Non scomparire. »

Avevo annuito, terrorizzata che, se avessi aperto bocca, ne sarebbe uscito un enorme lamento di dolore.

Sandro l'aveva abbracciata. « Non scompariremo, nonna.

Siamo una famiglia. Puoi venire a trovarci nella nuova casa. Puoi dormire nel mio letto.»

Il suo piccolo guizzo di coraggio mi aveva quasi fatto crollare.

Anna si era sforzata di sorridere. «E tu tornerai qui da me, così potrai vedere il papà.» Mi aveva guardato. Aveva impedito che le procedure del nostro divorzio diventassero ancora più aspre offrendosi di sovrintendere alle visite tra Sandro e Massimo. Non proprio la nonnina accogliente che sognavo, ma speravo che la sua disperazione per come si era comportato Massimo l'avrebbe spinta a proteggere Sandro dai peggiori accessi d'ira di suo padre.

Quand'eravamo partiti, non mi ero voltata indietro.

Ora, a due anni di distanza, stentavo a riconoscermi. All'epoca non avrei mai avuto il coraggio di fare quello che io e Maggie avevamo organizzato per quella sera. E Nico era stato pronto ad assecondarci, a testimonianza della sua generosità. Mentre m'immergevo nel traffico per raggiungere la stazione di Brighton, sperai che Maggie avesse ragione. Cercai di non pensare alle insidie. A ciò che avrebbe potuto dire Anna. A come avrebbe potuto reagire Francesca. Anche Nico avrebbe potuto non essere ottimista come pensava. Sandro, però, mi chiedeva ogni cinque minuti se fosse già ora di andare. Avevo preso in considerazione l'idea di fargli una sorpresa. Tuttavia, benché non bagnasse più il letto, né mi guardasse per avere la mia continua conferma, preferivo vivere la nostra nuova vita un giorno alla volta, grata nel vederlo finalmente uscire dal guscio. Amavo appendere i suoi disegni per tutta casa e portarlo al mare ad allenare le sue recenti capacità di nuotatore, senza che Massimo lo tormentasse per fargli imparare lo stile libero.

Parcheggiammo, mentre Sandro premeva il naso contro il finestrino, osservando le persone che si accalcavano tutt'intorno. Proprio mentre stavamo per scendere dall'auto, comparvero all'ingresso della stazione. Non c'erano dubbi, erano loro. La donna era proprio come me l'aspettavo, il viso lentigginoso, pieno di calore.

« Dawn! » gridai.

L'abbracciai. Lei ricambiò, traducendo in forma fisica la sincerità e l'intensità delle nostre conversazioni telefoniche. Quando Maggie l'aveva rintracciata grazie alla pagina Facebook della società di nuoto e Dawn aveva accettato di parlarmi, ne ero stata terrorizzata. « Non sono pronta. È già abbastanza brutto che tu sappia quanto sono stata stupida. » Ma, col tempo, Maggie mi aveva convinto che mi avrebbe aiutato a metabolizzare tutto, perché era l'unica altra persona che capiva davvero come Massimo fosse riuscito a controllare due donne intelligenti e sane di mente come noi.

E aveva funzionato. Così bene che avevamo deciso d'incontrarci. Al telefono era sembrato tutto semplice, invece ora avevo il cuore che mi martellava nel petto, mentre mi apprestavo a presentare Sandro al suo fratellastro. Avevo cercato di prepararlo a ogni eventualità. « Ben potrebbe essere un po' timido, all'inizio. Quindi potrebbe sembrare ostile. » Ma le mie preoccupazioni si rivelarono superflue.

Dawn indicò suo figlio. « Questo, ovviamente, è Ben. »

Sandro non riuscì più a tenere a freno l'entusiasmo. « Sei mio fratello! »

Il timore che Ben avrebbe potuto respingere Sandro svanì quando Ben fece un passo avanti e strinse solennemente la mano di Sandro, dicendo: « Un po' mi assomigli ».

In realtà, Ben assomigliava a suo padre molto più di quanto non gli somigliasse Sandro. Gli stessi riccioli scuri, il mento squadrato, le ciglia folte. Ma non aveva la durezza tagliente di Massimo: i lineamenti di Ben erano arrotondati e morbidi. C'era l'allegria della madre, in lui.

« Siete pronti? » chiesi, prendendo la valigia di Dawn. « Maggie non vede l'ora di vedervi. »

Partimmo alla volta del cottage di Maggie e Nico; raccontai loro della famiglia, dicendo di non prendersela se Anna fosse stata un po' sulle sue, all'inizio, perché in realtà si era rivelata un grande sostegno per me. Ben chiacchierò del nuoto e della scuola, rispondendo alle timide domande di Sandro senza sembrare altezzoso.

Mentre parcheggiavamo, Dawn mi toccò il braccio e disse: « Sono un po' nervosa ».

« Non ne hai motivo. Ci sono io qui con te. » E, mentre lo dicevo, mi resi conto che ero così forte, così sicura delle mie opinioni e di me stessa per la prima volta dopo anni, da avere abbastanza risorse per sostenere anche qualcun altro.

A quanto pare, ciò che non ti uccide ti rende più forte.

51

MAGGIE

Non appena suonarono alla porta, mi precipitai ad aprire. Li invitai a entrare. « Che bello rivederti. Tutto bene il viaggio? »

Ben restò un po' in disparte, più timido di quanto ricordassi, ma d'altra parte l'ultima volta non aveva puntati addosso gli sguardi della famiglia Farinelli al completo. Dawn era stata entusiasta quando le avevo proposto di raggiungerci: « Ben mi ha fatto un sacco di domande sulla famiglia di suo padre, ma in tutti questi anni ho sempre nascosto la testa sotto la sabbia. Però temo che, prima o poi, tra una gara di nuoto e l'altra, si metta a chiacchierare con Francesca e faccia due più due. Anche se ho dato a Ben il mio cognome, conosce il nome di suo padre e sa che viene da Brighton. Visto che Massimo non ci sarà, voglio fare un tentativo. Mi piacerebbe molto rivedere Nico e Francesca ». Poi aveva aggiunto, scoppiando a ridere: « Per quanto riguarda Anna, sono un po' meno entusiasta ».

Li pregai di aspettare un momento nell'ingresso.

Andai in salotto e battei le mani. « Bene. Ho una piccola sorpresa di compleanno. Un paio di persone che non vedono l'ora d'incontrarvi. »

Nico, che era al corrente del mio piano, sembrava che avesse scritto in fronte: MI AUGURO CON TUTTO IL CUORE CHE TU SAPPIA COSA STAI FACENDO. Sam smise di mangiare la torta giusto il tempo d'inarcare un sopracciglio, ma non abbastanza da smettere di litigare con Francesca su chi avesse veramente bisogno dello Smarties arancione. Ma Anna doveva aver intuito qualcosa dalla mia voce. Tese l'orecchio come un cagnolino che aspetta di sentire il proprio padrone girare la chiave nella toppa da un momento all'altro.

« Venite! » gridai, rivolta verso l'ingresso.

La prima a entrare fu Lara.

Tenni lo sguardo fisso su Anna: chissà se aveva capito chi erano gli ospiti che stavano per entrare. Quando la vidi sussultare, ne ebbi la conferma. « Mi hai portato Beniamino? » Si alzò dalla sedia. Per un brevissimo istante fui presa dal panico, quando la immaginai stroncata da un infarto sul mio bellissimo pavimento di ardesia a causa della troppa emozione, ma la mia fantasia iperattiva dovette accontentarsi di vederla andare da Ben, posargli le mani sulle spalle e dire: « Mio nipote. Grazie. Grazie per essere venuto ».

Ben si rivelò sorprendentemente espansivo per essere un ragazzo di quindici anni e baciò Anna su entrambe le guance prima di darle un abbraccio sincero.

Lara cinse Dawn con un braccio, mentre tratteneva a stento le lacrime. « Non sono venuta qui per mettermi a piangere. »

La mamma sciolse la tensione sbottando: « Santo cielo, e io che speravo di vedere Hugh Grant vestito da Babbo Natale! Penso che dovremmo tutti bere qualcosa! »

Anna non aveva intenzione di essere da meno. « Nico, bollicine! »

Mia madre serrò le labbra per costringersi a non farle il verso e le rivolsi uno sguardo colmo di gratitudine.

L'istante successivo stavamo parlando tutti contemporaneamente, stringendo mani, baciando guance, facendo commenti sulle somiglianze reciproche.

Nico porse un bicchiere di champagne a Dawn, chiedendole: « Quindi eri già incinta, quando Caitlin aspettava Francesca? »

Mi allontanai con discrezione, per lasciare a Nico la possibilità di parlare senza remore, tornare indietro nel tempo senza che « ciò che era successo dopo » rovinasse ogni suo singolo ricordo. Nonostante le moine di Anna, aveva rifiutato di avere qualsiasi contatto col fratello. Ero sicura che Lara avesse raccontato a Dawn della relazione, ma dubitavo che Nico avesse fretta di affrontare l'argomento. Doveva avervi accennato, però, perché sentii Dawn dire: « Era molto difficile resistere a tuo fratello, quando si metteva in testa qualcosa ».

Mi chiesi se l'enorme frattura familiare potesse mai essere ricomposta. E se fosse nell'interesse di qualcuno. Immaginai

Lara e Nico nella stessa stanza con Massimo e fui assalita dal desiderio di proteggerli. Conoscendolo, Massimo avrebbe provato a minimizzare la situazione e alla fine ci avrebbe convinti che eravamo stati noi a esagerare. Non avrei aderito alla campagna *#JesuisMassimo* tanto presto.

E comunque avevamo Ben, il nostro miniMassimo, ma senza il suo lato bastardo.

Sam lo stava tempestando di domande: « Quanti trofei di nuoto hai vinto? Ventisette? Francesca solo nove ». Calò un silenzio imbarazzato, mentre Ben si faceva venire in mente una risposta diplomatica. Francesca sembrava piuttosto in soggezione, ma non ne capivo bene il motivo: forse perché stava metabolizzando la notizia di avere un nuovo cugino, o magari perché era un dio del nuoto, bello in modo imbarazzante. Una cosa era certa: presto le sue amiche avrebbero cominciato a lusingarla, nella speranza di conoscerlo.

Dopo un po' Sam si stufò di quel viaggio lungo il viale dei ricordi della famiglia Farinelli e chiese a Ben di giocare a ping pong. Li guardai sul patio e adorai il modo in cui Ben sopportava i colpi imprevedibili di Sam, brillanti quando andavano a segno, ma frustrati dalla loro ridicola percentuale di successo. Alla fine, Ben chiese a Sandro di fare una partita. Con grande disappunto di Sam, dal momento che avevamo comprato il tavolo da ping pong all'inizio dell'estate, Sandro si era ritagliato la sua nicchia sportiva. Vinse tre volte. Ben si complimentò dandogli un cinque: « Stracciato dal mio fratellino! »

L'espressione di Sandro era da incorniciare. Sgranò gli occhi e un sorriso raggiante gli illuminò il viso. Dovetti fare uno sforzo per non mettermi a piangere, quando gli chiese: « Posso dire che sei mio fratello? »

Ben si passò le dita tra i capelli. « Be', a dire il vero sono il tuo fratellastro. Ma non è necessario che si sappia. »

Per non essere da meno, Sam aggiunse: « Puoi essere anche mio fratello, se ti va. E di Francesca ».

Dovevo ricordarmi di spiegare a Sam che non poteva andarsene in giro a vantarsi dei fratelli degli altri affermando che erano i suoi.

Volevo catturare quell'attimo e fare una foto di quella vecchia, buffa famiglia, ma non volevo intromettermi nelle emozioni del momento: le scuse, le spiegazioni, i ricordi, la speranza per il futuro. Chi avrebbe mai immaginato che Anna, che aveva storto la bocca così spesso al solo sentire il nome di Dawn, ora la supplicasse di non sparire di nuovo? Che la mamma si mettesse a cantare *My Way*, dando una dimostrazione di ciò che era successo l'ultima volta che era andata a trovare Robert? Che i minacciosi Farinelli si sarebbero rivelati una famiglia come tutte le altre, coi suoi scheletri nell'armadio ma anche coi suoi punti di forza: un bel miscuglio di fratellastri, ex mogli, nuove mogli, amici improbabili e alleati ancora più improbabili? Era il corrispettivo umano del capanno da giardiniere di Nico, dove avvenivano gli innesti, i germogli venivano sradicati per essere piantati altrove, i ramoscelli mezzi morti venivano innaffiati, nutriti e preparati a una nuova vita.

Francesca mi tamburellò su un braccio. « Ho dimenticato di darti il mio biglietto di auguri. »

« Grazie. » Qualcosa nell'espressione del suo viso mi fece venire voglia di non aprirlo. Sperai che non fosse uno di quei biglietti scherzosi con la classica immagine della matrigna cattiva, di fronte al quale mi sarei dovuta mettere a ridere e che invece mi avrebbe ferito a morte. Cercai di prepararmi al peggio, mentre lei aspettava.

Dentro la busta c'era un biglietto con l'immagine di un alano. « Oh, che carino! È adorabile », esclamai in tono forzato.

Avevo paura di aprirlo, nel caso ci fosse soltanto uno scarno *Da Francesca*, come l'anno precedente.

Mi feci coraggio.

Alla mia seconda mamma, buon compleanno.
Sono contenta che il papà ti abbia sposato.

UNA LETTERA DA KERRY FISHER

Ehilà!

Grazie di cuore per aver letto *L'altra moglie*: spero che ti sia piaciuto!

Mentre macinavo idee per questo romanzo, ho letto un'infinità di articoli d'opinione e forum su Internet per capire a fondo di cosa parlano le donne, quali problemi affrontano e quali sono per loro le questioni davvero importanti. Le discussioni ricadevano di continuo sulla complessità delle dinamiche familiari. A colpirmi sono stati soprattutto gli innumerevoli compromessi richiesti, in particolare alle donne, per far sì che la vita in comune proceda felicemente e il profondo senso di desolazione che le assale quando insorgono contrasti coi membri della famiglia. Poiché questo è un romanzo, e il fulcro di ogni buon romanzo è il conflitto, ho sentito l'impulso d'indagare su come le relazioni diventino ancora più complicate quando ci si sposa per la seconda volta e ci si ritrova costretti a percorrere un sentiero delicato, serpeggiando tra i meandri di una storia consolidata fatta di ex mogli (vive o no), figliastri e parenti acquisiti. Ho visto amiche piangere per la riluttanza mostrata dai nuovi congiunti nell'accoglierle e addirittura precipitare nella disperazione davanti alla fatica incontrata nel crescere i figliastri. Ma ho visto anche come una paziente perseveranza possa condurre alla creazione di una nuova famiglia, con le sue criticità ma anche con le sue tradizioni, gioie e occasioni da festeggiare.

Oltre ad analizzare la difficoltà nell'integrarsi in una famiglia segnata dalla morte della prima moglie, volevo puntare lo sguardo su un dato di fatto: non conosciamo mai la verità sul matrimonio degli altri. Continuo a vedere donne sopportare di tutto per proteggere i propri bambini e faticare a chiedere aiuto quando le cose in casa si mettono male per paura di non essere credute, di essere etichettate come melodrammatiche, di veder compiere ritorsioni sui figli. Nel mio caso, trattandosi di narrativa, ho potuto scrivere un [mi auguro credibile] lieto fine, ma capisco che la vita vera non è sempre così semplice.

A ogni modo, se *L'altra moglie* ti è piaciuto, ti sarei molto grata se pubblicassi una breve recensione: le recensioni sono importantissime per noi autori perché contribuiscono a far conoscere i nostri libri. Inoltre non so dirti quanto entrare in contatto coi lettori rallegri le mie giornate; perciò sarei davvero lieta se mi scrivessi su Facebook o Twitter. I messaggi dei lettori sono un'incredibile fonte di motivazione!

Se desideri ricevere aggiornamenti sul mio prossimo libro, iscriviti alla newsletter indicata a fondo pagina. Non ti tempesteremo d'informazioni indesiderate.

Carissimi saluti,

Kerry xx

www.bookouture.com/kerry-fisher/

kerryfisherauthor

@KerryFSwayne

RINGRAZIAMENTI

Soltanto ora, al mio quarto romanzo, capisco davvero l'immane lavoro che si cela dietro la pubblicazione di un libro. Il che significa dover ringraziare un sacco di persone. In primis la meravigliosa squadra di Bookouture, che si occupa di tutti gli aspetti di cui probabilmente gli autori ignorano persino l'esistenza! Un grazie speciale a Lydia Vassar-Smith per il meraviglioso editing e il tifo entusiastico e a Kim Nash, instancabile tornado pubblicitario. È stato un privilegio far parte della comunità di autori Bookouture, persone deliziose e di grande sostegno.

I book blogger e i gruppi Facebook sono stati fantastici, come sempre: non mi azzardo a citarli tutti per nome per timore di dimenticare qualcuno, ma li ringrazio di cuore, apprezzo moltissimo il tempo che hanno dedicato a commentare, leggere e recensire il mio romanzo.

Uno dei vantaggi maggiori di questo lavoro è trovare un'intera tribù di nuovi amici che con ogni probabilità non avrei mai incontrato se non fossi diventata un'autrice. Devo senz'altro menzionare Jenny Ashcroft e Jane Lythell, oltre alla squadra della DWLC: il vostro sostegno è tutto per me! Sono grata a Adrienne Dines per la sua abilità nell'analizzare le storie nei minimi dettagli, capire come stanno andando realmente le cose e spingermi subito nella direzione giusta. Devo tantissimo ad Allie Spencer per la sua amicizia e per i suoi suggerimenti riguardo alle procedure di divorzio!

La mia adorabile agente, Clare Wallace, è stata una vera fuoriclasse: è un privilegio essere stata così fortunata da trovare una persona come lei, del cui giudizio mi fido al cento per cento. Sono sinceramente grata a tutto lo staff della Darley Anderson per il grande lavoro svolto nel mio interesse.

La stesura dell'*Altra moglie* ha coinciso con la preparazione agli esami per il certificato GCSE di mio figlio, il che ha contribuito a scatenare un altro po' di follia tra le mura di casa; perciò ringrazio il cielo per avere avuto accanto mio marito Steve, che ha saputo tappare i buchi magistralmente e prendere il comando quando pensavo stesse per scoppiarmi il cervello.

E per finire... un gigantesco grazie a tutti i lettori che comprano e consigliano i miei libri. Mi rendete felice.

Fotocomposizione Editype S.r.l.
Agrate Brianza (MB)

Finito di stampare
nel mese di marzo 2018
per conto della Casa Editrice Nord s.u.r.l.
da Grafica Veneta S.p.A. di Trebaseleghe (PD)
Printed in Italy